qu'il n'aurait aucune incidence sur votre poids. Si vous n'en trouvez aucun, mettez 0 à l'eau. Puis entre 0 et 50 mettez une note à tous les aliments dont vous pensez qu'ils ne vous font pas grossir.

Aliments grossissants	Aliments non grossissants
100	50
90	40
80	30
70	20
60	10
50	0

Où, quand, comment et avec qui je mange ? En faisant quoi ?

L'heure, le lieu, les personnes avec lesquelles on mange peuvent constituer des informations importantes. Ils permettent de repérer des situations problématiques. Vous pourrez peut-être remarquer que certaines heures de la journée sont plus critiques que d'autres. Cependant, tous les repas peuvent être l'occasion de moments difficiles. Aussi bien le petit déjeuner que le déjeuner ou le dîner. Parfois un repas semble poser plus de problèmes que les autres. Le dîner est souvent cité en premier. Mais les deux autres repas ne sont pas toujours exempts de difficultés. D'autres fois, ce sont tous les repas qui sont l'occasion de tension.

Il est habituel de constater que les grignotages ou les compulsions se répètent souvent au même moment de la journée.

— Au début de la matinée, en se rendant au travail ou juste en y arrivant.

— En milieu ou fin de matinée.

— Dans l'après-midi, au travail en s'occupant à d'autres tâches ou à la maison si l'on est inoccupé.

— En fin de journée, après le travail sur le trajet du retour ou immédiatement en rentrant à la maison pour se réconforter d'une journée difficile.

— Entre le retour à la maison et le repas, souvent pendant la préparation du repas du soir.

— Après le dîner, au cours de la soirée. Souvent en regardant la télévision ou en travaillant chez soi. Ils sont alors décrits comme un besoin de relâchement, de détente, de décompression.

— Au cours de la nuit, lors d'une insomnie ou en étant réveillé par la faim ou l'idée de la nourriture.

Vous pourrez peut-être vous rendre compte que certains lieux sont des sources de difficultés particulières. Les self-services, les cafétérias et les buffets posent le problème épineux du choix et de la tentation aux aliments exposés. Les restaurants présentent l'avantage de proposer des portions uniques à ceux qui se resservent souvent, mais l'inconvénient de proposer des portions parfois trop importantes à ceux qui ont peu d'appétit et ne savent pas laisser de nourriture dans leur assiette. Certains itinéraires peuvent se révéler de véritables incitations à manger, au point que vous prenez l'habitude de les éviter. À moins que vous ne succombiez aux tentations. Il peut s'agir de rues commerçantes, de distributeurs de nourriture dans les stations de métro, d'affiches ou de publicités audiovisuelles qui vous font penser à la nourriture et vous donnent envie de manger.

Vous pourrez également constater que certaines personnes influencent votre manière de manger. Elles vous incitent à manger davantage ou, au contraire, à moins manger.

Sandrine : « Quand je suis en compagnie, je fais toujours très attention à ce que je mange. Je choisis les plats les moins gras, je ne prends pas de dessert, je ne me ressers pas. Je deviens une petite fille modèle. Je ne veux pas qu'on me juge mal et qu'on pense que je ne me contrôle pas. »

Camille : « Quand je rentre à la maison, j'ai souvent un moment difficile où je me sens très tendue et où je me mets à manger tout ce qui me tombe sous la main. Je peux manger un camembert entier avec une baguette. Puis mon mari rentre et je me remets à table avec lui pour ne pas qu'il sache que j'ai déjà mangé. Il ne comprendrait pas. »

André : « Ma femme n'arrête pas de me faire des réflexions. Elle me trouve trop gros. Elle me répète sans cesse que j'étais beaucoup plus mince quand nous nous sommes mariés et que je me laisse aller. Elle surveille ce que je mange et me jette un œil noir chaque fois que je prends un gâteau. Il suffit que je me sente observé pour manger deux fois plus. Je sais que c'est idiot, mais je ne supporte pas son attitude. »

En principe, le contexte détermine largement le choix des aliments ainsi que la manière dont on les prépare ou les présente. Il existe une certaine cohérence entre les plats, les aliments et le contexte dans lequel ils sont servis qui dessine ce que l'on peut considérer comme les usages et les rites alimentaires d'une société. Or il n'est pas rare, lors d'un régime, d'observer des pratiques alimentaires en rupture avec ces usages. Il s'agit de stratégies destinées à éviter la confrontation avec les aliments que l'on redoute. Elles consistent à refuser de partager la nourriture des autres convives, parfois au sein de sa propre famille (marginalisation) et peuvent aller jusqu'à refuser de se rendre à des invitations de crainte de devoir transgresser ses règles diététiques (désocialisation). Elles s'inscrivent dans des tableaux de troubles du comportement alimentaire que vous devez aussi apprendre à repérer.

Prenez soin également d'indiquer ce que vous faites pendant que vous mangez. Peut-être êtes-vous simplement assis devant une table en train d'apprécier votre repas et de discuter avec ceux qui le partagent. À moins que vous ne soyez occupé à d'autres tâches : travail, télévision, lecture, téléphone, ménage, préparation du repas. Ou bien mangez-vous debout dans votre cuisine face à votre réfrigérateur ?

Comment se passent mes repas ?

Vous allez maintenant essayer de préciser les sensations alimentaires que vous percevez. Vous devrez y attacher une grande importance. Ces informations sont plus importantes que celles concernant les aliments que vous mangez. Pour l'instant décrivez la faim, l'envie et la satiété simplement comme vous les ressentez. Avant chaque prise alimentaire, au sein ou en dehors d'un repas, vous essayerez de savoir si vous avez faim ou s'il vous arrive parfois de manger sans faim. Après chaque prise alimentaire, vous essayerez de savoir si vous vous sentez correctement rassasié ou si vous avez parfois l'impression d'avoir trop mangé ou pas assez mangé.

Si vous avez des envies que vous n'avez pas satisfaites vous pouvez également en parler ici. Vous pouvez parfaitement écrire que vous avez mangé une pomme alors que vous aviez envie d'un gâteau au chocolat. Vous pouvez également inscrire que vous n'avez mangé qu'une assiette de pâtes alors que vous en auriez volontiers pris une seconde. Ou que vous avez piqué deux frites dans l'assiette de votre voisin pendant que vous vous contentiez de vos courgettes bouillies. Bref, il s'agit de parler des absents, les aliments dont vous avez eu envie et que vous n'avez pas mangés.

Enfin, vous essayerez de repérer les situations dans lesquelles vous avez l'impression de trop manger, c'est-à-dire manger sans faim ou manger au-delà de votre faim. Elles peuvent revêtir tous les aspects. Il peut aussi bien s'agir de moments agréables, comme un repas entre amis, une soirée ou un week-end. Ou de situations désagréables comme une journée éprouvante au cours de laquelle vous vous sentiez fatigué, contrarié, anxieux, en colère, triste, etc. Toutes ces situations peuvent vous faire manger davantage de deux façons différentes.

— Vous mangez des aliments que vous n'aviez pas décidé de manger.

— Vous mangez de plus grandes quantités d'aliments que vous aviez décidé de manger.

Les deux situations peuvent également se conjuguer entre elles et vous conduire à manger de grandes quantités d'aliments que vous n'aviez pas décidé de manger.

Leslie se lève tous les matins comme si c'était le grand jour. Elle décide de ne plus manger d'aliments sucrés. Malgré cela, chaque après-midi, elle « craque » et mange des gâteaux secs sans pouvoir s'en empêcher. Ou encore, elle décide de se contenter au dîner de 100 g de féculents, mais ne peut s'empêcher de se resservir et d'en manger de trop grande quantité.

Exercice :

Nous allons maintenant introduire les premiers changements dans votre manière de manger. Ils sont destinés à créer de meilleures conditions d'observation et vous aider à mieux percevoir vos sensations alimentaires.

1. Quand vous mangez, efforcez-vous de ne rien faire d'autre en même temps. Interrompez votre activité en cours, prenez le temps de manger attentivement, puis reprenez votre activité. À table, tenez-vous-en aux discussions avec les autres

convives. Évitez les repas avec la télévision. Si vous êtes seul et que la situation vous pèse, essayez de vous contenter d'une simple musique de fond. Il est possible que certains n'y parviennent pas. Nous essayerons d'en trouver la cause.

    2. Prenez également le temps de manger plus lentement. Si vous n'y parvenez pas, d'autres exercices pourront vous y aider.

Quelques questions
fréquemment évoquées

Si je m'observe, ne vais-je pas perdre mon naturel ?

« Si je dois noter tout ce que je mange, je vais sûrement faire plus attention et ce ne sera plus mon comportement naturel que j'observerai. Je n'ai pas envie d'écrire que j'ai mangé des gâteaux ou que je me suis laissé aller sur les pizzas. »

N'oubliez pas que la restriction comprend deux aspects : le contrôle et la perte de contrôle. Dans les deux cas, il s'agit toujours de vous et de vos difficultés avec la nourriture. De toutes les manières, si vous jouez le jeu avec sincérité ce que vous n'avez pas voulu manger apparaîtra quand vous parlerez de ce que vous auriez voulu manger.

Ne vais-je pas devenir encore plus obsessionnel ?

C'est une critique fréquente adressée à ceux qui utilisent la technique du carnet alimentaire. En réalité, si vous n'êtes pas obsédé par vos aliments, il y a peu de chance pour qu'écrire ce que vous mangez pendant quelques semaines transforme à ce point votre personnalité. En revanche, si les obsessions occupent déjà votre esprit le carnet alimentaire ne les aggravera pas davantage. Mais jouera le rôle d'un révélateur qui vous indiquera jusqu'à quel point les obsessions ont envahi votre comportement alimentaire.

Maintenant, c'est à vous de jouer. Essayez de réaliser une photographie qui vous soit réellement fidèle, sans exagération dans un sens ou dans l'autre. Puis, ne reprenez la suite de votre lecture qu'après une dizaine de jours d'observations. D'ici là, en attendant de passer à la prochaine étape, vous trouverez dans les pages qui suivent des connaissances plus théoriques qui vous aideront à mieux comprendre la suite de notre travail. Si vous êtes totalement allergiques aux concepts médicaux, vous pouvez effectuer une lecture rapide en ne consultant que les encadrés ou même vous reporter directement au chapitre sur les sensations alimentaires. Néanmoins, comme un amaigrissement progressif est toujours plus profitable qu'un amaigrissement trop rapide, je vous suggère de ne pas trop vous presser et de prendre le temps d'y jeter un œil.

CHAPITRE III

Pour en savoir plus : Comprendre autrement l'équilibre pondéral et le comportement alimentaire

Nous allons envisager dans ce chapitre une manière différente de considérer la prise de poids, l'obésité et même les troubles du comportement alimentaire. Comme toujours, une nouvelle conception d'une maladie apporte de nouvelles propositions de soins. Et ici, une façon radicalement différente d'envisager l'amaigrissement. Les méthodes que nous développerons ici s'inscrivent dans le cadre d'un modèle biopsychosensoriel de l'obésité et aboutiront à une approche totalement originale et nouvelle. Ne prenez pas la fuite, ce terme barbare indique simplement que le modèle explicatif de l'obésité que nous allons décrire ici intègre des dimensions biologiques, psychologiques et sensorielles. J'essayerai de vous expliquer tout cela en douceur sans vous faire trop mal. Il ne s'agit pas d'une panacée ou d'une méthode miracle, mais d'une avancée essentielle dans la prise en charge des problèmes de poids et des troubles du comportement alimentaire. Toutefois, le modèle biopsychosensoriel ne prétend pas résoudre la situation préoccupante des obésités génétiques. Ces dernières sont sans doute du ressort de la recherche génétique et dépendent bien davantage des futurs progrès de la pharmacologie. Je n'ignore pas que l'usage recommande, quand on veut faire la promotion d'un produit, d'insister en premier lieu sur toutes les merveilles qu'il pourra accomplir avant d'évoquer ce qu'il ne fera pas. Mais, dans ce cas, émettre des réserves, permettra de ne pas soulever de faux espoirs chez des personnes légitimement avides de trouver les solutions qui soulageront leur souffrance. Par ailleurs, les généticiens, même s'ils lui accordent une importance certaine, s'entendent tous aujourd'hui à reconnaître la part réduite de la génétique dans le développement de l'obésité. Interrogé dans une revue médicale, un célèbre généticien répondait : « Non, l'hérédité n'est pas seule en cause. L'obésité est avant tout une maladie déterminée par l'environnement et les modifications du comportement. » La plupart des problèmes de poids et des troubles des conduites alimentaires sont donc du ressort d'intervention sur le comportement alimentaire et le contexte psychologique dans lequel évolue la personne. Ce qui, fort heureusement, laisse entrevoir des solutions dans un grand nombre de cas.

Maigrir sans faire de régime

Le régime n'est, en vérité, que la manière institutionnelle d'imposer une restriction cognitive dont la nocivité n'est plus à démontrer. Tous les spécialistes s'accordent aujourd'hui à admettre qu'il n'est pas possible d'obtenir une perte de poids autrement que par une réduction calorique. Cependant, ils sont généralement tout aussi convaincus qu'il n'existe pas d'autres moyens de l'obtenir qu'en s'imposant un régime et, par conséquent, en instaurant un état de restriction cognitive. Certains d'entre eux sont même parfaitement conscients des dangers de telles pratiques, mais ne semblent pourtant pas disposer à les abandonner[1]. L'objet de cet ouvrage est précisément de démontrer le contraire : *il est possible d'obtenir une réduction calorique sans imposer une restriction cognitive. Ce qui revient, en termes plus simples, à affirmer qu'il est possible de manger moins sans faire de régime.*

---

1. Ainsi, A. Basdevant reconnaît que « le caractère potentiellement iatrogène des attitudes médicales et singulièrement des prescriptions diététiques ne doit pas être méconnu des médecins et des diététiciennes », mais dans le même temps rappelle que « la restriction peut être "prescrite" à titre de mesure thérapeutique en particulier dans le cadre [...] de l'obésité (1) ». Ou encore M. Romon, qui après avoir dressé un sévère réquisitoire de la restriction cognitive, affirme avec pertinence : « Devant un patient en restriction cognitive, qu'il soit ou non obèse, il est inutile voire néfaste, de prescrire un régime. » Mais propose comme alternative de « réapprendre [au patient] à manger à satiété et donc orienter les sujets vers des aliments plus rassasiants pour un moindre apport énergétique ». En pratique, dit-elle toujours, « cela revient à encourager la consommation *ad libitum* de glucides avec des conseils portant uniquement sur la manière de diminuer l'apport de graisses (2) ».
(1) Basdevant A., « Sémiologie de la restriction cognitive », *Cah. Nutr. Diét.*, 33, 4, 1998.
(2) Romon M., « La restriction cognitive : un nouveau "standard alimentaire" », *La Revue du praticien*, 2000, p. 495-497.

Les trois hypothèses
du modèle biopsychosensoriel

Le modèle biopsychosensoriel s'appuie sur des connaissances développées ces trente dernières années dans le domaine des neurosciences, démontrant que les apports alimentaires d'un individu sont régulés par son organisme. Et surtout que cette régulation permet à l'individu de se maintenir à son poids génétiquement déterminé, appelé « set-point » par les nutritionnistes. À l'heure actuelle, beaucoup d'éléments de ce modèle n'en sont encore qu'au stade d'hypothèses cliniques et des recherches plus approfondies sont encore nécessaires pour pouvoir disposer de preuves scientifiques. Si les résultats sont véritablement prometteurs, il n'en reste pas moins qu'ils ne sont pas encore totalement expliqués. Et que de nombreux points paraissent encore obscurs. Néanmoins, je vous propose d'examiner avec moi les trois hypothèses sur lesquelles reposent l'approche biopsychosensorielle ainsi que l'approche clinique qu'elles m'ont permis de développer.

Première hypothèse : le poids d'équilibre est celui que l'on maintient quand on mange selon ses sensations alimentaires

L'individu possède une compétence psychophysiologique lui permettant d'ajuster spontanément sa consommation d'aliments à sa dépense énergétique et de se maintenir autour de son poids d'équilibre (set-point) qui est génétiquement déterminé.

RÉGULATION PONDÉRALE

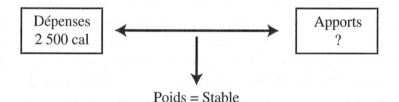

Poids = Stable

➤ *Pourquoi ce modèle d'explication est-il sensoriel ?*

Ce sont les sensations alimentaires qui permettent à l'individu de manger en fonction de ses besoins et de se maintenir spontanément au poids auquel il a été génétiquement programmé.

Imaginons une personne dont l'organisme dépenserait en moyenne 2 500 calories par jour et dont le poids serait stable. Que pourrait-on déduire de ses apports alimentaires ? Pour la totalité des nutritionnistes et des scientifiques, il va de soi que les apports caloriques de cette personne se situeraient à un niveau strictement équivalent à celui de ses dépenses et qu'elle consommerait donc 2 500 calories en moyenne chaque jour. Il est, en effet, aujourd'hui parfaitement admis par l'ensemble de la communauté médicale, sans plus aucune contestation, que la prise de poids, et l'obésité, résulte d'un déséquilibre de la balance énergétique et non de prétendues combinaisons alimentaires. D'une manière ou d'une autre, la personne qui consomme plus de calories qu'elle ne peut en dépenser, accumule un surpoids qui se constitue sous forme de graisse. Et ceci, c'est très important, quelle que soit la nature des calories consommées en excès, protéines, glucides ou lipides. Les chercheurs en sont aujourd'hui convaincus et nous mettent donc ici en présence d'une notion essentielle pour la compréhension de ce modèle : « Toute augmentation marquée et prolongée des apports énergétiques est toujours associée à un gain de poids et de masse grasse, indépendamment du contenu en glucides (sucres) et en lipides (graisses)[1]. » À quoi bon, dès lors, jeter l'opprobre sur une catégorie d'aliments plutôt qu'une autre ?

Supposons maintenant que cette personne commette une infime erreur et augmente seulement de 1 % sa consommation calorique, soit 25 calories de plus tous les jours. Les conséquences pondérales seraient tout simplement catastrophiques. En effet, comme les énergéticiens ont pu le calculer, l'accumulation quotidienne de ces 25 calories entraînerait, au bout de 10 ans, une augmentation de 9 kg de son poids corporel ! Pour réaliser l'insignifiance de ce petit écart, rappelons que 25 calories ne représentent qu'un malheureux carré de sucre dans le petit noir du matin ou 100 g de haricots verts. Or nous connaissons tous, heureusement, des personnes qui n'accumulent pas 9 kg de graisses chaque décennie. Si, pendant toutes ces années,

---

1. Oppert J.-M., « Adaptation à la suralimentation chez l'homme », *Cah. Nutr. Diét.*, 36, 1, 2001.

ces personnes sont parvenues à maintenir leur poids, nous pouvons logiquement en déduire qu'elles n'ont donc pas commis cette minuscule erreur. Comment, diable, ont-elles bien pu s'y prendre ? Comment ont-elles réussi, toute leur vie durant, à ne jamais se tromper de seulement 25 calories, un simple petit sucre tous les jours ?

RÉGULATION PONDÉRALE

Comment font-ils ?

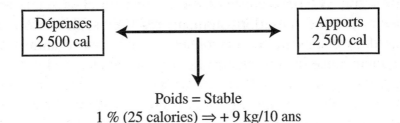

Poids = Stable
1 % (25 calories) ⇒ + 9 kg/10 ans

Ces personnes connaissent-elles le niveau de leurs dépenses énergétiques ? Sûrement pas, il n'existe aucun moyen simple de le mesurer. Seules quelques machines existent en Europe. Se pourrait-il alors qu'elles connaissent le niveau de leurs apports alimentaires ? Sûrement pas non plus. Pour y parvenir il faudrait que ces personnes disposent en permanence d'une balance qui pèserait au gramme près tous les aliments qu'elles consomment. Une petite erreur sur un gramme d'huile dans l'assaisonnement d'une salade modifierait déjà le calcul de 9 calories. Il faudrait aussi qu'elles puissent disposer d'une table de composition des aliments d'une extrême précision. Mais encore faudrait-il qu'elles interrogent leurs amis, les restaurateurs, leurs commerçants... sur la composition exacte des plats qu'on leur propose. Et là encore, comment savoir si la composition de la tranche de jambon que leur a vendue le charcutier correspond bien à celle qui est référencée dans les tables ? En 1998, les agriculteurs annonçaient que la récolte de mirabelles était 15 % plus sucrée que celle des années précédentes. Tout cela ne peut, bien entendu, jamais figurer dans les tables de composition des aliments. Il faut donc bien admettre qu'il ne sera jamais possible à personne de connaître à 1 % près le niveau énergétique de ses apports caloriques.

Alors, comment font-elles ? Elles ne savent ni ce qu'elles dépensent ni ce qu'elles consomment et pourtant elles ajustent, en moyenne et sans jamais se tromper, leur consommation alimentaire à leurs dépenses énergétiques. Quel est donc ce mystérieux secret ? Eh bien, c'est tout simplement qu'elles se laissent guider par leurs sensations alimentaires. Les seules informations dont disposent ces personnes ne sont rien d'autre que la connaissance de leur état de faim et de satiété. « Ai-je faim et ai-je assez mangé ? » Rien d'autre. Grâce à quoi, elles savent toujours quelles quantités de nourriture leur sont nécessaires. Vous verrez bientôt comment les sensations alimentaires expriment d'une manière extrêmement précise les besoins de l'organisme.

RÉGULATION PONDÉRALE

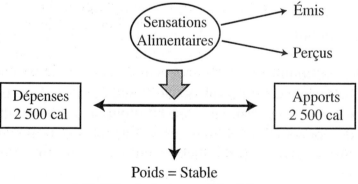

Poids = Stable
1 % (25 calories) ⇒ + 9 kg/10 ans

En réalité, la plupart des personnes ne maintiennent pas le même poids tout au long de leur vie. En France, les études anthropométriques montrent qu'entre l'âge de 20 et 60 ans, pour des raisons probablement autant environnementales que physiologiques, les femmes gagnent en moyenne 8 kg et les hommes 12 kg. F. Bellisle souligne qu'« une telle augmentation du poids représente une augmentation de 250 g par an et témoigne de la précision extraordinaire des mécanismes de régulation [1] ». Pour gagner 250 g de poids par an, il suffit donc d'un simple déséquilibre de moins de 5 calories par jour sur les apports ou les recettes. Cette évolution du poids d'équilibre mérite d'être soulignée, car elle permet d'attirer l'attention sur les désirs illusoires de ceux qui prétendent à 40 ans ou plus retrouver le poids de leurs 20 ans.

➤ *Pourquoi ce modèle d'explication est-il biologique ?*

Les sensations alimentaires guident l'individu dans le choix de ses aliments et la détermination de leur quantité. Ces sensations traduisent les concentrations de neuromédiateurs qui gèrent les stocks énergétiques de l'organisme et les besoins dans les différents nutriments.

Les sensations alimentaires sont donc essentielles dans la mesure où elles permettent à l'individu d'ajuster ses apports alimentaires à ses besoins. Ces sensations disposent naturellement de supports anatomiques et biologiques et résultent des différents systèmes de régulation présents dans l'organisme.

---

1. Bellisle F., *Le comportement alimentaire humain. Approche scientifique*, Institut Danone, 1999.

Dès 1940, des chercheurs avaient émis l'hypothèse selon laquelle le comportement alimentaire résultait d'une interaction entre deux zones de l'hypothalamus, une glande située à la base du cerveau : le noyau ventro-médian et l'hypothalamus latéral. La première était considérée comme le centre de la satiété et la seconde comme le centre de la faim. Cette théorie a cependant été remise en question dans les années 1970 où l'on a démontré que le comportement alimentaire était sous le contrôle d'un ensemble anatomobiologique bien plus complexe. Pour simplifier, nous dirons que cet ensemble comprend trois entités [1] : un ensemble de capteurs dispersés dans tous le corps, un réseau de transmission des informations et un centre de commandement localisé dans diverses zones du cerveau.

La biologie du comportement alimentaire

1. *Un ensemble de capteurs.* Tous les événements se produisant dans l'organisme constituent un ensemble d'informations collectées par des millions de capteurs qui les analyseront pour les transmettre au cerveau. Il s'agit de récepteurs qui mesurent à chaque instant les modifications chimiques, physiques, mécaniques, électriques du milieu intérieur. Ces récepteurs sont généralement des terminaisons nerveuses, mais peuvent également être les cellules elles-mêmes. À chaque séquence alimentaire, ils analyseront les qualités organoleptiques des aliments, en détailleront la composition, puis tous les changements qu'ils entraîneront dans le milieu intérieur. Cette capacité à saisir tous ces événements détermine la sensibilité de l'organisme.

2. *Un réseau de transmission.* Ces informations seront ensuite transmises à d'autres cellules, particulièrement celles du cerveau. Pour véhiculer ces messages, l'organisme dispose de deux

---

1. Beck B., « Nouveaux aspects de la neurobiologie du comportement alimentaire », *Act. Méd. Int.* « Hormones-Nutrition », volume III, n° 2-3, juin 1999.

moyens de communication privilégiés. D'une part, la voie nerveuse qui se présente comme un immense réseau de câbles électriques. D'autre part, la voie humorale qui utilise les hormones comme de véritables messagers transportant l'information d'une cellule à une autre. Leur fonction est d'informer le cerveau sur le statut nutritionnel et l'état des réserves énergétiques de l'individu. Ces hormones peuvent aussi bien être sécrétées par le cerveau lui-même, l'appareil digestif ou le tissu adipeux. Les plus importantes sont déjà bien connues, il s'agit de la très ancienne insuline ou de la toute jeune leptine qui a récemment beaucoup fait parler d'elle. C'est, en effet, en 1994, que les chercheurs ont découvert le fameux « gène de l'obésité », qui permet la synthèse de la leptine. Il s'agit d'une substance jouant un rôle déterminant dans la satiété. L'individu qui en est privé ne parvient pas à se rassasier, mange de grandes quantités de nourriture et devient obèse. Cette anomalie, très rare, ne permet donc pas d'expliquer la fréquence de cette maladie.

3. *Un centre de commandement.* Enfin, toutes ces informations aboutissent au cerveau au niveau des régions impliquées dans la régulation des apports alimentaires qui traiteront automatiquement ces données, en dehors du champ de la conscience. La plupart se situent dans l'hypothalamus, qui semble bien se comporter comme le terminal de toutes les informations concernant la régulation des prises alimentaires. Nous savons aujourd'hui que d'autres zones de la glande sont également impliquées dans cette régulation : les noyaux paraventriculaires, dorsomédians, arqués, et suprachiasmatiques. Ainsi que d'autres régions du cerveau : le système limbique et le tronc cérébral. Chacune de ces zones cérébrales est capable de modifier le fonctionnement des autres zones en sécrétant des substances qui pourront agir à distance, les neuromodulateurs. Certains sont connus depuis déjà longtemps (adrénaline, noradrénaline, sérotonine...), mais beaucoup ont été découverts dans les cinq dernières années et assurent un rôle primordial dans la régulation du comportement alimentaire (NPY, galanine, corticolibérine, mélanocortine...). Certains agissent en stimulant la

prise alimentaire, d'autres en l'inhibant. Les chercheurs ont actuellement identifié une quinzaine de ces systèmes qui agissent tous en même temps et exercent de façon synergique des interactions les uns sur les autres.

Cet ensemble forme ainsi un réseau très complexe qui gère l'équilibre entre substances anorexigènes et orexigènes pour réguler inconsciemment la prise de nourriture, tant sur le plan quantitatif que qualitatif. La redondance de ces systèmes de régulation présente toutefois des avantages et des inconvénients. L'avantage est que la déficience de l'un des systèmes sera généralement palliée par la surproduction de tous les autres. On connaît ainsi des souris totalement déficientes en neuropeptide Y, un neuromodulateur extrêmement puissant, mais qui conserve pourtant un comportement alimentaire parfaitement normal. L'inconvénient est qu'il sera difficile de trouver des médicaments qui pourront bloquer l'un de ces systèmes sans que leurs effets soient aussitôt annulés par une surproduction de tous les autres.

Tous ces neuromédiateurs jouent donc le rôle d'indicateurs renseignant l'organisme sur l'état de ses besoins. Ils lui permettent de savoir à chaque instant de quels nutriments[1] il a besoin et en quelles quantités. Et ainsi de maintenir son poids autour d'une valeur d'équilibre et de satisfaire ses besoins dans les différents nutriments qui lui sont nécessaires. Cependant l'individu n'a naturellement pas accès aux concentrations de ces différents neuromédiateurs et n'a donc pas directement accès aux indications qu'ils apportent. Il lui faut pour cela disposer d'une interface qui s'adressera à lui dans un langage

---

1. Les nutriments sont les éléments biochimiques qui permettent de couvrir les besoins de l'organisme. Ils comprennent les protéines, les glucides, les lipides, les vitamines et les minéraux.

compréhensible. Un peu comme l'interface graphique d'un ordinateur qui permet à l'utilisateur de déchiffrer les calculs de son microprocesseur. L'interface qui permettra au mangeur d'avoir accès à ses besoins sera constituée par ses sensations alimentaires : la faim, le rassasiement, la satiété. Ce sont elles seules qui le guideront dans le choix de ses aliments et la détermination de leur quantité.

➤ *La biologie, c'est aussi les gènes*

> *La génétique joue un rôle sur le poids*
>
> Certaines personnes présentent une génétique *déterminante* leur imposant un set-point, c'est-à-dire un poids d'équilibre, élevé. Elles présentent ce qu'un peu abusivement on désigne sous le terme d'obésité génétique ou primaire.
> Certaines personnes présentent une génétique *facilitante* leur permettant de prendre facilement du poids et ainsi de dépasser leur set-point. Cette obésité, tout aussi génétique que la première est plus sensible aux influences environnementales. Elle est plus souvent qualifiée d'obésité secondaire.

Enfin, le modèle est également biologique dans la mesure où le poids que la personne maintiendra au cours de sa vie est déterminé génétiquement. En équilibrant ses apports à ses dépenses énergétiques, la personne se maintiendra spontanément, sans aucun effort, à ce que les physiologistes considèrent comme son poids d'équilibre, encore appelé set-point ou valeur de consigne. Le poids, comme la taille ou d'autres caractéristiques morphologiques, sont déterminés par des facteurs génétiques. Nous n'avons pas tous la même taille ni le même poids et l'existence d'antécédents familiaux d'obésité expose à un risque plus élevé de devenir obèse. Ces notions ont été confirmées par les études sur les jumeaux monozygotes (les vrais jumeaux) disposant donc du même code génétique, mais qui étaient élevés séparément. Elles montraient l'existence d'une corrélation entre la corpulence des enfants et celle de leurs parents biologiques [1]. Certaines de ces obésités génétiques peuvent être considérées comme « normales » et correspondent à des variations morphologiques normales dans une population composée d'individus différents. De la même manière que certains sont plus grands ou plus maigres que d'autres sans que personne n'y voie d'anomalies. Le sujet est simplement plus corpulent que la moyenne des individus. Certaines personnes seraient donc génétiquement déterminées pour avoir une faible ou une forte corpulence. Et ceci quelle que soit l'importance de leurs besoins énergétiques. Ainsi, certains individus affichant une maigreur constitutionnelle possèdent un organisme très dispendieux et sont parfois obligés de consommer de grandes quantités de nourriture pour maintenir un poids inférieur aux normes médicales (IMC < 20 [2]). À l'opposé, d'autres individus disposent d'un organisme très économe et peuvent se contenter de faibles quantités de nourriture pour maintenir un poids normal (IMC compris entre 20 et 25) ou même supérieur aux normes médicales généralement admises (IMC > 25). Il est donc clairement établi qu'à poids égal, et quel que soit ce poids, les besoins énergétiques seront différents d'un individu à l'autre.

---

1. Bouchard C., « Current understanding of etiology of obesity genetic and non genetic factors », *Am. J. Clin. Nutr.*, 1991, 53, 1561-1565.
2. L'indice de masse corporelle (IMC) permet de calculer la corpulence d'un individu. Il est égal au poids du sujet divisé par sa taille au carré. Il est normalement compris entre 20 et 25.

Les obésités génétiques

D'autres obésités, en revanche, seront considérées comme pathologiques et semblent être consécutives à des anomalies du génome. Les généticiens ont réussi à démontrer l'existence de plusieurs gènes engagés dans la régulation du poids et du comportement alimentaire et la possibilité pour chacun de plusieurs variations possibles. Mais il est probable que les gènes mis en évidence jusqu'à présent ne jouent, au mieux, qu'un rôle mineur dans les formes communes d'obésité humaine[1]. Les obésités liées à une anomalie d'un seul gène sont généralement plus sévères, mais restent très exceptionnelles chez l'homme. Le déficit en leptine entre dans ce cadre et se manifeste par une obésité massive dès les premiers mois de la vie. Les anomalies les plus connues portent à l'heure actuelle sur des gènes impliqués dans la régulation des apports alimentaires. Au bout du compte, le grand nombre de gènes impliqués dans l'obésité rend particulièrement difficile la compréhension de la transmission de cette maladie. Mais surtout, les travaux des experts les plus sérieux ont permis d'établir la faible part de la génétique dans l'expression de l'obésité. L'effet génétique ne pourrait, selon eux, expliquer que 5 % des variations de l'IMC et seulement 20 à 25 % de la masse grasse. Et tous concluent à une obésité qui serait davantage le résultat d'une interaction entre des facteurs environnementaux et une génétique jugée facilitante plutôt que déterminante. La plupart semblent même conclure à une prédominance des facteurs environnementaux et comportementaux qui pourraient entraîner une obésité dès lors que les facteurs génétiques le permettraient. Il nous faudrait donc distinguer des obésités génétiquement déterminées dans lesquelles le set-point du sujet serait naturellement élevé. Et des obésités favorisées par une génétique qui autoriserait le sujet

---

1. Clément K., Basdevant A., Guy-Grand B., Froguel P., « Approche génétique de l'obésité », *Let. Sc.* IFN, n° 49, sept. 1997.

à facilement dépasser son set-point quand l'environnement le permettrait.

Dans le cadre de ces obésités, « normales » ou pathologiques, la personne, tout en mangeant des quantités de nourriture correspondant à ses dépenses énergétiques, entretiendrait donc un poids anormalement élevé. Une perte de poids ne pourrait donc s'envisager qu'en imposant une diminution chronique des apports caloriques qui obligerait ces personnes à se maintenir au-dessous de leur poids d'équilibre et à manger au-dessous de leurs sensations de faim. On conçoit aisément les difficultés que rencontreront ces personnes à stabiliser leur poids en luttant chroniquement contre leurs sensations de faim. Les mêmes difficultés se dresseraient face à ceux qui, présentant naturellement un poids moyen, s'obstineraient à atteindre un poids inférieur. Il est aujourd'hui habituel de voir des personnes minces s'acharner à vouloir maigrir davantage pour atteindre un idéal corporel inaccessible. Une lutte contre *seulement* 2 ou 3 kilos peut, dans ce cas, s'avérer d'avance vouée à l'échec.

Dès la naissance nous voilà donc inégaux face au poids, mais nous le sommes aussi dans la prise de poids ultérieure au cours de la vie. Dans une célèbre expérience [1], on a obligé durant huit semaines des volontaires à manger 1 000 calories de plus que leur ration habituelle. Le gain de masse grasse sous l'effet de cette suralimentation s'est révélé très variable selon les sujets, entre 0,36 et 4,23 kg. On explique aujourd'hui ces différences par l'efficacité variable de leurs processus d'adaptation physique et métabolique. Les chercheurs ont découvert que ces sujets brûlaient ce surcroît de calories en augmentant essentiellement leur activité physique « inconsciente ». Ce que les chercheurs ont appelé le « gigotage ». En multipliant les petits

---

1. Levine J.A., Eberhardt N.L., Jensen M.D., « Role of non exercice activity thermogenesis in resistance to fat gain in humans », *Science*, 1999, 283, 212-214.

gestes de la vie quotidienne, les sujets augmentent à leur insu leurs dépenses énergétiques et brûlent les calories excédentaires. Il ne fait pas de doute qu'en maintenant cette contrainte pendant plusieurs mois ou années tous auraient fini par grossir considérablement, tout simplement par usure de leurs capacités adaptatives. Nous savons que ces compétences métaboliques ne sont pas également distribuées chez tous les individus. Cette capacité à augmenter les dépenses énergétiques serait, elle aussi, génétiquement déterminée et serait très faible chez certains, parfois inexistante, les exposant à prendre facilement du poids lorsqu'ils consomment de la nourriture en excès.

➤ *« Je ne me dépense pas assez » :*
l'activité physique fait-elle maigrir ?

> Chez le mangeur régulé, l'activité physique ne permet pas de maigrir. Elle le conduit tout simplement à augmenter ses apports alimentaires afin qu'il puisse maintenir son poids.

Depuis plus de 15 ans, je m'occupe de sportifs de tout niveau. Des débutants qui se mettaient au sport pour perdre du poids et retrouver leur condition physique. Des champions du monde qui pensaient améliorer leur performance en modifiant leur alimentation ou en perdant un peu de masse grasse. J'ai moi-même étudié les effets de l'activité physique sur le poids en constituant des groupes de personnes en surpoids, totalement sédentaires à l'origine et que nous avons suffisamment entraînées pour les rendre capables de courir un marathon, après un an d'entraînement intensif. J'ai donc pu comparer mon expérience avec celles des auteurs publiant leurs résultats dans la presse médicale spécialisée.

Dans un système régulé, l'augmentation des dépenses énergétiques a peu de chance de s'avérer une bonne solution puisque, pour maintenir un équilibre énergétique, l'organisme réagira à moyen terme par une exacerbation des sensations alimentaires destinées à augmenter proportionnellement les apports alimentaires dans le but de compenser la dépense supplémentaire. Un mangeur régulé qui décide soudainement de se consacrer plusieurs fois par semaine à l'apprentissage du tennis augmentera sa dépense énergétique et sentira son appétit augmenter. Il mangera spontanément davantage pour compenser cette dépense supplémentaire et ne verra donc pas son poids diminuer. À moins que cet exercice physique soit suffisant pour développer sa masse musculaire qui elle-même entraînera peut-être une légère diminution de sa masse graisseuse. Ainsi la plupart des études se contentent de constater que le sport et l'activité physique, en dehors d'un changement d'alimentation, s'ils permettent quelques modifications morphologiques, ne produisent que très peu d'effet sur le poids. Si notre joueur de tennis néophyte décide par la suite d'abandonner le tennis pour se consacrer dorénavant à la belote, la diminution de ses dépenses énergétiques se soldera par une diminution de ses sensations de faim et une réduction de ses apports alimentaires. Ses muscles fondront et retrouveront rapidement leur aspect initial. Quand on passe en revue l'ensemble des travaux qui ont testé l'effet sur la perte de poids de l'activité physique non associée au régime, seuls les programmes les plus lourds ont entraîné un amaigrissement. Les programmes les plus modérés n'ont permis d'obtenir que des résultats modestes et inconstants. De plus, la même quantité de sport peut faire maigrir des sujets de poids normaux alors qu'elle ne produit aucun résultat sur des sujets obèses. Si bien que pour perdre du poids en faisant du sport et sans faire de régime, il faut ou bien faire beaucoup de sport, ou avoir très peu de poids à perdre.

Beaucoup d'auteurs pensent démontrer l'intérêt de l'activité physique en citant l'exemple des sportifs de haut niveau qui grossissent quand ils arrêtent la compétition. C'est mal connaître le milieu sportif. La plupart de ces athlètes s'imposent des régimes depuis leur plus jeune âge. Ils surveillent souvent méticuleusement aussi bien leur poids que leur manière de manger qui sont également très contrôlés par leurs entraîneurs. D'un point de vue diététique, la fin des années de compétition est souvent vécue par ces jeunes sportifs comme une délivrance qui leur permettra de manger enfin selon leur fantaisie. Ces phénomènes prennent d'autant plus d'acuité dans les sports à catégorie de poids, la danse, la gymnastique, le jogging, mais on les voit maintenant envahir des sports jusqu'ici épargnés comme le football, le rugby, le tennis. Il faut ajouter à cette délivrance un changement de vie qui peut déstabiliser ces jeunes gens habitués à des journées entières consacrées à l'entraînement, des semaines rythmées par des compétitions et des saisons marquées par des déplacements nationaux ou internationaux. L'entrée dans une vie active moins trépidante, plus ordinaire, peut entraîner chez beaucoup d'entre eux des réactions dépressives qui influenceront d'autant plus le comportement alimentaire qu'il aura été fragilisé par des restrictions passées.

L'activité physique, considérée d'un point de vue strictement énergétique, présente finalement assez peu d'intérêt. En revanche, il est un aspect rarement envisagé qui mériterait sans doute davantage d'attention. Une activité physique basée sur le développement de la conscience des sensations corporelles peut améliorer la perception d'autres sensations et tout particulièrement celle des sensations alimentaires. Il s'agit là d'une voie de recherche encore très peu explorée et qui pourrait se révéler prometteuse. Des travaux sont encore nécessaires pour vérifier l'hypothèse selon laquelle un individu améliorant la perception de ses sensations corporelles développerait une acuité lui permettant d'augmenter la perception de ses sensations alimentaires.

La première hypothèse du modèle biopsychosensoriel est aujourd'hui validée par de nombreux travaux. Elle suppose donc que le mangeur régulé se maintient sans effort à un poids génétiquement déterminé et sans tenir compte de la nature de ses apports alimentaires ni de son niveau d'activité physique. Simplement en s'appuyant sur les sensations alimentaires produites par son organisme.

Deuxième hypothèse : la défaillance de cette régulation naturelle peut entraîner une prise de poids

Si tant de personnes grossissent au cours de leur vie, c'est donc sans aucun doute qu'elles échappent à cette régulation. Elles démontrent, d'une part, que ce système est faillible et facilement influençable par de nombreux événements que nous allons examiner ensemble. Et d'autre part, elles incitent à proposer une nouvelle définition clinique de l'obésité :

Soit l'obésité est une différence génétiquement déterminée par un set-point élevé.
Soit elle résulte d'un trouble de la régulation des apports caloriques (TRAC).
Ce dernier conduit à manger au-delà des besoins et à dépasser le set-point.

➤ *Pourquoi le modèle d'explication est-il psychologique ?*

Le centre de la faim est sous l'influence de l'émotion et de la pensée.

Le poids et les apports caloriques sont soumis à une régulation dont l'expression est la sensation alimentaire. Cette régulation peut facilement être perturbée par des agents dérégulateurs qui conduiront le mangeur à surconsommer par rapport à ses besoins physiologiques et dont l'origine est avant tout psychologique ou cognitive. Ces surconsommations, je le répète, induiront un surpoids quelle que soit la nature des aliments absorbés.

La régulation s'opère essentiellement dans l'hypothalamus, et par conséquent à un niveau qui échappe totalement à notre conscience. L'hypothalamus, après avoir traité des milliers d'informations traduisant la sensibilité et les besoins de l'organisme, produira ensuite des sensations alimentaires qui guideront le mangeur dans son comportement. Cependant ces sensations avant de se traduire par un comportement devront encore être traitées par les structures supérieures du cerveau, le cortex, qui, en dernier ressort, effectuera les ultimes arbitrages. Lors d'une très belle expérience sur les souris, publiée dans la revue *Science*, le Dr DeFalco a réussi à visualiser les circuits nerveux qui parvenaient au centre de la faim. Il a ainsi pu démontrer que, en plus des informations provenant des cellules adipeuses, l'hypothalamus recevait également des messages provenant des centres supérieurs qui contrôlent les émotions et la pensée.

Pour mieux comprendre, on peut imaginer que l'hypothalamus ne constitue pas une instance décideuse mais tient seulement le rôle de conseiller : « Je te conseille de manger du pain.» Le cerveau supérieur, le cortex, devra ensuite traiter cette information en même temps que beaucoup d'autres qui lui parviennent par ailleurs : « Ce n'est pas l'heure de manger, le pain fait grossir, le chocolat te remontera mieux le moral, ce pain n'est pas biologique, j'ai oublié d'acheter le pain, je n'ai pas le temps de manger, il faut en garder pour demain, etc.», et prendre enfin une décision qui résultera de la hiérarchie de ses priorités. Les signaux qui parviennent à l'hypothalamus ne traduisent finalement qu'une sensibilité physiologique. Ce n'est qu'après avoir été traités par les structures supérieures qu'ils deviennent une sensation. Selon la formule de M. Cabanac, l'un des pères des travaux sur la régulation, on peut définir une sensation comme l'irruption de la sensibilité dans la conscience.

Mais en fin de compte, ce ne sont pas les signaux émis par l'organisme qui nous feront agir mais les signaux tels que nous les percevrons. Ainsi la vraie faim correspond à un très léger fléchissement de la glycémie. Toutefois, il existe quantité de phénomènes que nous pouvons interpréter comme de la faim. Nous pouvons, par exemple, la confondre avec une simple envie, avec la fatigue, avec l'anxiété, la colère ou toute autre émotion. Toutes autres sensations ou émotions qui nous feront manger et que nous confondrons avec la faim. Dès lors, si les signaux que nous percevons ne correspondent plus aux signaux qui ont réellement été émis par l'organisme, l'adéquation entre la consommation alimentaire et la dépense énergétique ne peut plus s'effectuer et la stabilité pondérale n'est plus garantie. L'individu peut alors tout aussi bien grossir ou maigrir.

➤ *« J'ai le TRAC » : les troubles*
de la régulation des apports caloriques

Les deux types de TRAC

On distingue deux types d'anomalies dans la régulation des apports caloriques :
1. Les sensations alimentaires sont mal ou non perçues.
2. Les sensations alimentaires sont correctement perçues mais ne sont pas prises en compte.

Ainsi se dessine sous nos yeux un nouveau modèle de l'obésité. L'obésité ne serait alors plus liée à des apports trop riches en glucides ou en lipides, à la sédentarité, à la déstructuration des repas, à la télévision, à l'absence de petit déjeuner... Mais à une anomalie entraînant des apports excessifs par rapport aux dépenses énergétiques. Du fait de cette anomalie, l'individu obèse serait tout simplement devenu incapable d'évaluer ses besoins et d'ajuster de manière adéquate sa consommation alimentaire à ses besoins physiologiques, plus simplement à sa dépense énergétique. Dans ce modèle, l'obésité serait donc la conséquence d'un trouble de la régulation des apports caloriques, un TRAC, qui entraînerait une surconsommation calorique et donc un surpoids. Il convient, de ce point de vue, d'envisager différents types de troubles :

1. Le TRAC peut être dû à un déficit de perception des signaux alimentaires. Dans ce cas, la personne ne perçoit pas les signaux ou ne parvient pas à les interpréter. Ce phénomène est souvent décrit par les personnes en difficulté avec leur poids et qui ont déjà entrepris de nombreux régimes. Il correspond au deuxième stade de l'état d'inhibition. Mais plusieurs auteurs

ont également suggéré que l'on pouvait retrouver l'origine de ces troubles dans la relation mère-enfant et le développement affectif du nouveau-né ou du jeune enfant. Pour la psychanalyste Hilde Bruch, certaines mères ne savent pas reconnaître les besoins de leur enfant et répondent à toutes ses demandes de manière univoque. S'il a mal au ventre, veut jouer, se plaint de ses couches mouillées, a froid, réclame un câlin, à toutes ces demandes, la mère répondra en apportant de la nourriture. Devenu adulte, l'individu se révélera incapable de distinguer entre la faim, la colère, la tristesse, la fatigue. C'est « la confusion des affects » décrite par Hilde Bruch. Donald Winnicott incrimine, quant à lui, la « trop bonne » mère, toujours empressée à satisfaire le désir de manger de son enfant. D'autres la décrivent absente, ne satisfaisant pas les besoins de son enfant ou gavante, le faisant taire en lui proposant systématiquement de la nourriture. Dans tous les cas, ces mères transforment, selon B. Waysfeld[1], la séquence comportementale : pulsion (faim) → manque → désir → objet (sein) → plaisir en une forme tronquée : pulsion → objet → plaisir. Le résultat aboutit à des personnes intolérantes à la frustration, incapables de différer une attente et cherchant à satisfaire leur désir sans délai. Ou encore incapables de distinguer la faim des émotions et faisant face aux moments de tension par des prises de nourriture.

2. Le TRAC peut également être dû à une non-prise en compte des signaux alimentaires. La personne perçoit correctement les signaux, mais pour des raisons dont elle peut être consciente ou inconsciente, décide de ne pas tenir compte de ce qu'elle ressent. Les régimes amaigrissants, fondés sur toutes sortes de croyances, sont naturellement les premiers à détourner la personne de ces signaux. C'est également le cas d'autres

---

1. Waysfeld B., « Abord psychologique de l'obèse », *La Presse médicale*, n° 29, 2000.

croyances, alimentaires ou non, des principes éducatifs trop rigides et de certains contextes psychologiques. Il n'est pas rare de voir des personnes se forcer à manger, par exemple pour défier l'autorité d'un conjoint, d'un parent qui les souhaiterait plus minces qu'elles ne sont ou, au contraire, s'empêcher de manger pour exercer des pressions sur des personnes de leur entourage, comme peuvent le faire quelques adolescents.

➤ *D'où viennent les TRAC ?*

Les causes principales des TRAC sont la restriction cognitive et les émotions, qui empêchent le mangeur de tenir compte de ses sensations alimentaires.

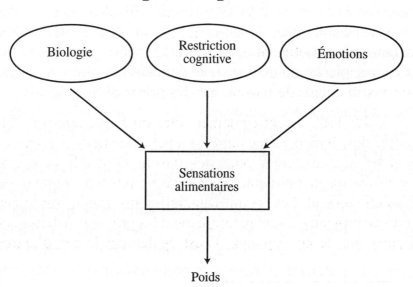

Agents dérégulateurs

Les TRAC peuvent avoir de multiples origines :

1. *Troubles biologiques.* Chaque niveau du réseau de régulation des prises alimentaires peut présenter une anomalie. Cette dernière peut être anatomique, comme à la suite d'un traumatisme. Elle peut être biologique et porter sur un déficit quantitatif ou qualitatif des neuromodulateurs, des hormones, ou des récepteurs permettant à ces molécules d'exercer leur action. Plusieurs substances semblent avoir cette capacité à agir sur le système de régulation : le tabac, les anti-inflammatoires, les antidépresseurs ou les traitements de la stérilité. Ces anomalies se manifesteront par des sensations de faim ou de rassasiement défectueuses qui feront consommer l'individu au-delà de ses besoins. Ou, comme l'ont suggéré certains chercheurs, en déplaçant le poids d'équilibre de l'individu.

2. *Troubles cognitifs.* Il ne fait pas de doute que les processus cognitifs peuvent affecter la régulation quantitative ou qualitative des apports alimentaires. Les parents autoritaires possédant des idées très arrêtées sur la manière de manger (il faut finir ton assiette, il faut manger des légumes tous les jours, la cervelle te rendra intelligent...) auront plus facilement des enfants mauvais régulateurs [1]. Certaines personnes fidèles à des principes philosophiques ou religieux adoptent parfois des pratiques qui influenceront leur comportement alimentaire, le plus souvent sans grande conséquence. Les musulmans ne mangent pas de porc, mais parviennent à s'en passer sans aucun préjudice pour leur santé. Les végétariens ne mangent pas de viande, mais peuvent trouver des protéines de substitution dans d'autres groupes d'aliments. Les végétaliens, en revanche, qui refusent de consommer tout produit d'origine animale ne parviendront pas à combler les carences en protéines, fer ou calcium que leur occasionne ce type de régime. Les signaux qu'ils pourront recevoir leur indiquant un besoin de protéines seront délibérément

---

1. Herman C.P., Polivy J., « Restained eating », art. cité, p. 208-225.

ignorés et jugés secondaires par rapport à d'autres considérations d'ordre philosophique. Cependant, les croyances alimentaires les plus répandues concernent la bonne manière de manger pour maigrir ou équilibrer son alimentation. Et organisent l'état de restriction cognitive qui, de loin, représentera l'agent dérégulateur le plus déstabilisant. On peut sans aucun doute lui accorder une place particulière dans la mesure où elle représente un agent dérégulateur d'une puissance redoutable et où le nombre de personnes qu'elle concerne atteint une ampleur inégalée.

3. *Troubles émotionnels.* Les difficultés affectives ou relationnelles peuvent aboutir à une prédominance des émotions sur les sensations alimentaires. Les rendant ainsi moins facilement perceptibles ou plus difficiles à prendre en compte. Schématiquement, ces difficultés peuvent conduire le mangeur à surinvestir un corps gros ou à surinvestir la nourriture. En effet, le corps gros peut parfois être considéré comme faisant partie du système de défense de l'individu. Ce dernier en retire des bénéfices inconscients dont il ne parvient pas à se séparer. Et ceci malgré les désagréments occasionnés par un corps qu'il refuse par ailleurs. Le corps gros apporte une réponse à un problème qui ne trouve pas sa solution autrement. Voici quelques situations qui illustrent ces difficultés.

> Élisabeth est une jeune femme obèse, mariée depuis 5 ans. Elle souhaite maigrir, dit-elle, afin de préparer une future grossesse. En réalité, la situation est loin d'être aussi simple qu'elle la présente. Élisabeth se trouve trop immature pour assumer la responsabilité d'un enfant et n'envisage pas d'en avoir pour l'instant ni peut-être jamais. À l'inverse, Marc, son mari est très amoureux de sa femme, mais ne conçoit pas l'avenir de leur couple sans enfant. Après de nombreuses discussions, il place sa femme devant un choix. Soit elle accepte d'avoir des enfants soit ils se séparent. Élisabeth se résigne à envisager une grossesse tout en prévenant Marc qu'elle ne pourra être enceinte qu'après avoir maigri. Elle décide donc de

se mettre au régime sous les regards encourageants de Marc, sans pour autant obtenir aucun résultat. Elle multiplie les tentatives d'amaigrissement, mais reprend systématiquement le poids qu'elle a perdu. Élisabeth s'est transformée en Pénélope qui défait consciencieusement le soir le travail de sa journée afin de ne pas donner sa réponse à ses soupirants. Tant qu'elle sera grosse, Élisabeth aura une bonne raison de ne pas être enceinte. Inconsciemment, elle met en échec ses tentatives de perte de poids. Elle mange au-delà de sa faim et force ses sensations alimentaires pour ne pas se trouver acculée à prendre la décision qu'elle redoute tant.

Véronique est une très jolie jeune femme de 32 ans, d'une intelligence très fine, qui présente un certain embonpoint. Elle manque beaucoup d'assurance et tout particulièrement dans ses relations avec les hommes. Elle a peu confiance en elle, dispose d'une faible estime de soi et souffre d'anxiété sociale qui prédomine dans les relations d'intimité. Elle évite autant qu'elle le peut ce type de situation. Elle refuse systématiquement les invitations personnelles et rougit dès qu'on lui adresse la parole. Elle n'imagine pas que les hommes puissent lui trouver le moindre attrait. Ce lourd handicap ne l'a cependant pas empêchée de mener une brillante carrière. Ces tentatives d'amaigrissement se sont jusqu'ici toujours soldées par des échecs et l'entraînent dans de terribles compulsions qui ne font que lui confirmer la piètre idée qu'elle se fait d'elle-même. Véronique est très lucide et comprend que ses pertes de poids la mettent en danger et la plongent chaque fois dans des abîmes d'angoisse. À chaque perte de poids, Véronique devenait une autre personne plus sûre d'elle-même, plus séduisante et plus attirante. Les hommes ne manquaient pas de le remarquer et de la courtiser, la confrontant ainsi aux situations qu'elle redoutait le plus. Son angoisse ne faisait alors que redoubler l'entraînant dans des compulsions de plus en plus irrépressibles. Seul un travail sur l'estime de soi et l'affirmation de soi lui permettra de faire face à ses difficultés relationnelles et d'assumer son nouveau corps.

Jean-Pierre cherche obstinément et sans aucun succès à perdre du poids depuis 15 ans. Comme beaucoup d'hommes, chaque fois qu'il veut maigrir il adopte des mesures radicales et s'impose des restrictions qui lui permettront de perdre du poids rapidement. Immanquablement, après quelques jours de régime, il se sent devenir anxieux et irritable. Il persévère néanmoins dans ses efforts, mais finit toujours par remanger quand l'oppression devient trop forte. Il en éprouve un immense soulagement. Jean-Pierre a été élevé par sa grand-mère qui était atteinte d'une grave maladie chronique. Elle devait surveiller son poids et éviter tout amaigrissement qui l'aurait fragilisée. La famille avait pris l'habitude de scruter avec attention l'appétit de la grand-mère et en avait fait le baromètre de son état de santé. Dans l'esprit du jeune enfant, tout fléchissement de son appétit était interprété comme un signe de danger. Cette association automatique s'activait chaque fois que Jean-Pierre se mettait au régime et réduisait ses quantités de nourriture.

Beaucoup de personnes rapportent des consommations incontrôlées d'aliments en rapport avec des moments de tension dans l'espoir d'y trouver un réconfort. Il semble, d'après les neuropsychologues, que ce comportement soit, en réalité, une réponse normale d'adaptation au stress et qu'il n'entraîne pas obligatoirement une prise de poids. Il m'apparaît aujourd'hui que cette dernière est bien davantage liée à des manifestations de la restriction cognitive qu'à une prédisposition psychologique particulière de ces personnes. Ce que ce phénomène met surtout en évidence est l'incapacité de ces personnes à se réconforter en mangeant, comme si les aliments étaient investis d'un pouvoir qu'ils avaient perdu. Il traduit l'existence d'un « trouble du réconfort » bien plus qu'une inclination à résoudre ses difficultés de vie par des prises alimentaires. Nous reviendrons plus longuement sur les relations entre les émotions et les prises alimentaires.

Troisième hypothèse :
il est possible de retrouver son poids d'équilibre et une bonne régulation

> La correction des TRAC permet de revenir au set-point.

➤ *Tout surpoids n'est pas irréversible*

Dès lors que s'introduirait un TRAC dans l'équation énergétique, l'individu, soumis à une surconsommation alimentaire, s'exposerait à prendre du poids. Le processus n'est pourtant pas inéluctable dans la mesure où il existe des mécanismes d'adaptation qui permettent à l'organisme de faire face pendant un certain temps à une augmentation même importante des apports caloriques. Il existe, en Afrique, des tribus qui chaque année organisent des concours de lutte. Pour y participer, elles choisissent un champion habile dans ce sport et présentent un poids suffisant pour s'assurer une bonne stabilité au combat. Toute l'année, le village se consacre à l'entraînement et à l'engraissement de son champion. Puis après le jour du concours, le combattant retourne à ses activités habituelles et reperd immanquablement le poids qu'il avait pris. N'est pas gros qui veut.

Il semble donc que le poids d'un individu soit génétiquement déterminé mais qu'il lui soit plus ou moins possible de s'en écarter. Ainsi, chez le mangeur régulé, quand le poids se déplace au-dessus ou au-dessous de son set-point, l'organisme agirait en mettant en action des mécanismes de défense destinés à ramener le poids à sa valeur d'équilibre et en transmettant des signaux qui modifieraient les prises alimentaires. Un peu comme un élastique sur lequel on tirerait et qui reprendrait dès qu'il le pourrait sa position de repos. Dans le cas où le mangeur maigrit et passe au-dessous de son set-point, la faim augmentera pour inciter le mangeur à augmenter ses apports énergétiques et reprendre du poids. Si au contraire, le mangeur grossit et passe au-dessus de son set-point, la faim, dans ce cas, diminuera incitant par là même le mangeur à réduire ses apports énergétiques afin de reperdre du poids. Plusieurs auteurs ont défendu cette théorie du pondérostat chez l'animal et maintenant chez l'humain et ont pu montrer des variations des phénomènes de rassasiement en fonction du poids du sujet. Chez des sujets régulés, les mécanismes du rassasiement disparaissent quand le poids est volontairement abaissé au-dessous de son niveau normal de régulation, la surcharge pondérale ayant des effets inverses[1].

L'objectif du modèle biopsychosensoriel est de faire de vous un mangeur régulé. Ce qui est à la fois simple et très ambitieux. Fermez les yeux et imaginez que vous mangiez à votre faim (la vraie), les aliments dont vous avez envie jusqu'à en être rassasié, sans vous préoccuper de ce que vous avez mangé avant ni de ce que vous mangerez après et que vous reveniez ainsi tranquillement à votre poids d'équilibre. Gardez les yeux fermés et profitez de l'image, car il y a encore un peu de travail avant d'en arriver là. Pour y parvenir, nous devrons identifier et faire disparaître tous les agents dérégulateurs qui vous ont fait perdre le contact avec vos sensations alimentaires.

La restriction cognitive représente la première difficulté, présente chez tous ceux qui se préoccupent de leur poids. Mais certains d'entre vous devront peut-être poursuivre cette étape par un travail sur les émotions qui les empêchent de tenir compte des sensations qu'ils perçoivent. En particulier, nous aborderons la difficile question de l'acceptation de soi ainsi que la peur de grossir qui constitue sans nul doute un stresseur redoutable à l'origine de bien des pertes de contrôle.

---

1. Fantino M., « Nutriments et alliesthésie alimentaire », *Cah. Nut. Diét.*, 30, 1, 1995.

Cependant, certaines réserves doivent être formulées sur le niveau du poids d'équilibre, qui semble pouvoir se modifier en fonction de plusieurs événements. Il peut, comme je l'ai déjà évoqué, augmenter en fonction de l'âge et sera donc différent à 20, 40 ou 60 ans. L'ancienneté du surpoids semble également exercer une influence. Un surpoids installé depuis de nombreuses années entraîne un déplacement du set-point vers le haut. Enfin, les fluctuations pondérales, le plus souvent consécutives à la répétition itérative des régimes amaigrissants, semblent entraîner avec le temps une élévation progressive du poids d'équilibre. Ce phénomène a été décrit sous l'appellation du syndrome yoyo et rend de plus en plus difficile la possibilité d'un retour en arrière.

Un point particulier, et non le moindre, doit encore être souligné. Le poids d'équilibre sera sans rapport avec le poids médicalement préconisé, celui que souhaiterait atteindre la personne, ou encore moins le poids socialement suggéré par les photographies de mode. Il s'agit d'un poids physiologique, génétiquement déterminé, difficile à connaître d'avance, qui répond à des critères biologiques personnels et qu'il faudra accepter même s'il se trouve être en décalage avec des considérations d'un autre ordre.

En définitive, tous les nutritionnistes s'accordent à admettre qu'il n'existe d'autres moyens de maigrir que de manger moins que l'alimentation qui nous a fait prendre du poids. Certains ont cherché à obtenir cette réduction en s'acharnant à vouloir supprimer les sucres puis aujourd'hui les graisses.

Or, puisque pour maigrir, il faut moins manger, plutôt que d'incriminer tel ou tel aliment, je vous propose de maigrir en supprimant simplement et indistinctement tous ceux que vous mangez en trop. Autrement dit ceux que vous mangez sans faim ou au-delà de votre faim.

CHAPITRE IV

Retrouver
mes sensations alimentaires

Voilà dix jours que vous observez votre manière de manger, vous avez réalisé une photographie de votre paysage alimentaire. Le carnet alimentaire a tenu le rôle d'un miroir et vous a peut-être fait découvrir des recoins inattendus de votre manière de manger. Peut-être vous exagériez-vous certaines situations ou, au contraire, en avez-vous sous-estimé d'autres. Quoi qu'il en soit, il s'agit maintenant de l'examiner de très près et d'amorcer les débuts du changement.

Faites le bilan
de cette première période

Avant de poursuivre, voyons ensemble comment s'est déroulée cette première période et examinons les difficultés que vous avez peut-être rencontrées. Les questions qui suivent concernent aussi bien les repas que les consommations que vous pourriez prendre entre les principaux repas.

---

1. Êtes-vous parvenu à manger sans rien faire d'autre ?
☐ Jamais ☐ Parfois ☐ Souvent ☐ Toujours.
Sinon que faisiez-vous ?
En cas de difficulté, qu'avez-vous ressenti ?

---

2. Êtes-vous parvenu à manger plus lentement ?
☐ Jamais ☐ Parfois ☐ Souvent ☐ Toujours.
☐ Seulement au début du repas ☐ Tout au long du repas ?

---

3. Avant de commencer à manger, avez-vous constaté qu'il vous arrivait de ne pas avoir faim ?
☐ Rarement ☐ Parfois ☐ Souvent ☐ Très souvent ?

---

4. La faim et l'envie de manger sont-elles pour vous des sensations très distinctes ?
☐ Oui ☐ Non

---

5. Après manger, avez-vous constaté qu'il vous arrivait d'avoir trop mangé ?
☐ Rarement ☐ Parfois ☐ Souvent ☐ Très souvent ?
Quand vous le constatez, est-ce au cours du repas ou après ?

6. Au cours de cette période, avez-vous éprouvé des envies de manger auxquelles vous n'avez pas voulu céder ?
☐ Rarement ☐ Parfois ☐ Souvent ☐ Très souvent.
Lesquelles ?

7. À partir des notes que vous avez prises, mais aussi de vos souvenirs sur les périodes antérieures, avez-vous repéré des situations au cours desquelles vous aviez trop mangé ?
Lesquelles ? Établissez une liste de vos situations-problèmes.

Trop manger se résume simplement à deux situations :
— Manger sans faim.
— Manger au-delà de sa faim.

Voici quelques situations-problèmes fréquemment observées qui peuvent vous inciter à manger sans faim ou au-delà de votre faim.

Les situations dans lesquelles vous pouvez trop manger

Elles sont très nombreuses, toutefois les plus fréquentes ont trait à la restriction cognitive ou à la présence d'émotions et de facteurs psychologiques. Voici une liste qui n'est pas exhaustive, mais qui peut vous donner quelques pistes.

➤ *La restriction cognitive vous fait manger*

1. L'exposition aux aliments : tant que les aliments ne sont pas sous vos yeux, vous n'y pensez pas. Vous ne pouvez vous empêcher de les manger s'ils passent à votre portée. Le

seul fait de savoir qu'ils sont là peut parfois vous mettre en transe.

2. La transgression des interdits alimentaires : vous vous empêchez de manger certains aliments dont vous pensez qu'ils vous feront grossir. Mais, dès que vous commencez à en manger, vous ne pouvez plus vous arrêter.

3. Pour respecter des règles alimentaires : vous vous forcez à manger le matin pour prendre un petit déjeuner, pour ne pas sauter un repas, pour finir le repas par un laitage...

4. Peur d'avoir faim : vous ne mangez pas parce que vous avez faim, mais par crainte d'avoir faim plus tard ou de craquer sur des aliments « interdits ».

5. Peur de manquer : vous ne pouvez vous empêcher de finir vos assiettes, alors même que vous n'avez plus faim. Vous vous comportez comme si on allait vous retirer votre assiette ou si vous n'alliez plus manger demain.

6. L'insatisfaction à la fin du repas : vous vous levez souvent de table en n'ayant plus faim, mais avec la sensation d'un manque. Généralement une envie de sucré que vous tentez de réprimer, mais que vous pouvez parfois satisfaire.

➤ *Les émotions vous font manger*

Il est bien difficile de cerner toutes les situations qui produisent les émotions qui feront trop manger. Leur mode d'action sera différent, mais il peut tout aussi bien s'agir d'émotions négatives que d'émotions positives. Ainsi, certains mangent pour se récompenser d'un effort ou d'une réussite. D'autres pour se détendre et se relâcher après une rude journée. D'autres encore, lors d'un repas festif, décident d'oublier tous leurs tracas et particulièrement leurs difficultés avec la nourriture. Il faut pourtant reconnaître que ce sont plus souvent les émotions négatives qui exposent à des surconsommations incontrôlées. Gérard Apfeldorfer a proposé un certain nombre de situations qui, sous l'effet des émotions, pouvaient occasionner des pertes de contrôle[1].

1. Manger pour se concentrer lors d'un travail intellectuel.
2. Manger sous l'effet d'une contrariété.
3. Manger sous l'effet d'une émotion forte telles la joie ou la tristesse.
4. Manger pour refouler une colère.
5. Manger sous l'effet d'un sentiment d'anxiété, de fébrilité, de malaise général.
6. Manger sous l'effet d'un sentiment d'ennui, de vide, de lassitude.
7. Manger pour se révolter contre les contraintes.
8. Manger sous l'effet d'un sentiment d'insatisfaction contre soi-même.
9. Manger pour se punir.
10. Manger pour ne pas faire de peine, ne pas vexer, accompagner.
11. Manger pour s'opposer à un tiers qui surveille votre manière de manger.

Si les situations sont très nombreuses, elles présentent néanmoins un point commun. Le mangeur sous l'effet de son émotion négative recherche dans la nourriture une compensation censée lui procurer réconfort et émotions positives. Tout en prenant conscience de son incapacité à les obtenir. Nous verrons plus loin comment y remédier.

➤ *Vous ne savez pas si vous avez faim*

Vous pouvez confondre vos sensations alimentaires avec d'autres sensations physiques comme le froid, le sommeil ou la fatigue. Vous pouvez même confondre certaines émotions avec la faim. Cette petite boule dans l'estomac ou ce nœud dans

---

1. Apfeldorfer G., *Maigrir c'est dans la tête*, Paris, Éditions Odile Jacob, 1998.

la gorge quand vous êtes anxieux ne ressemblerait-il pas à cette sensation de creux qui vous fait manger ?

➤ *Vous ne savez pas laisser la nourriture dans votre assiette*

Il ne s'agit pas toujours d'une manifestation de la restriction cognitive, mais parfois d'un simple principe éducatif : « On ne doit pas gaspiller la nourriture. Il y a des malheureux qui n'ont pas à manger... »

Voici les premières observations de Judith lors d'une journée qui « s'est mal passée » et les situations difficiles qu'elle a relevées (voir page ci-contre).

Mes situations-problèmes :
1. Anticipation de la faim.
2. Règles alimentaires.
3. Difficulté à laisser.
4. Insatisfaction.
5. Exposition aux aliments.
6. Émotions : ennui, anxiété.
7. Anticipation du manque.

Quelques remarques sur ce premier exercice

Voici également quelques observations souvent rapportées sur ce premier exercice et quelques éléments de réponses possibles.

• *Je suis incapable de manger sans rien faire*
Il est possible que le repas soit un moment trop difficile pour vous. Vous cherchez peut-être à vous distraire pour vous aider à le supporter. Quand elles mangent certaines personnes

Heure — Lieu — Avec qui / En faisant quoi	Quoi / Combien	Commentaires
8 h 30 — petit déjeuner.	Thé au lait — 3 ou 4 galettes maison.	Pas vraiment faim (1) (2). La dernière galette est objectivement de trop. Mais je la mange par gourmandise (3).
12 h 30 — seule — cantine.	1 tranche de rouelle de gigot — 100 g de pommes boulangères — 100 g de carottes vapeur — 1 pain individuel (50 g).	Un peu faim. Envie de manger quelque chose de bon. J'ai terminé mon plat mais je n'avais plus faim (3). J'ai envie d'un dessert, je ne le prends pas (4).
13 h — avec des collègues après la cantine.	2 chocolats.	Ma collègue me propose des chocolats. Je ne résiste pas (5).
14 h		J'en ai envie.
16 h	1 café sucré — 1 Bounty (60 g).	Envie de chocolat. Petit stress au boulot. Peut-être une nouvelle surcharge de travail à envisager (6).
18 h 15 — seule en attendant le RER.	1 pain au chocolat.	Je comble un moment d'ennui en attendant le train (6).
18 h 30 — seule — maison.	1/2 baguette et 1/3 de pot de Nutella.	Je décide de me faire un « dernier » petit plaisir avant les restrictions en vue de la soirée de vendredi (7).
20 h 15 — dîner avec Bernard.	150 g de riz — 1 tranche de jambon.	Je n'ai plus faim du tout. Je suis vraiment écœurée. J'avais prévu deux tranches de jambon. Mais je n'en peux plus. Je me sens tellement lourde que je me couche et m'endors aussitôt.

éprouvent de telles émotions négatives, anxiété, honte, culpabilité, qu'elles ne peuvent s'observer dans cette situation. Le repas est trop problématique. Le plus simple, pour elles, est de l'« oublier » en s'occupant. Pour d'autres, il peut les renvoyer à une solitude affective, à des souvenirs pénibles ou à d'autres contextes psychologiques difficiles.

• *Je suis incapable de manger plus lentement*
Vous trouverez plus loin des exercices qui vous aideront à manger plus lentement.

• *Je n'ai jamais faim avant de manger*
Vous êtes toujours dans le *trop*. Le repas précédent est trop proche ou trop copieux pour laisser à la faim le temps de réapparaître. C'est plutôt un signe favorable pour votre futur amaigrissement. Vous êtes sans doute au-dessus de votre set-point et votre organisme cherche à se défaire de ses réserves excédentaires.

• *J'ai toujours faim avant de manger*
C'est assez douteux, aucun mangeur ne pourrait affirmer cela. Il est fort possible, dans ce cas, que vous ne distinguiez pas très nettement la faim de l'envie de manger.
Attention, certaines personnes en état de restriction calorique réelle peuvent atteindre un niveau de privation qui les conduit à maintenir un poids situé au-dessous de leur set-point. L'état de carence énergétique dans lequel elles se trouvent les oblige à lutter constamment contre leur faim. Ces personnes affirmeront, sans se tromper, qu'elles ont systématiquement faim avant de manger. Leur organisme réclame un apport calorique plus important afin de revenir à son poids d'équilibre.

• *Je ne distingue pas la faim de l'envie de manger*
La faim est une sensation au cours de laquelle les manifestations physiques prédominent. Elles sont caractéristiques de chaque personne. Mais différentes d'une personne à l'autre :

creux à l'estomac, ventre qui gargouille, nervosité, difficultés de concentration, tête qui tourne... L'envie de manger n'est pas accompagnée de tous ces signes. Néanmoins, quand l'envie est contrariée, elle peut engendrer de l'anxiété, qui, elle, produit des signes très proches de la faim. Il est pourtant essentiel de savoir reconnaître la faim, c'est le signal qui doit généralement initier la prise alimentaire. Si vous n'êtes pas certains de ce que vous ressentez, il vous suffira de sauter un ou deux repas et d'attendre que les premiers signes se manifestent. Vous ne les oublierez plus.

• *Après le repas, je n'ai jamais l'impression d'avoir trop mangé*

Nous pouvons envisager deux situations. Dans la première, vous avez parfaitement raison, mais vous êtes dans une situation de privation et vous vous arrêtez de manger avant d'être totalement rassasié. Dans la seconde, il est bien possible que vous ne perceviez pas du tout le rassasiement. Dans ce cas, la suite des exercices vous aidera à le retrouver.

• *Je ne suis jamais rassasié avant d'avoir fini mon assiette*

Vous finissez votre assiette sans jamais éprouver l'impression d'avoir trop mangé. Vous n'avez donc aucune raison de laisser de la nourriture. Là encore, cela semble assez douteux. Il n'existe, en effet, aucune raison pour que votre rassasiement coïncide systématiquement avec la fin de votre assiette, surtout quand vous n'en avez pas vous-même déterminé les portions. Votre faim devrait parfois vous conduire à manger en deçà ou au-delà des portions servies. Il est donc plus probable que vous ne perceviez pas le rassasiement.

• *Après le repas, j'ai l'impression d'avoir trop mangé*
    — Je le ressens pendant que je mange.
    Bien que vous sachiez que vous mangez trop, vous ne pouvez vous empêcher de continuer. C'est une des

caractéristiques de la restriction cognitive. Vos sensations ne jouent plus leur rôle, vous ne pouvez pas en
tenir compte.

— Je le ressens après avoir mangé.

Vous réalisez trop tard que vous avez trop mangé,
quand c'est donc devenu inutile. Vos sensations ne
jouent plus leur rôle et ne vous servent plus à vous
arrêter à temps.

— Je ne le ressens pas, mais je le pense.

Vous vous dites que vous avez *dû* trop manger, mais
vous ne le ressentez pas. C'est une position mentale,
caractéristique de la restriction cognitive. Vous établissez des quantités que vous ne devez pas dépasser
ou vous vous imposez de ne manger que certains aliments. Vous pensez donc avoir trop mangé quand vous
transgressez vos règles.

• *J'ai faim mais je n'ai pas envie de manger*

La disparition du désir de manger est souvent interprétée
comme un symptôme dépressif. Mais il peut aussi apparaître
comme un symptôme de la restriction cognitive. Vous éprouvez
la faim mais les aliments qui vous tenteraient vraiment vous
sont interdits car vous pensez qu'ils vous feront grossir. En
revanche, ceux que vous vous obligez à manger ne vous font
aucunement envie.

• *Une situation inquiétante : je n'ai jamais l'impression de
manger sans faim*

Vous avez toujours faim quand vous commencez à manger
et vous n'avez jamais l'impression d'avoir trop mangé quand
vous terminez vos repas. En somme, vous êtes convaincu de
manger juste à votre faim. La situation est plutôt embarrassante
et peut-être porteuse d'une mauvaise nouvelle. Plusieurs possibilités sont alors envisageables selon l'évolution de votre
poids :

a. Vous perdez du poids. Vous avez donc sans doute raison. Votre alimentation n'excède pas vos besoins et vous ne mangez qu'occasionnellement trop.

b. Vous prenez du poids. Votre alimentation excède donc vos besoins. Il est certain que vous mangez trop. Mais vous n'en avez pas conscience. Vos sensations sont très imprécises, vous ne pouvez pas vous y fier.

c. Votre poids est stable. Soit votre alimentation excède encore vos besoins et, peut-être, ne le réalisez-vous pas. Dans ce cas, sans être très excessive votre alimentation reste suffisante pour entretenir un surpoids. Soit, voilà la mauvaise nouvelle, votre alimentation correspond à vos besoins et le poids que vous avez actuellement correspond à celui que vous devrez conserver. Il vous sera possible de trancher en poursuivant votre lecture et en pratiquant les exercices sensoriels.

Je mange quand j'ai faim, je m'arrête quand je suis rassasié

Si une ou plusieurs de ces situations vous sont familières, vous pouvez alors conclure que vos sensations alimentaires ne sont guère précises ou bien ne vous empêchent pas de manger quand vous n'avez pas ou plus faim. Par conséquent, elles ne jouent plus leur rôle et ne vous guident plus dans la détermination de vos consommations alimentaires. Nous devrons donc leur redonner la place centrale qu'elles doivent normalement occuper au centre de votre comportement alimentaire. Celle qui vous permettra de manger en fonction de votre faim.

Pour cela, nous allons recourir à une analyse plus détaillée de vos sensations alimentaires que vous effectuerez chaque fois que vous mangerez. Cet exercice comprend deux parties. La première vous permettra de fixer votre attention sur les situations alimentaires. N'oubliez pas que ce sont celles que vous étudiez. Et la seconde consistera en un questionnement sur vos sensations alimentaires et constitue le cœur de cet exercice. Examinons ensemble ces deux parties.

Manger selon sa faim
Exercice sur les sensations alimentaires

Manger attentivement
1. Manger sans autre activité.
2. Se détendre *avant* et *pendant* le repas.
3. Utiliser des petits couverts à la maison.
4. Poser les couverts toutes les 3 bouchées.
5. Finir le (la) dernier (e).

Questionnement sensoriel
1. Ai-je *faim* et/ou *envie* de manger ?
2. Est-ce que ça me plaît ? *Plaisir gustatif.*
3. Ai-je assez mangé ? *Satiété.*
   Trois situations sont possibles.
   Absence de sensations.
   Difficulté à reconnaître les sensations.
   Difficulté à tenir compte des sensations.

Procédure de changement
3 étapes :
1. Observer les sensations (questionnement sensoriel).
2. Essayer d'en tenir compte.
3. Si vous n'y parvenez pas, précisez dans quelles circonstances.

Je mange attentivement

➤ *Je mange sans autre activité*

Nous maintenons l'idée de manger sans autre activité afin de mieux se concentrer sur les situations que nous étudions. Ceci reste une idée importante comme le confirme l'expérience suivante. Un premier groupe d'enfants prend son repas avec un animateur qui cherche à les distraire en leur parlant de toutes sortes de sujets captivants et en les amusant en leur racontant des histoires. L'animateur est chargé de détourner l'attention des enfants de ce qu'ils mangent. Dans le second groupe, l'animateur adopte l'attitude opposée et ramène constamment l'attention des enfants sur leur repas. Il les interroge sur leurs goûts, leur demande de reconnaître les différentes saveurs des plats et les aide à préciser ce qu'ils ressentent. À aucun moment, il ne les incite à manger moins. C'est naturellement le premier groupe qui mange le plus.

➤ *Je me détends avant et pendant le repas*

Si vous connaissez des techniques simples de relaxation, n'hésitez pas à les utiliser. Vous pouvez, par exemple, vous servir de la respiration abdominale. Installez-vous à table, comme habituellement, prenez quelques grandes respirations abdominales et pensez à reprendre votre respiration de temps à autre au cours du repas. Ces techniques respiratoires sont couramment utilisées dans la préparation à l'accouchement, en chant, en art dramatique ou par les sportifs avant un entraînement ou une compétition. On les enseigne également souvent aux patients anxieux afin de leur apprendre à maîtriser les manifestations physiques de l'anxiété. Bien des anxieux se servent d'ailleurs de la nourriture pour apaiser leur anxiété. Cet exercice pourra parfois leur être d'un certain secours. Mais il arrive aussi que ce soit le repas qui devienne un facteur de stress. Pour certains les repas sont des situations si difficiles qu'ils finissent par susciter un profond malaise.

> Bernadette redoute systématiquement tous les repas qu'elle doit préparer. Pour elle, il s'agit d'un casse-tête quotidien. Le repas sera-t-il équilibré comme il faut. A-t-elle bien choisi les aliments qui

sauront la faire maigrir ? Saura-t-elle en consommer la bonne quantité ? Ne risque-t-elle pas de craquer sur un dessert ? Pourra-t-elle renoncer à la vinaigrette dans la salade ? Et puis cette nourriture... C'est tellement fade. Tellement sans intérêt. D'ailleurs, comment prendre de l'intérêt à manger ce qu'on n'aime pas quand on pense si fort à ce qu'on ne mange pas et qu'on aime tellement.

➤ *J'utilise des petits couverts à la maison*

Quand vous mangez à la maison, utilisez des petits couverts : assiettes à dessert, fourchettes et couteaux à dessert, et même, si vous buvez du vin, des verres de petite taille. Cette petite astuce permettra à ceux qui ne savent pas laisser de nourriture dans leur assiette de se servir des portions plus petites et de ne pas se sentir obligés de manger au-delà de leur rassasiement. Arrivés à la fin de l'assiette, elle les oblige à se poser une question : ai-je encore faim ?

➤ *Je pose mes couverts toutes les trois bouchées*

Également, entraînez-vous, même à l'extérieur de chez vous, à poser vos couverts toutes les trois bouchées.

Quand je mange, ma femme me regarde toujours avec l'air de se demander comment je fais. Généralement, j'attaque le fromage quand elle termine son entrée. Et je mange des portions bien plus importantes que les siennes. Mais c'est plus fort que moi. Je ne mange pas, j'aspire. Je me donne à peine le temps de mâcher. Il faut que j'en aie plein la bouche et que les bouchées soient les plus grosses possibles. Quand ma femme mange un chocolat fourré en trois fois, j'en ai souvent deux entiers dans la bouche. Je prends même une nouvelle bouchée avant d'avoir fini d'avaler la précédente. Souvent je mange si vite que je ne trouve pas de goût à mes aliments. Mon seul but est de remplir mon ventre. Je mange fébrilement et je ne deviens calme qu'une fois complètement repu. Après le repas, je me rends compte que j'ai trop mangé et que je suis épuisé.

➤ *Je finis de manger le (la) dernier(e)*

Quand vous mangez avec d'autres personnes, regardez donc autour de vous et tout particulièrement dans l'assiette de vos voisins de table. Arrangez-vous pour finir de manger après eux. En étudiant le comportement des autres mangeurs vous apprendrez également beaucoup. Observez la manière de manger de ceux qui ont des problèmes de poids et comparez-la avec celle de ceux qui n'en ont pas. Vous verrez le plus souvent qu'ils agissent différemment.

Sébastien raconte le repas de Noël. Chaque année, la famille se réunit et rassemble les grands-parents, les parents, les oncles et les tantes ainsi que tous leurs enfants pour manger le repas traditionnel, identique d'une année à l'autre. Chacun connaît le menu par cœur et s'en délecte à l'avance. « Parmi les minces, je distingue deux groupes. Le premier se jette sur le saumon et le foie gras, cale au milieu de la dinde aux marrons et ne parvient jamais à atteindre la bûche. Le second prend des petites quantités de chaque plat de l'entrée jusqu'au dessert. Ce sont les plus gourmands. Quant aux gros, je ne sais pas comment ils s'y prennent. Ils se servent de tout en grandes quantités et finissent leurs assiettes quoi qu'il arrive. Moi, après la bûche il me reste toujours une place pour continuer. »

➤ *Manger lentement fait-il maigrir ?*

Le fait de prendre du temps pour manger permet d'être plus réceptif aux sensations de rassasiement qui interviennent dès les premiers moments du repas. Cependant manger lentement ne suffit pas à procurer cet état de conscience. Manger en lisant une revue, en regardant la télévision, en travaillant ou même en s'échappant dans ses pensées permet également de manger lentement mais n'implique pas pour autant que l'on porte une attention particulière à ce que l'on mange ni à soi-même. En effectuant ce petit exercice, vous deviendrez réellement attentif aux aliments que vous consommez, mais surtout aux sensations que vous éprouverez en mangeant.

Le mangeur de pop-corn

Prenez un mangeur ordinaire qui décide de se rendre au cinéma en bonne compagnie, sans aucun stress. Il s'apprête à voir un bon film et se dit, pour parfaire son bonheur, qu'il ne lui manque qu'une bassine de pop-corn. Il regarde son film et mange sans être attentif, il est dans son film. À la fin de la séance, quand il a vidé la bassine, il réalise qu'il a mal au cœur et envie de vomir. Vous invitez le même mangeur à prendre le thé chez vous et vous renversez, dans une assiette, devant lui, la même bassine de pop-corn. Il est très probable qu'il vous regarde avec des yeux ahuris se demandant comment il pourra bien manger une quantité aussi gigantesque de maïs explosé. Car, le seul moyen pour un mangeur ordinaire de manger une telle quantité est de ne pas y penser, de la manger sans y faire attention.

J'interroge mes sensations

La première partie de cet exercice était un artifice destiné à vous permettre de mobiliser toute votre attention sur le repas et à vous concentrer sur la partie essentielle. Vous pourrez ainsi chaque fois que vous mangez vous poser trois questions, toujours les mêmes, qu'il s'agisse d'un repas ou d'un simple gâteau sec au milieu de l'après-midi. Au cours d'un repas comportant plusieurs plats, efforcez-vous de vous poser ces questions avant, pendant et après la consommation de chaque plat.

➤ *Première question : ai-je faim et/ou envie de manger ?*

Différents états sont envisageables avant de commencer à manger. Vous vous trouverez dans quatre situations que vous essayerez de distinguer :

1. Vous pouvez avoir seulement faim.
2. Vous pouvez avoir seulement envie de manger.
3. Vous pouvez ressentir en même temps la faim et l'envie de manger.
4. Vous pouvez n'éprouver ni la faim ni l'envie de manger.

La disposition la plus fréquente et la plus agréable est naturellement de manger en éprouvant en même temps la faim et l'envie de manger. Toutefois, il est aussi possible de manger sans faim, en éprouvant seulement une envie. Manger seulement par faim sans aucune envie est moins fréquent et peut faire évoquer un état dépressif ou un manque d'intérêt pour sa nourriture. Enfin, vous verrez qu'il n'est pas rare de manger sans faim et sans envie. Pour l'instant, il s'agit simplement pour vous de savoir s'il vous est possible de distinguer toutes ces situations. Sachez dès maintenant qu'un mangeur bien régulé ne mange pas seulement quand il a faim et ne s'arrête pas de manger chaque fois qu'il est rassasié. Les situations sont heureusement plus complexes.

➤ *Deuxième question : est-ce que ça me plaît ?*

Il s'agit là de savoir si vous percevez le plaisir gustatif. C'est sans doute la question la plus difficile à laquelle vous aurez à répondre. Elle ne signifie pas « ce que je mange est-il bon ? », mais plutôt « ce que je mange me procure-t-il du plaisir ? ». Ce qui est sensiblement différent. Ainsi, si vous tentiez de manger votre gâteau ou votre fromage préféré à un moment où vous n'auriez ni faim ni envie de manger, il ne vous procurerait que très peu de plaisir. Il vous suffirait cependant d'attendre un moment plus opportun, par exemple quand la faim aura réapparu, pour que ce plaisir ressurgisse. Ainsi le plaisir gustatif dépend moins de la nature de l'aliment, qui n'a pas changé, que de l'état de votre faim. On peut donc concevoir des circonstances dans lesquelles vous mangeriez un aliment que vous jugez « bon » sans pour autant qu'il vous procure de plaisir gustatif. Le même phénomène s'observe au cours du repas. En effet, quel que soit l'aliment, mais tout particulièrement s'il est riche en calories, vous devez aussi réaliser que les premières bouchées sont toujours meilleures que les dernières. Elles procurent davantage de plaisir gustatif. À l'inverse, si vous avez très faim, vous pouvez éprouver du plaisir gustatif avec des aliments qu'habituellement vous n'appréciez guère.

> « *La première gorgée de bière.* C'est la seule qui compte. Les autres, de plus en plus longues, de plus en plus anodines, ne donnent qu'un empâtement tiédasse, une abondance gâcheuse. [...] En même temps, on sait déjà. Tout le meilleur est pris. [...] L'alchimiste déçu ne sauve que les apparences, et boit de plus en plus de bière avec de moins en moins de joie. » Philippe Delerm.

Vous devez normalement percevoir une sensation qui va en diminuant. Tout se passe comme si ce que vous mangez devenait moins bon. Naturellement, le goût de vos aliments ne se modifie pas au cours de leur consommation, mais c'est vous, en revanche, qui vous transformez. Vous devenez différent puisque, entre la première et la dernière bouchée, vous avez introduit dans votre estomac une quantité de nourriture qui n'y était pas auparavant. Vous êtes en train de vous nourrir et, par conséquent, de vous rassasier. Plus vous nourrirez votre corps, moins vous éprouverez d'attirance pour ce que vous mangez. Quand vous n'aurez plus aucune attirance pour votre plat, vous déciderez d'en cesser la consommation. Vous venez de vivre l'expérience du rassasiement. Il se traduit par la disparition du plaisir gustatif. Vous êtes rassasié de cet aliment, vous en avez assez mangé.

➤ *Troisième question : ai-je assez mangé ?*

Le rassasiement est spécifique de chaque aliment. Une fois rassasié d'un aliment, vous pouvez avoir encore faim pour un aliment différent. Vous passez donc à un autre plat. Si, à la fin de ce plat, la faim a disparu, vous avez atteint la satiété globale. Vous pouvez donc cesser de manger. Vous constatez ainsi que la satiété n'est rien d'autre que la disparition du plaisir gustatif et n'a, par conséquent, rien à voir avec la sensation de ventre plein ou le fait de décider que l'on a assez mangé.

➤ *J'analyse mes sensations*

Reprenons maintenant ces explications sur un schéma, et voyons aussi comment les choses peuvent parfois se passer tout autrement.

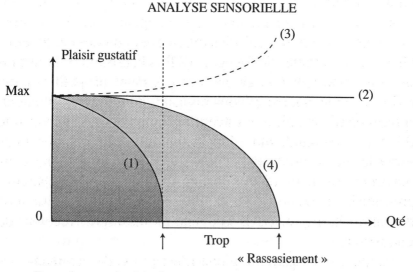

ANALYSE SENSORIELLE

LA COURBE PHYSIOLOGIQUE DU PLAISIR GUSTATIF

Voici une courbe (1) qui décrit l'évolution du plaisir gustatif en fonction de la quantité de nourriture consommée. Quand vous commencez à manger le plaisir est maximum. Ce maximum dépend de l'état de votre faim. Plus la faim est importante, plus il est agréable de manger. Cependant, quel que soit son niveau, quand vous commencez à manger un aliment, il se situe à un point maximum. Et ne fait plus ensuite que diminuer. Il ne peut rien faire d'autre. Vous pourrez donc considérer que toute sensation qui ne diminue pas n'est pas du plaisir gustatif. Ensuite, quand le plaisir a disparu c'est tout simplement que vous êtes rassasié de cet aliment et c'est à ce moment que vous déciderez d'en cesser la consommation pour passer au plat suivant. Le même phénomène se reproduit jusqu'à ce que vous parveniez à la satiété globale. Enfin, le plus souvent. Mais pas toujours, car même les bons régulateurs ne s'arrêtent pas toujours à cet instant. Nous en reparlerons. Quoi qu'il en soit, voici l'aspect de la courbe physiologique.

Soulignons que le moment où cesse la consommation a peu de rapport avec le volume qu'occupera l'aliment dans l'estomac. Le rassasiement, chez un mangeur régulé, est bien davantage fonction des calories ingérées et non des centimètres cubes. Cent grammes de foie gras (2 fois la portion d'un restaurant) qui apportent 600 calories et occupent un petit volume suffiront à vous nourrir et vous rassasier pour un long moment. La faim ne réapparaîtra pas avant plusieurs heures. Tandis que 100 g de cabillaud, qui n'apportent que 100 calories mais pèsent le même poids et occupent le même volume, ne vous nourriront pas pour bien longtemps. Et la faim réapparaîtra après une heure ou deux quand l'estomac sera évacué et se trouvera, après la digestion, de nouveau en mesure de recevoir de la nourriture.

Cette courbe physiologique n'est pas celle des mangeurs restreints, qui décrivent des courbes fort différentes.

LE PLAISIR GUSTATIF NE DÉCROÎT PAS

Certaines personnes décrivent une courbe qui prend l'allure d'une droite (2). Ce qu'elles perçoivent ne décroît pas. Le « plaisir » reste constant. Il ne s'agit plus ici de plaisir gustatif. Les plaisirs de la table sont nombreux et s'étendent à d'autres plaisirs que celui procuré par le goût de l'aliment. Imaginons que vous vous rendiez en compagnie d'amis dans un très bon restaurant. Vous vous trouveriez soumis à bien des plaisirs différents : celui de manger avec des personnes que vous appréciez, celui de manger dans un cadre raffiné, celui de manger dans une belle vaisselle, celui d'être servi par un personnel empressé à satisfaire tous vos désirs, celui de manger des plats magnifiquement présentés, celui de manger des plats délicieux dont vous n'avez pas l'habitude. On peut également supposer qu'un mangeur qui s'interdit certains aliments éprouvera tout de même une forme de plaisir à transgresser ses interdits. Bref, par tous ces aspects, manger procure du plaisir, mais aucun n'est le plaisir gustatif.

LE PLAISIR GUSTATIF AUGMENTE

Parfois, certains décrivent même une courbe ascendante (3) : « Plus je mange plus je trouve ça bon. » On constate des courbes comme celle-ci lors de la consommation de certains aliments « interdits » mangés sous une forme compulsive.

Michel : « Pour moi, c'est la dernière bouchée qui est la meilleure. Simplement parce que c'est la dernière. Je sais qu'ensuite il n'y en aura plus. »

Les mangeurs éprouvant l'une ou l'autre de ces perceptions du plaisir gustatif témoignent d'une véritable difficulté avec la nourriture. On voit mal, en effet, ce qui pourra les arrêter de manger. Ils n'ont, en réalité, aucune raison de le faire. Ils s'arrêteront malgré tout, mais pour d'autres raisons.

— Il n'y a plus de nourriture disponible. Le mangeur a consommé toute la nourriture à sa disposition en parvenant à la fin de son assiette, de son sandwich ou de son paquet. Dans ce cas, le combat cesse alors faute de combattant.

— Le mangeur se sent incapable de manger davantage. Il se trouve limité par sa propre contenance, le volume de son estomac ou d'autres sensations de déplaisir.

— Le mangeur se raisonne et décide de s'arrêter à un point quelconque de la courbe, qui interviendra avant ou après le rassasiement physiologique. En supposant même, que par coïncidence, il s'arrête de manger au point de rassasiement, sa situation n'en resterait pas moins anormale. Car l'absence de décroissance du plaisir gustatif l'obligerait à s'interrompre sur une frustration. Alors que le mangeur régulé s'interrompt sans difficulté du fait de la disparition de son envie de manger.

Aucun de ces mangeurs ne perçoit le rassasiement et, par conséquent, ne possède de limite lui indiquant de s'arrêter de manger naturellement. Il n'existe plus pour eux de frontières entre l'*assez* et le *trop* mangé.

LE PLAISIR GUSTATIF SE PROLONGE

Il existe enfin une dernière courbe (4), plus fréquente que les deux précédentes, qui ressemble à la courbe physiologique, mais se trouve simplement décalée par rapport à celle-ci. Dans ce cas, le mangeur s'arrête spontanément, sans faire appel à sa volonté ou à un raisonnement, mais trop tard. Il dépasse le rassasiement physiologique sans avoir conscience de ce dépassement. Pour lui, le moment où il s'arrête de manger est le moment où il a assez mangé et se sent rassasié. Cependant, il lui aurait sans doute été possible, s'il avait été attentif, de percevoir le moment du rassasiement physiologique. Concrètement, il prétendra être rassasié à la douzième bouchée, alors qu'un peu d'attention lui aurait laissé entrevoir que la huitième était suffisante. Bien sûr, cette nourriture consommée au-delà du ras-sasiement physiologique représente un excès de calories qui ne sera pas régulé et contribuera à sa prise de poids.

En vérité, toutes les consommations intervenant après le rassasiement auront le potentiel de faire grossir. Si ce *trop* de nourriture est peu conséquent, il pourra passer inaperçu du mangeur, qui à chaque repas mangera un petit peu trop et gros-sira un petit peu plus sans pouvoir se l'expliquer, n'ayant pas conscience de son excès. Il ne lui restera, après avoir grossi de quelques kilos, qu'à entreprendre un régime amaigrissant pour reperdre les kilos lentement accumulés. Puis à remanger chaque jour un petit peu trop pour regrossir un petit peu plus avant d'entreprendre un nouveau régime amaigrissant. Quand le *trop* de nourriture est plus important, il peut dans ce cas être perçu par le mangeur qui le réalisera du fait des manifestations diges-tives associées : lourdeur, ballonnement, nausée... Malheureu-sement, le plus souvent ces sensations désagréables ne seront perçues qu'après la fin du repas. Donc trop tard.

Attention !

Restez vigilant. Car, en fonction des aliments, la courbe du plai-sir gustatif peut varier. Elle peut être croissante avec le chocolat, constante avec le fromage et se prolonger avec les carottes râpées. Mieux, le plaisir gustatif procuré par le même aliment, selon l'état psychologique dans lequel vous vous trouvez, peut évoluer selon les trois courbes.

Ce que je souhaite maintenant, c'est vous aider à retrouver la courbe physiologique du rassasiement. Il nous faut obtenir une courbe qui permettra de vous arrêter spontanément de man-ger, les deux premières ne le permettant pas. Et de surcroît, permettra de vous arrêter au bon moment, ce que ne permet pas la dernière. L'arrêt physiologique qui correspond à la couverture de vos besoins énergétiques est déterminant pour votre perte de poids.

S'arrêter de manger au point de rassasiement supprime la consommation des aliments en trop. Cette réduction calorique, qui se fait sans effort de volonté, est la source de votre amaigrissement et vous permettra de vous stabiliser à votre poids d'équilibre.

C'est grâce à lui que vous maigrirez et retrouverez, ou découvrirez, votre poids d'équilibre. Quand l'organisme déploie ses ressources pour revenir à son set-point, le rassasiement intervient plus précocement, signifiant des besoins alimentaires moindres. Il est donc normal dans cette situation énergétique particulière que constitue la surcharge pondérale de parvenir à manger moins sans pour autant ressentir une faim anormale. Chacun concevra que le mangeur qui mange au-delà de son rassasiement accumule des calories qui déplaceront son poids au-dessus de son niveau physiologique.

Pour retrouver la courbe physiologique du rassasiement, nous allons maintenant utiliser l'exercice suivant sur les sensations alimentaires et suivre à chaque repas une procédure très méthodique.

Agir pour changer

Il s'agit d'une procédure en trois étapes qui permettra d'engager les premières transformations de votre comportement alimentaire.

➤ *Observez vos sensations*

La première étape consiste, à chaque repas et chaque plat, grâce au questionnement sensoriel, à observer les sensations que vous éprouvez. Quand vous ferez vos observations, vous réaliserez que vous pouvez vous trouver dans trois situations.

1. Vous pouvez ne ressentir aucune sensation, ni faim ni rassasiement. Cette situation est très exceptionnelle. Elle existe néanmoins. Cependant, elle fait plus souvent évoquer un manque d'attention au cours duquel les sensations ne sont pas absentes, mais simplement non perçues.

2. Vous pouvez percevoir des sensations mais ne pas être en mesure de les identifier. Elles restent confuses pour vous. « Ai-je faim ou envie de manger » ou encore, à la fin d'un repas, vous éprouvez un manque, mais est-ce encore de la faim ou encore de l'envie ? Si vous ne savez pas répondre à ces questions indiquez sur votre carnet alimentaire que vous n'êtes pas en mesure de le dire.

3. Enfin, il existe une dernière possibilité. Cette fois les sensations sont présentes, justes ou fausses, mais vous ne les prenez pas en compte : « Je me rends bien compte que je n'ai pas faim mais je mange quand même », ou bien : « Je me rends bien compte que j'ai assez mangé mais je ne m'arrête pas. » Dans cette situation, vous savez que vous n'écoutez pas les indications adressées par votre organisme. Indiquez sur votre cahier d'observation dans laquelle de ces trois situations vous vous trouvez.

➤ *Essayez d'en tenir compte*

Dans la deuxième étape, vous n'allez plus, comme nous le faisions lors de la première période, vous contenter de faire des observations. Cette fois, vous ferez même tout votre possible pour essayer de les prendre en compte. J'entends déjà vos objections : « Ce serait fait depuis longtemps si nous pouvions le faire. Et nous ne serions pas là à nous tenir la tête et à lire ce livre. » Ne vous désolez pas, il existe certaines situations sur lesquelles vous pouvez d'ores et déjà agir. Ainsi, quand vous n'avez ni faim ni envie de manger, je vous suggère simplement de ne pas vous forcer à manger. Faire l'effort de ne pas faire d'efforts est possible pour tout le monde. Il s'agit là d'une simple mesure de bon sens.

Prenons un exemple : supposons que vous soyez invité un soir chez des amis. Vous mangerez probablement plus copieusement que d'habitude et vous finirez sans doute votre repas également plus tard que d'habitude. Très logiquement, votre faim s'en trouvera décalée d'autant. Vous pouvez très bien vous réveiller le matin suivant en n'ayant ni faim ni envie de manger. Eh bien, dans ce cas, ne mangez pas. Ne vous obligez pas à prendre un petit déjeuner. À ce moment, vous recevez une information de votre corps. Celui-ci vous informe du fait qu'il n'a pas fini de brûler votre dîner de la veille et qu'il lui faut encore un peu de temps avant que vous ne refassiez le plein de carburant. Votre estomac n'a pas encore totalement évacué son contenu. Si vous décidiez de manger malgré l'absence de faim, cette nouvelle nourriture ne pourrait être utilisée et serait mise en réserve.

De la même façon, vous pouvez recevoir ces informations au cours d'un repas. Vous pouvez, par exemple, réaliser que vous n'avez plus faim alors que vous n'avez pas encore terminé votre plat. Dans ce cas aussi, ne vous forcez pas à le finir. Essayez de vous arrêter. Dans ces deux situations, votre corps s'adresse à vous et vous donne des informations sur l'état de vos besoins. Il vous faut apprendre à l'écouter et à le respecter. Le corps parle au travers des sensations alimentaires. Il ne dispose pas d'autres moyens de s'exprimer. Ne vous attendez donc pas à recevoir un e-mail vous prévenant que le repas est fini. Les signaux que vous recevrez sont discrets mais néanmoins très clairs pour qui sait les entendre. Vous constaterez, en vous comportant ainsi, que vous ne pouvez, ni ne devez, plus tenir compte des croyances alimentaires qui vous imposent la fréquence ou la répartition des repas.

Vous n'aurez pas non plus à suivre des indications sur la quantité des aliments. Certains régimes imposent des quantités déterminées d'aliments. Par exemple 100 g de féculents au déjeuner. Chacun peut concevoir que les besoins, d'une personne à l'autre, sont différents et, même d'un jour à l'autre, sont différents pour une même personne. Vous n'aurez pas les mêmes besoins après 3 heures de marche en forêt ou après une longue grasse matinée. Vous devez donc adapter votre consommation à vos besoins. En suivant cette démarche vous ne pourrez donc plus vous obliger à prendre 3 repas par jour, à prendre un copieux petit déjeuner, à alléger le dîner. Bref, à manger quand vous n'avez pas faim ou à ne pas manger quand vous avez faim. Cette nouvelle attitude pourra vous conduire à sauter des repas, à décaler leurs horaires ou à manger entre les repas habituels. Vous mangerez dorénavant en fonction de vos propres besoins et rythmes biologiques qui auront la priorité sur les rythmes sociaux que, rassurez-vous, vous retrouverez par la suite.

Vous avez dit bizarre

— Souvent le matin, quand je prends mon petit déjeuner je n'ai pas faim.

— Dans ce cas, pourquoi vous obligez-vous à manger ?

— *Silence.* Je ne sais pas. Je trouverais bizarre de ne pas manger.

— Vous trouvez donc bizarre de ne pas manger quand vous n'avez pas faim mais normal de manger sans avoir faim ? *Silence.* Vous ne trouvez pas ça bizarre ?

— *Rires.* Si, mais on m'a toujours dit qu'il fallait manger le matin. Comme c'est bizarre.

➤ *Si vous n'y parvenez pas,*
précisez dans quelles circonstances

Enfin dans la troisième étape, au cas où vous ne parviendriez pas à tenir compte de ces signaux, vous essayerez de préciser les circonstances dans lesquelles cela se produit. Faites une description la plus concrète possible de la situation : avec qui vous trouviez-vous, quels aliments mangiez-vous, dans quel état émotionnel vous trouviez-vous, quelles pensées vous ont traversé l'esprit ? Là encore, il s'agit de repérer les situations-problèmes au cours desquelles les sensations alimentaires sont clairement perçues mais non prises en compte. Ces situations figurent peut-être déjà sur votre liste, mais d'autres peuvent continuer à vous apparaître et venir la compléter. Chaque personne connaît des difficultés qui lui sont propres et il sera difficile de toutes les envisager tant elles sont parfois personnelles. Néanmoins, certaines sont presque toujours évoquées par les patients et nous les aborderons donc dans les parties suivantes. Il en est ainsi des émotions qui incitent à manger ou de l'exposition aux aliments interdits.

Pour nous résumer

Je vous invite maintenant à vous concentrer sur ce nouvel exercice durant une quinzaine de jours. Il se résume donc en trois points :

1. Enregistrez le maximum d'observations sur vos sensations alimentaires.

2. Faites tout votre possible pour essayer d'en tenir compte.

3. Chaque fois que vous n'y parvenez pas, essayez d'en préciser les circonstances.

Pendant cette période, je vous incite vivement à poursuivre vos prises de notes sur votre manière de manger. Voici un modèle de carnet plus centré sur vos sensations alimentaires et les événements qui vous font trop manger que je vous conseille d'adopter dès maintenant.

Heure Lieu Avec qui	Sensations alimentaires	Mes situations-problèmes	Quoi et combien
	Ai-je faim et/ou envie de manger ?		
	Ai-je du plaisir gustatif ?		
	Ai-je assez mangé ?		
	Je ne ressens rien.		
	Je ne sais pas ce que je ressens.		
	Je n'écoute pas mes sensations.		

Si vous constatez que les émotions vous font souvent manger, essayez, dans ce cas, d'indiquer précisément celles qui vous troublent. Est-ce de la peine, de la déception, de la colère... Évitez de vous arrêter à des formules très courtes du genre « ça ne va pas, je ne me sens pas bien ». De la même manière, essayez d'être précis et de rapporter le plus concrètement possible la situation qui a généré l'émotion. Plutôt que de dire : « Ça ne s'est pas très bien passé au travail », dites : « Un client s'est montré grossier avec moi. J'étais furieux mais je n'ai pas osé lui répondre. » Plutôt que de dire : « Ça ne se passe pas très bien avec Jean-Pierre en ce moment », dites : « Je suis déçue car Jean-Pierre ne pourra pas se libérer ce week-end, il est retenu par son travail. »

Quelques situations fréquemment évoquées

Si je n'ai pas faim, puis-je sauter un repas ?

Voilà que revient notre première règle de bon sens qui nous rappelle que « sauter un repas est nocif ». Je sais que beaucoup d'entre vous gardent à l'esprit cette idée terrifiante selon laquelle le corps se venge quand on le prive. Le corps est très soupe au lait, il ne faudrait donc pas le contrarier. Je vous propose donc de faire avec vous le point des connaissances sur le fractionnement des repas.

Marie-Pierre, 28 ans, a grossi, il y a 4 ans, sous l'effet d'un traitement antidépresseur. À l'arrêt du traitement, elle souhaite retrouver son ancien poids. Depuis bien longtemps, elle consomme habituellement un petit déjeuner très copieux composé de thé, céréales et lait, jus de fruits, fruits, fromage blanc, pain, Nutella et fromage. Elle n'éprouve aucune sensation de faim jusqu'au dîner et donc ne ressent pas le besoin de déjeuner. Pour maigrir, on lui suggère de respecter les trois repas quotidiens. Elle s'astreint donc à prendre un déjeuner. Dans les années qui suivent, elle ne cesse de maigrir et regrossir. Elle consulte pour une instabilité pondérale.

Question : est-il nécessaire de faire trois repas par jour pour perdre du poids ? Autrement dit, à ration calorique égale, le fait de ne prendre qu'un ou deux repas par jour ou, au contraire, de répartir sa ration sur plus de trois ou quatre repas empêche-t-il de maigrir ? Ou encore, si je mange 2 000 calories par jour, réparties sur deux repas parce que je ne prends pas de petit déjeuner, vais-je maigrir en redistribuant mes 2 000 calories sur trois repas parce que j'ajouterai un petit déjeuner ?

Cette idée a conduit un grand nombre de nutritionnistes à imposer un nombre déterminé de repas, généralement trois par jour. Bien souvent, le conseil étant accompagné de redoutables mises en garde. Sauter un repas serait terriblement nocif et le corps, furieux de pas avoir son dû, ne manquera pas de se venger aussitôt en constituant des stocks que plus rien ensuite ne viendra lui faire rendre. Le corps est très susceptible, il ne faut pas l'agacer. Ainsi, si parfois on tolère, voire depuis peu recommande, un quatrième repas, on ne saurait se contenter de deux. Au point qu'il est instamment préconisé de consommer son troisième repas même en l'absence de faim, y compris si vous avez ripaillé la veille.

En vérité, aucune des études récentes sur le sujet n'a jamais pu démontrer la moindre relation entre le poids et le nombre de repas. Et l'on est aujourd'hui convaincu qu'il est tout à fait inutile d'imposer un nombre déterminé de repas pour agir sur le poids. Il est donc possible de maigrir en prenant deux, trois, quatre repas par jour ou même le nombre qui nous chante et de même changer tous les jours.

Si ce débat vous intéresse, vous trouverez dans les annexes toutes les informations sur ce sujet avec le point de vue des historiens, des sociologues et des physiologistes.

Je n'ai pas faim le matin et je mange beaucoup le soir

« Un vrai petit déjeuner est primordial » et : « Le déjeuner sera d'autant plus copieux qu'il permettra ainsi de réduire le repas du soir. » Voilà maintenant la seconde règle de « bon sens » qui mérite d'être étudiée de plus prêt.

Antoine, 54 ans, parle de son petit déjeuner. « Il m'arrive quelquefois de ne pas prendre de petit déjeuner. Je sais que ce n'est pas bien mais j'ai parfois du mal à manger le matin. En tout cas, depuis que j'ai fait le régime Weight Watchers je me force à prendre le petit déjeuner. J'ai au moins gardé cette bonne habitude. Avant, je partais travailler avec un café et une biscotte dans le ventre mais maintenant je me force à prendre des céréales avec du lait et un jus de fruits. »

Question : si je mange 2 000 calories par jour se répartissant autour de trois repas — un petit déjeuner très léger, un déjeuner léger et un dîner copieux —, pourrais-je maigrir en continuant à manger 2 000 calories mais en prenant cette fois un petit déjeuner copieux et en allégeant mon dîner ?

À l'heure actuelle, les conférences de consensus autour du petit déjeuner préconisent toutes la prise d'un repas le matin apportant environ 25 % des calories et des nutriments de la journée. Ainsi, non seulement pour la plupart des nutritionnistes, il est souvent impératif de ne pas sauter ce repas capital, mais aussi faudra-t-il qu'il soit tout à fait conséquent. On ne saurait naturellement se contenter d'une collation symbolique.

Il n'est donc pas inutile, à ce propos, de souligner deux faits. Le premier est que personne, à ce jour, ne saurait justifier ce seuil de 25 % qui ne s'appuie, lui, sur aucun consensus scientifique. Encore une allégation qui est vraie « parce que tout le monde le dit ». Le second est que les plus ardents promoteurs de cette recommandation sont, encore une fois, les industriels de l'industrie agroalimentaire. Tout particulièrement la société Kellog's qui organise chaque année les Journées nationales du petit déjeuner et la plupart des conférences sur ce thème. On retrouvera ensuite, tout naturellement, les conclusions de ces réunions imprimées sur les boîtes de céréales du petit déjeuner.

Or dans la pratique, 70 % des Français consomment un petit déjeuner leur apportant entre 10 et 20 % de leurs calories quotidiennes. Doivent-ils modifier leurs habitudes pour maigrir ou éviter de grossir ?

L'argument le plus souvent mentionné par les partisans du petit déjeuner provient d'études épidémiologiques qui démontrent, chez les enfants, l'existence d'une relation entre la présence d'un surpoids et l'absence de petit déjeuner. Pourtant, certaines recherches rapportent des résultats exactement opposés, mais curieusement, celles-ci sont rarement citées et généralement passées sous silence. De plus, cette relation n'a pas été établie chez les adultes. Il s'agit, là encore, d'une simple corrélation sans qu'aucun lien de causalité n'ait jamais été démontré. Et absolument rien dans ces études ne permet d'affirmer que l'absence de petit déjeuner soit responsable de l'obésité des jeunes. Une autre hypothèse tout aussi recevable serait simplement que ces personnes n'ont pas d'appétit le matin parce qu'elles mangent trop le soir. Dans le cas où cette hypothèse serait confirmée, inciter les enfants à manger davantage le matin les conduirait tout bonnement à augmenter leurs apports caloriques de la journée et à aggraver leur problème de poids. C'est d'ailleurs ce que soulignent certains patients qui remarquent que leur poids a augmenté depuis qu'ils ont décidé de se forcer à manger le matin, sans éprouver de faim et pour suivre les conseils des nutritionnistes.

Certains faits apportent même des arguments qui contredisent la responsabilité du petit déjeuner dans le problème du poids. L'Angleterre dont le petit déjeuner est souvent donné comme exemple de repas copieux est le pays d'Europe où la fréquence de l'obésité a le plus augmenté ces dernières années. Elle a doublé en 20 ans, passant de 8 à 16 %. Les Anglais ne semblent donc pas avoir été mieux protégés que les Espagnols qui, eux, grossissent moins et sont connus, tout au contraire, pour prendre leur plus gros repas très tard dans la soirée.

Autre fait troublant, les populations musulmanes qui observent le jeûne du Ramadan ont été examinées avec beaucoup d'attention par les nutritionnistes. Du point de vue de ces derniers, le Ramadan peut être considéré comme un mode d'alimentation particulièrement hérétique puisqu'il consiste à remplacer les trois repas de la journée par un seul repas, et en plus nocturne. De quoi empêcher de dormir tous les apôtres de la bonne manière de manger. Or deux études récentes [1] ont montré que ces personnes, tout en maintenant une ration calorique identique, ne prenaient pas de poids au cours de ce jeûne d'un mois. Dans l'une des deux études, le groupe observé avait même un peu maigri. Ainsi, dans cette expérimentation grandeur nature, le déplacement de toutes les calories de la journée vers le repas du soir n'a entraîné aucune conséquence sur le poids.

Un autre argument, très souvent cité pour souligner l'importance du petit déjeuner, est son implication dans les performances cognitives des enfants ou même des adultes. Un grand nombre de travaux évoquent, en effet, le fléchissement de l'efficacité intellectuelle en fin de matinée chez les personnes à jeun depuis leur repas de la veille. Cette diminution des capacités mentales se traduit, par exemple, chez l'adulte par une augmentation des accidents du travail ou de la circulation. Quant à l'enfant, ce phénomène se révèle davantage par une baisse d'attention et des difficultés de concentration à l'école. Néanmoins, pour rassurer les parents inquiets, il n'a jamais été démontré que les premiers de la classe étaient ceux qui prenaient le petit déjeuner le plus équilibré.

En définitive, si une conclusion est possible c'est seulement que ventre affamé n'a pas d'oreilles. Et que mieux vaut ne pas avoir faim si l'on souhaite rester attentif à ce qui se passe sur la route ou dans la salle de classe. Mais pour ce qui concerne l'intérêt du petit déjeuner dans la prévention ou le traitement de l'obésité, il faut bien admettre que les arguments sont inexistants. Et que là encore, cette allégation, inutile dans la problé-

---

1. Communication de R. Saile (Casablanca) et M. Maislos (Beer-Sheva), *International Symposium of Atherosclerosis*, Paris, 1997.

matique pondérale, aura pour seul effet de venir troubler la régulation des apports caloriques.

Si j'ai faim entre les repas

• **Que dois-je faire ?** Si, un matin, vous n'avez pas faim et décidez donc de ne pas prendre votre petit déjeuner, vous pouvez effectivement vous exposer à avoir faim dans la matinée. Le corollaire de ne pas manger quand on n'a pas faim, est de manger quand on a faim. Vous pourrez donc consommer une collation dans la matinée.

• **Que puis-je manger ?** En théorie, ce que vous voulez. En pratique, ce qu'il est possible de trouver dans ces circonstances. Cependant, je vous conseille, pour l'instant, de ne consommer que des aliments sur lesquels vous pouvez garder le contrôle. Rien de vous empêche de manger deux ou trois gâteaux secs qui représentent le tiers ou le quart du petit déjeuner que vous auriez pris normalement. Néanmoins, si vous ne vous sentez pas capable de vous arrêter quand vous commencez à manger ce type d'aliment, mieux vaudrait vous contenter d'un yaourt ou d'un fruit que vous emporterez. En cas de faim, vous pourrez le consommer. Et, qui sait, si la faim n'apparaît pas, vous attendrez comme d'habitude l'heure du déjeuner.

• **Quelle quantité dois-je manger ?** La taille de votre collation devra tenir compte de la distance qui vous sépare du repas suivant. Si la faim réapparaît à 10 h, vous pourrez prendre une collation plus importante que si elle survenait à 11 h. Dans ce cas, une collation trop importante vous priverait d'avoir faim à l'heure du déjeuner. Ce qui serait fort dommage.

Je risque de ne plus manger
en même temps que les autres

Vous ne vous créerez aucun problème de poids supplémentaire en ne mangeant que si vous avez faim. Vous obtiendrez simplement un fractionnement de vos prises alimentaires. Néanmoins, si votre poids n'en souffre pas, votre vie sociale en pâtira peut-être. Les mangeurs régulés savent très bien jongler avec leurs contraintes sociales. Ils mangent quand ils ont faim, mais savent anticiper leurs besoins. Ils savent manger la quantité de nourriture qui leur permettra d'avoir faim juste avant le repas suivant. Les horaires des repas étant généralement imposés, le mangeur se trouve donc contraint d'exercer sa régulation plutôt sur la taille des repas. Toutefois, dans les périodes de vacances, quand la contrainte horaire ne s'impose plus si forte, on retrouve une plus grande flexibilité horaire. Cette compétence anticipatrice a généralement disparu chez les mangeurs restreints, les empêchant ainsi de se réguler correctement. Les facteurs cognitifs contribuent largement à ce handicap : la peur d'avoir faim, la peur de manquer... les conduisent à manger au-delà de leur faim pour anticiper ces manques plutôt que leurs besoins. Ils parviennent difficilement à gérer comme il se doit leur quantité de nourriture pour avoir faim avant chaque repas. Ni même, à l'intérieur du repas, pour avoir faim avant chaque plat. Le mangeur régulé sait se limiter sur les entrées ou sur le plat principal pour avoir encore faim quand il mangera son dessert. « Je me réserve pour le dessert. » Il sait également régler la taille de son goûter pour avoir faim au moment du dîner.

Pour retrouver cette capacité, il vous faudra retrouver vos propres rythmes et la perception de vos besoins réels. Les très jeunes enfants mangent tout d'abord en fonction de leurs besoins immédiats. Puis en se socialisant, ils apprennent à manger les quantités nécessaires afin d'avoir faim à la même heure que les autres membres de leur famille. Nous ne sommes pas programmés génétiquement pour avoir tous faim avant le journal télévisé. Nous apprenons à avoir faim ensemble afin de partager nos repas qui représentent des lieux de cohésion sociale auxquels nous sommes attachés. Avant d'en arriver là, vous devrez, comme les enfants, repasser par ces apprentissages essentiels. Et pour cela, manger quand vous aurez faim afin de réapprendre à maîtriser les quantités de nourriture et parvenir ensuite à maîtriser l'apparition de votre faim.

Si j'ai seulement envie de manger sans avoir faim

Même si le plus souvent, le mangeur « s'arrange » pour avoir faim avant de manger, il lui arrive de n'avoir qu'« envie de manger » sans ressentir la faim. Cette situation est plus occasionnelle chez le mangeur régulé qui n'apprécierait guère d'être trop souvent privé du plaisir gustatif. Ce dernier n'étant présent qu'en cas de faim. Toutefois, les occasions de manger sans faim ne sont pas rares et elles n'entraînent pas de prises de poids quand elles sont régulées. Dans une expérience sur des rats, on les conditionne à manger dès l'apparition d'un signal lumineux qui se déclenche toutes les trois heures. Il suffit ensuite de déclencher le stimulus pour que l'animal consomme un repas supplémentaire, alors qu'il n'a pas faim. Ceci étant attesté par l'absence d'hypoglycémie. On constate, toutefois, que ces repas supplémentaires sont compensés et que l'animal diminue d'autant sa prise alimentaire des 24 heures [1]. Cette expérience démontre clairement que l'organisme est tout à fait capable de

---

1. Weigarten H.P., « Meal initiation controlled by learned cues : basic behavioral properties », *Appetite*, 1984, 5, 147-158.

comptabiliser une prise alimentaire consommée sans faim. En pratique, si vous prenez le goûter chez des amis dans l'après-midi, vous devez constater que votre faim sera moindre pour le dîner.

Et la gourmandise, alors ?

« Quand c'est bon, je ne peux pas m'arrêter. Je suis très gourmand. » Le mangeur régulé mange généralement au-delà de sa faim dans les occasions inhabituelles ou festives. La diminution de sa faim lors des repas suivants lui permettra de compenser son excès. Le mangeur restreint se comporte, lui, de la même façon dans des situations beaucoup plus ordinaires. Ce qu'il décrit là n'est pas de la gourmandise, mais simplement son incapacité à s'arrêter de manger. La gourmandise est une qualité précieuse qu'il vous faudra d'ailleurs conquérir. Elle impose des limites à la consommation et empêche le mangeur de continuer trop au-delà de sa faim. Le gourmand est un mangeur redoutablement exigeant qui est tyrannisé par sa recherche du plaisir gustatif. Il sait, aussi exceptionnel soit-il, qu'aucun aliment ne sera aussi bon que s'il le mange en ayant faim. Imaginons un déjeuner auquel participerait notre gourmand. À la fin du plat principal, il n'a plus faim quand il voit arriver son dessert préféré. Quelle sera selon vous sa réaction ? Il demandera qu'on lui réserve sa part qu'il préférera déguster plus tard, au goûter, quand sa fin sera revenue et qu'il pourra de nouveau éprouver du plaisir gustatif. Il aime trop son gâteau pour accepter de ne pas en retirer le maximum de plaisir. Quant aux autres convives, qui mangeront peut-être leur part sans être attentifs à rien, ce n'est pas la gourmandise qui les fera manger, mais bien davantage la gloutonnerie.

J'ai peur d'avoir faim

La peur d'avoir faim vous fait manger avant d'avoir faim et au-delà de votre rassasiement pour retarder la réapparition de la faim. Vous anticipez donc la faim qui est pour vous une sensation inquiétante. Elle évoque le risque de manger entre les repas et de consommer des aliments interdits sans toujours pouvoir vous arrêter à temps. Dans le contexte d'abondance alimentaire que nous connaissons, la faim est pourtant une sensation amicale qui conditionne le plaisir gustatif. Vous devez donc vous en faire une alliée. Pour cela, je vous recommande l'exercice suivant qui fait appel à des techniques d'exposition.

Exercice : pour ne plus avoir peur de la faim

1. Supprimez votre petit déjeuner pendant 4 jours. (Vous survivrez.)
2. Munissez-vous d'une collation de votre choix, à consommer dans la matinée.
3. Ne consommez votre collation qu'en cas d'apparition des signaux de faim.
4. Plus cette collation sera proche du repas suivant, plus vous la choisirez légère. Tout simplement pour vous garder une faim quand l'heure du déjeuner se présentera.

Il est possible que la faim ne se manifeste pas. Dans ce cas, attendez paisiblement l'heure du repas suivant. Si au contraire, vous percevez sa présence, mangez tranquillement ce que vous avez emporté. Quoi que vous ayez pris, vous constaterez qu'il n'a jamais été aussi bon. Pour ceux qui n'en seraient pas certains, il ne s'agit pas d'un exercice contre le petit déjeuner, mais contre la peur de la faim qui n'a rien à faire dans un comportement régulé.

Si j'écoutais mes sensations, je ne mangerais plus

Après quelques jours de cet exercice, vous avez constaté que vous pouviez vous rassasier étonnamment vite, quelques bouchées peuvent parfois vous suffire. Vous avez du mal à y croire et préférez continuer à manger pour prévenir d'éventuelles carences ou coups de fatigue. Détrompez-vous, si vous n'avez pas faim et si le rassasiement se manifeste si rapidement, c'est que votre corps n'a pas de plus grands besoins. Il cherche à vous empêcher de le nourrir et ne dispose d'aucun autre moyen de vous le faire savoir. Il est tout à fait possible que vous puissiez vous contenter de très faibles quantités de nourriture. Respectez ces informations que vous recevez, elles vous permettront justement d'aller puiser dans vos réserves sans souffrir de la faim. N'était-ce pas le but recherché ?

J'ai beaucoup de difficultés à percevoir le rassasiement

Si vous éprouvez des difficultés à distinguer vos sensations alimentaires, vous constaterez que la faim sera la première à se préciser. La perception exacte du rassasiement sera généralement plus tardive et facilitée par la disparition progressive de la restriction cognitive. Le rassasiement est très tributaire de la faim, au point qu'un mangeur qui n'a pas faim pourra difficilement se rassasier. Un mangeur commence habituellement à manger parce qu'il a faim et cesse sa consommation quand sa faim disparaît. Toutefois, si la faim est absente du début du repas, il ne dispose plus du signal qui lui indique de s'arrêter. Ainsi l'existence du signal de rassasiement est conditionnée par l'existence du signal de faim. Assurez-vous que la faim est véritablement présente au début de vos repas.

Je mange très peu, ce n'est donc pas trop

Le fait de manger *peu* ne signifie pas que ce n'est pas *trop*. Beaucoup de mangeurs ont aujourd'hui des besoins très réduits. Les enquêtes de consommation montrent que certaines personnes se contentent sans difficulté de 1 500 calories. C'est *peu* par rapport à la moyenne des autres personnes. Et une très légère augmentation de leurs apports caloriques leur fera prendre du poids tout en continuant à manger moins que la plupart des autres mangeurs. Ce sera néanmoins *trop* par rapport à leurs besoins. Il semble également que la répétition des nombreux régimes ait pour effet d'entraîner une diminution des dépenses au cours de la vie.

Je mange...	Assez	Trop
Un peu mais...	1 500 calories	1 700 calories
Beaucoup mais...	2 700 calories	2 900 calories

Je ne perçois pas la diminution du plaisir gustatif

Ce n'est pas parce que vous avez des difficultés à percevoir la diminution du plaisir gustatif que vous n'en avez pas. Elle est plus facile à percevoir avec les aliments les plus riches. Imaginez-vous manger du foie gras. Les premières bouchées ne sont-elles pas meilleures que les dernières ? Même les plus gros mangeurs s'arrêteront avant d'avoir le ventre plein. Ils ne peuvent donc manger autant de foie gras qu'ils mangeraient de jambon dégraissé. « Quelque chose » les a empêchés de continuer. S'ils poursuivaient leur consommation, la diminution du plaisir gustatif se transformerait même en déplaisir, jusqu'à parfois entraîner douleurs, nausée et vomissement.

Et si j'ai envie de me taper la cloche ?

Eh bien, dans ce cas, ne vous privez pas. Tous les mangeurs régulés ont expérimenté cette situation. Ils ne s'en sont pas portés plus mal. Vous aurez beaucoup moins faim aux repas suivants et vous réduirez spontanément vos consommations. Vous découvrirez de surcroît qu'il n'est pas si drôle de répéter trop souvent cette expérience.

Et si je suis obligé de manger
alors que je n'ai pas faim ?

Il existe, en effet, des situations où l'on ne peut éviter de manger. Si vous invitez un ami ou un de vos clients à déjeuner, vous pourrez difficilement vous abstenir de commander un repas. Cependant, rien ne vous oblige à consommer des plats riches. Vous pouvez également vous contenter d'un seul plat, ou même laisser de la nourriture dans votre assiette. Bref, nécessité fait loi, mais vous n'êtes pas non plus sans aucune ressource.

CHAPITRE V

Pour en savoir plus :
Mes sensations me parlent

Les sensations alimentaires sont donc les seules informations dont dispose le mangeur pour ajuster sa consommation à ses besoins. Elles se résument à un petit nombre de sensations simples qui contrastent avec la multiplicité et la complexité des systèmes biologiques dont elles sont l'expression. La satisfaction quantitative et qualitative des besoins est conditionnée par trois mécanismes s'appuyant sur les sensations alimentaires : la fréquence des repas, la taille des repas et le choix des aliments.

Quand commence-t-on à manger ?

La faim apparaît quand le contenu du repas précédent a été évacué de l'estomac. Elle ne nous dit pas combien nous devons manger, mais nous renseigne sur le délai que nous pouvons supporter avant de manger.

La fréquence des repas est déterminée par l'alternance de la faim et de la satiété. On commence généralement à manger, mais pas toujours, quand la faim, parfois l'envie, se font sentir. La faim est une sensation se manifestant par une gêne, un « creux » au niveau de l'estomac, voire une sensation douloureuse et pouvant s'accompagner d'une impression de faiblesse, de nervosité, parfois de malaise général. Ce cortège de manifestations incite le mangeur à se mettre en quête de nourriture d'autant plus rapidement qu'elles sont intenses. « Avoir l'estomac dans les talons » illustre d'ailleurs la fébrilité de cette recherche. Cependant, contrairement à ce que pensent souvent les mangeurs restreints, la faim ne donne pas d'informations sur la quantité de nourriture que nous allons devoir ingérer mais seulement sur le délai qu'il nous est possible de tolérer avant de manger. Un individu qui a très faim se doit donc de manger dans un bref délai. Alors que celui qui a peu faim est encore capable d'attendre avant de manger. Avoir très faim ne signifie donc pas que nous devons manger beaucoup. D'autre part, dans les études de consommation, on n'observe pas de corrélation entre la taille du repas et le temps d'abstinence qui précède ce repas [1]. Autrement dit, ce n'est pas parce

---

1. Le Magnen J., « Advance in studies on the physiological control and regulation of food intake », *in* Stellar E., Sprague J.M. (éd.), *Progress in physiological Psychology*, Vol. 4, New York, Academic Press, 1971, 204-261.

qu'on n'a pas mangé depuis longtemps que l'on va manger beaucoup.

La faim apparaît quand les cellules du cerveau commencent à manquer de glucose. Un très faible fléchissement de la glycémie, de l'ordre de seulement 6 à 7 %, suffit à déclencher ce signal. Cette variation de la glycémie est sans rapport avec les fameuses « hypoglycémies » fonctionnelles, responsables de malaises et qui sont, elles, de l'ordre de 40 à 50 %. Ces dernières sont très peu fréquentes et rarement retrouvées dans les analyses de sang. La faim, donc, se manifeste quand les aliments du repas précédent finissent d'être digérés et signale la nécessité de satisfaire un besoin global de nutriments énergétiques. Ainsi plus le repas sera riche et important, plus il restera longtemps dans l'estomac et retardera la réapparition de la faim. L'homme affamé ne fait pas le difficile. Il a faim et pourrait manger « n'importe quoi ». Voilà d'ailleurs ce qui distingue la faim de l'appétit. L'appétit, lui, est sélectif. Il ne se satisfait que de ce qui calme une envie spécifique. Celui qui a envie d'une glace au citron n'acceptera pas qu'on lui propose à la place une bavette aux échalotes. Cette dernière aurait sans nul doute pu calmer sa faim mais assurément pas son appétit. Une fois le repas terminé, la faim disparaît et se trouve remplacée par un sentiment de confort et de plénitude, c'est la satiété que l'on définit comme l'état de non-faim. Cet état se maintient jusqu'à la réapparition d'une nouvelle diminution de la glycémie qui déclenchera de nouveau un signal de faim et la prise du repas suivant.

La fréquence des repas, quant à elle, est avant tout déterminée par des contraintes sociales. Le mangeur apprend à régler la taille de ses repas pour avoir faim à des heures socialement acceptables. Il sait, avec une assez bonne précision et par un apprentissage inconscient, quelle quantité de nourriture il lui faut prendre au petit déjeuner pour ne pas avoir faim avant le déjeuner. Et quelle quantité de nourriture il lui faut prendre au déjeuner pour ne pas avoir faim avant le dîner. C'est donc seulement par apprentissage puis un conditionnement que les mangeurs d'un même groupe social apprennent à avoir faim à la même heure. Nous ne sommes pas génétiquement programmés pour tous avoir systématiquement faim à la même heure.

Pourquoi s'arrête-t-on de manger ?

Nous savons de quelle quantité d'aliments notre organisme a besoin grâce au rassasiement. Deux systèmes participent à ce processus. L'un est mécanique, c'est la distension de l'estomac. L'autre est sensoriel, c'est la disparition du plaisir gustatif.

La faim nous dit que nous devons commencer à manger, mais il nous faut également posséder un moyen de savoir quand nous arrêter. Alors équipés de ces deux informations, un signal de début et un signal de fin, nous devenons capables de régler les quantités d'aliments que nous ingérons. Nous disposons pour y parvenir de plusieurs systèmes qui nous incitent à interrompre nos repas. Le processus qui met un terme au repas est désigné sous le terme de rassasiement. Il faut le distinguer de la satiété qui est l'état de non-faim séparant deux repas, eux-mêmes déclenchés par la faim. Le rassasiement se traduit physiologiquement par la diminution du plaisir gustatif constitué par la somme de plusieurs mécanismes agissant conjointement. L'un d'eux est mécanique, les autres sont sensoriels.

Parce qu'on a l'estomac plein : la distension gastrique

> L'efficacité du système mécanique repose sur la distension de l'estomac. C'est un processus tardif et approximatif basé sur le volume des aliments.

Le système mécanique est représenté par la distension gastrique. Le volume des aliments distend les parois de l'estomac et entraîne une sensation confortable de plénitude et l'arrêt de la prise alimentaire. Au-delà, la poursuite du repas deviendrait pénible. Une sensation désagréable de lourdeur s'emparerait de nous et pourrait même se transformer en douleur. Beaucoup de sujets en restriction cognitive rapportent d'ailleurs qu'ils ne parviennent à s'arrêter de manger qu'au moment où ils atteignent ce seuil. On voit que ce mécanisme est très rudimentaire et peu précis. Il intervient souvent trop tard alors que les besoins sont déjà comblés. De plus, s'il s'avère utile pour des aliments à faible densité calorique, tels que les légumes, il ne présente plus aucun intérêt pour des aliments à forte densité calorique, tels que le foie gras ou le chocolat. La distension gastrique constitue donc l'un des signaux inhibiteurs de la taille du repas. Cependant, la plupart des études ont montré que les sujets obèses y semblaient moins sensibles et pouvaient tolérer une plus forte distension que les sujets maigres[1]. Dans le but de proposer un traitement efficace de l'obésité, certains auteurs ont émis l'idée que l'on pourrait accroître la sensation de distension en introduisant un ballonnet dans l'estomac des sujets obèses. Mais les résultats se sont révélés décevants. Ainsi, quand on

---

1. Geliebter A., « Gastric distension and gastric capacity in relation to food intake », *Humans Physiology Behav*, 1988, 44, 665-668.

compare les sujets disposant d'un ballon intragastrique avec des sujets traités par une thérapie comportementale modifiant les comportements alimentaires, la perte de poids s'est avérée plus importante avec la thérapie comportementale. Les sujets porteurs de ballonnets ont réussi à prendre des repas plus fréquents, rendant ainsi, à long terme, le traitement inefficace.

Parce qu'on n'en a plus envie : le système sensoriel

Le système sensoriel de rassasiement repose sur la diminution puis la disparition du plaisir gustatif. C'est un phénomène complexe qui associe trois processus parallèles et se met en place dès les premières bouchées. Il dépend de la valeur calorique des aliments. Il est spécifique de chaque aliment. Quand le mangeur n'éprouve plus de plaisir gustatif pour son aliment, c'est qu'il a assez mangé de cet aliment et que ses besoins ont été satisfaits.

Chaque aliment possède un goût, une image sensorielle, à l'origine d'une sensation. Cette dernière possède elle-même plusieurs composantes. Les premières sont liées aux caractéristiques de l'aliment, ce que l'on appelle ses qualités organoleptiques, et présentent un aspect qualitatif et quantitatif. La composante qualitative permet de décrire les caractéristiques de l'aliment : il est sucré, froid, jaune, long, ferme, etc. Bref, il s'agit d'une banane trop verte qui sort du réfrigérateur. La composante quantitative permet de quantifier ces perceptions : elle est un peu ou très sucrée, très ferme, et assez grande. À tout ceci vient s'ajouter une troisième composante qui, elle, est affective et présente, au contraire des deux autres, la particularité de se modifier au cours du processus de rassasiement. Car, en effet, si les qualités organoleptiques de l'aliment ne changent pas au cours de sa consommation, il n'en est pas de même du plaisir qu'il procure. Les premières bouchées de l'aliment procureront plus de plaisir que les dernières. Cet effet sera d'autant plus perceptible que l'aliment sera riche en énergie. On le percevra donc plus facilement en mangeant du foie gras ou du chocolat qu'en mangeant des légumes verts. Et c'est donc la disparition du plaisir gustatif qui entraînera l'arrêt de la consommation de l'aliment. Ce phénomène résulte de la combinaison de trois processus : l'alliesthésie alimentaire négative, le rassasiement sensoriel spécifique et le rassasiement conditionné.

➤ *L'alliesthésie alimentaire négative*

Le phénomène alliesthésique a été décrit pour la première fois en 1968 et correspond à la modification de la perception affective de l'aliment en fonction de l'état énergétique interne de l'individu. Étymologiquement, il signifie « modification de sensation ». Il s'agit d'un phénomène universel dont chaque mangeur peut faire l'expérience chaque fois qu'il mange. Plus le mangeur a faim, plus le plaisir qu'il éprouve à manger est important. Puis, au décours de sa consommation, ce plaisir décroît au fur et à mesure qu'il se rassasie. C'est pour cette raison que l'on parle d'alliesthésie alimentaire négative. En cas d'ingestion forcée, le plaisir peut même se transformer en déplaisir. Le phénomène a été mis en évidence par M. Cabanac grâce à l'expérience suivante.

On demande à un groupe de personnes de noter le plaisir qu'elles éprouvent à goûter une solution plus ou moins sucrée. Dans une première expérience, les sujets sont à jeun et éprouvent d'autant plus de plaisir que la solution est sucrée. Dans une seconde expérience, les mêmes sujets viennent d'être nourris et éprouvent de l'indifférence pour les solutions les moins sucrées et une sensation franchement désagréable pour les solutions les

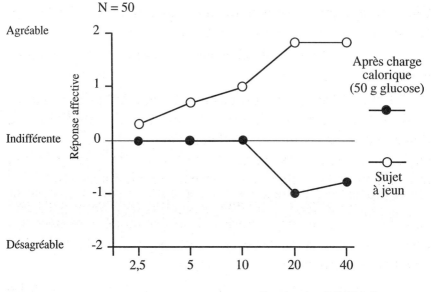

Le phénomène d'alliesthénie alimentaire négative décrit par Cabanac (1979).

Une réponse affective au stimulus sucré agréable à jeun devient indifférente voire désagréable après une charge calorique (50 g de glucose) administrée par voie intragastrique.

plus sucrées. Le plaisir qu'ils éprouvent est donc différent selon que les sujets ont ou non besoin de manger. C'est par la modulation de cette composante affective que l'alliesthésie participe au contrôle des comportements régulateurs. Le plaisir gustatif jouant ici le rôle de renforçateur du comportement. Il initie et entretient le comportement tant que la sensation est positive. Il l'inhibe, dès que le comportement procure des sensations négatives ou déplaisantes. Ainsi, l'alliesthésie alimentaire négative participe au contrôle quantitatif régulateur des ingestats en les limitant dès que la couverture des besoins énergétiques est assurée.

L'alliesthésie présente certaines caractéristiques :

1. La diminution de la composante affective ne modifie en rien la perception des qualités organoleptiques de l'aliment.

Chez un sujet préalablement rassasié, un aliment sucré est perçu comme moins agréable mais non comme moins sucré.

2. Plus l'aliment est calorique plus l'amplitude de l'alliesthésie augmente.

3. Le phénomène n'est pas immédiat et n'apparaît que 15 à 20 minutes après le début de la consommation de l'aliment. Il nécessite en effet un certain délai avant que les aliments n'atteignent les récepteurs chimiques situés dans le tube digestif et transmettent l'information au cerveau par voie nerveuse.

4. L'alliesthésie alimentaire ne fonctionne qu'avec des aliments apportant des calories. Elle est inopérante avec les édulcorants intenses. Ainsi, les faux sucres sont totalement dépourvus d'efficacité.

5. Le signal ne dépend pas de la distension gastrique. Le fait de remplir l'estomac d'eau ou d'autres substances inertes ne permet pas d'induire une alliesthésie alimentaire négative.

6. Enfin, l'alliesthésie alimentaire dépend du poids et de l'état nutritionnel du sujet. Elle disparaît chez les sujets amaigris. Ces derniers, n'éprouvant plus une diminution du plaisir gustatif, augmentent la quantité de leurs apports caloriques et retrouvent ainsi leur poids initial. Tandis qu'elle est renforcée chez les sujets en surcharge volontairement gavés. Le plaisir gustatif diminue plus vite les incitant à réduire leurs apports caloriques et ainsi à retrouver plus vite leur poids initial.

➤ *Le rassasiement sensoriel spécifique*

Parallèlement à l'alliesthésie alimentaire, B. Rolls a mis en évidence un autre phénomène, également responsable de la modulation du plaisir gustatif, qu'elle a appelé « rassasiement sensoriel spécifique ». Il se distingue de l'alliesthésie par plusieurs caractéristiques. Tout d'abord comme son nom l'indique, il est spécifique de chaque aliment. La décroissance du plaisir gustatif s'exerce spécifiquement à l'égard de l'aliment consommé et épargne presque totalement la consommation des autres aliments. Ce phénomène explique que nous pouvons être rassasié d'un plat, sans pour autant être indifférent aux plats suivants, s'ils sont différents. Chacun peut naturellement en faire l'expérience tous les jours, mais les travaux de B. Rolls ont permis une meilleure compréhension de ce mécanisme. Supposons que l'on demande à des sujets de manger autant qu'ils le souhaitent d'un premier plat. Puis, on leur apporte un second plat qui peut soit être identique au premier, soit différent. Les sujets mangent davantage du second plat quand il est différent du premier. Ainsi, les repas où sont présentés plusieurs aliments aux caractéristiques sensorielles variées sont plus abondants et peuvent être supérieurs de plus de 60 % à ceux qui ne comptent qu'un aliment unique. Cependant, au fur et à mesure que divers aliments sont ingérés et qu'un rassasiement sensoriel spécifique se produit pour chacun d'eux, un rassasiement plus général, non spécifique, dû sans doute aux effets gastriques et alliesthésiques se développe et finalement provoque la fin du repas. Il faut enfin souligner que l'existence de ces appétits spécifiques est en parfaite adéquation avec notre statut d'omnivores qui nous impose de diversifier notre alimentation. Cette capacité à augmenter sa consommation quand les aliments sont plus variés a conduit certains auteurs à voir là l'une des causes de l'obésité. Les rats soumis à un régime cafétéria, c'est-à-dire un grand choix d'aliments appétissants que l'on renouvelle chaque jour deviennent plus facilement obèses. Les auteurs ont été tentés de comparer l'abondance des sociétés modernes aux conditions du régime cafétéria. Cependant, cette théorie est en contradiction avec d'autres observations qui montrent au contraire que l'obésité est justement plus fréquente dans les pays où les consommateurs diversifient le moins leur alimentation. Les Français consomment chaque semaine 23 aliments différents, alors que les Américains n'en consomment que 5.

Ensuite, contrairement à l'alliesthésie le processus de rassasiement commence très tôt et devient maximum dès la deuxième minute. Et enfin, il dépend peu du contenu calorique de l'aliment, mais beaucoup plus de son image sensorielle.

➤ *Le rassasiement conditionné*

Bien évidemment, un aliment ne se caractérise pas pour nous par sa composition nutritionnelle. Nous sommes bien incapables d'en connaître sa composition précise. En revanche, il possède un goût. Il faut naturellement entendre ce terme dans son acception la plus large, faisant intervenir la totalité des sens qui permettront son identification. La vue nous renseigne sur son aspect, l'audition et les récepteurs mécaniques sur sa consistance, les récepteurs gustatifs sur sa saveur, les récepteurs olfactifs sur son odeur, les récepteurs thermiques sur sa température... Au bout du compte, nous sommes capables d'en dresser une véritable image sensorielle. La tomate, par exemple, devient un aliment rouge et rond, craquant à l'extérieur, mou à l'intérieur, comportant de petites particules plus dures, discrètement sucré, etc. Chaque aliment possède ainsi une sorte de carte d'identité sur laquelle sont consignés tous les effets qu'il produit à nos sens. Mais pour notre cerveau, chaque image sensorielle est associée à une autre image, métabolique cette fois. Grâce à tous les sens, stimulés par la présence de l'aliment, le cerveau peut le reconnaître et l'associer à sa composition nutritionnelle. Celle-ci a été apprise lors des ingestions précédentes. L'organisme possède une mémoire dans laquelle il a enregistré qu'un aliment rouge, rond, discrètement sucré, craquant à l'extérieur, mou à l'intérieur, et comprenant des petites particules dures, apporte beaucoup d'eau, de petites quantités de glucides, de vitamines et de minéraux. Inconsciemment, nous connaissons la composition exacte de cet aliment. Nous l'avons expérimentée au cours des ingestions précédentes et mémorisée à la manière d'une table de composition des aliments. Bref, nous avons appris et sommes désormais capables d'identifier l'aliment et savoir inconsciemment ce qu'il contient. Grâce à cela, nous serons aussi capables de savoir combien il nous faut en manger. Comme si le cerveau se référait à chaque instant à une table de composition des aliments mémorisée. Comme le rassasiement sensoriel spécifique, ce système est très rapide à se mettre en place puisqu'il s'installe dès la deuxième minute. Il est donc faux de prétendre qu'il est nécessaire d'attendre 20 minutes pour commencer à ressentir les effets du rassasiement. Heureusement d'ailleurs ! Car en France, beaucoup de repas n'atteignent pas cette durée et nous serions bien souvent sortis de table avant même de savoir si nous avons assez mangé.

➤ *Le plaisir est régulateur*

L'alimentation et la sexualité sont des fonctions essentielles assurant la survie et la reproduction des espèces. Elles sont toujours associées à la production de plaisir qui devient ainsi l'élément régulateur de ces fonctions vitales. Le créateur, dans son infinie sagesse, a dû penser que les êtres vivants négligeraient moins leurs devoirs essentiels s'ils y trouvaient aussi du plaisir.

Ces trois systèmes, parfaitement inconscients, se rejoignent pour former ce que le mangeur percevra comme le plaisir gustatif. Ils lui permettront de maintenir l'équilibre de sa balance énergétique en consommant une quantité de nourriture correspondant strictement à sa dépense énergétique et ceci quelles que soient les variations de cette dernière. Cette compétence physiologique a été démontrée aussi bien chez l'animal que chez l'humain. Quand on diminue par 2 la densité des boulettes de nourriture habituellement distribuées au rat de laboratoire, ce dernier, après quelques apprentissages, réagit en multipliant par 2 sa quantité de nourriture, de façon à maintenir une quantité de calories appropriée à la couverture de ses besoins énergétiques [1]. Les premières expériences sur l'humain sont plus récentes et ont été conduites par Birch et Deysher, en 1985, sur des enfants de 3 à 5 ans. On donne avant un repas soit une crème dessert très calorique aromatisée à l'abricot, soit une crème dessert peu calorique aromatisée à la fraise. On voit que les enfants réduisent leur repas après la crème à l'abricot et mangent plus après la crème à la fraise. Dans les deux groupes, la somme calorique de la crème dessert et du repas restant à peu près identique. Puis après 6 jours, on inverse les saveurs : la crème à l'abricot devient peu calorique et la crème à la fraise très calorique. Après quelques essais, qui leur permettent d'analyser inconsciemment la nouvelle valeur énergétique des crèmes dessert, les enfants modifient la taille de leur repas et se mettent à manger moins après la crème à la fraise et plus après la crème à l'abricot. Ils ont adapté leur consommation afin de maintenir un apport calorique correspondant à leurs besoins.

Une autre expérience conduite par Booth, un peu plus tard dans les années 1980, confirme l'existence de cette compétence psychophysiologique également chez l'adulte. Deux fois par semaine, des sujets prennent leur repas de midi dans un laboratoire. Le premier repas est conduit selon le protocole A et le second repas selon le protocole B. La précharge a exactement le même goût, mais diffère par sa teneur en calories.

La première semaine, les sujets consomment autant de sandwichs et de yaourts dans les deux expériences. Ils ne font donc pas la différence entre la teneur calorique des précharges qui présentent le même goût. Mais après quatre semaines, bien

---

1. Adolph E.F., « Urges to eat and drink in rats », *Am. J. Physiol.*, 1947, 151, 110-125.

Protocole A   *Protocole B*

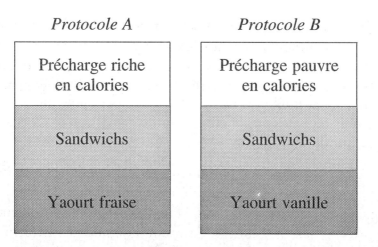

Protocole A : les sujets consomment d'abord une précharge riche en calories. Ils peuvent ensuite consommer autant de sandwichs qu'ils le souhaitent puis terminent leur repas par un yaourt à la fraise.

Protocole B : les sujets consomment d'abord une précharge pauvre en calories. Ils peuvent ensuite consommer autant de sandwichs qu'ils le souhaitent puis terminent leur repas par un yaourt à la vanille.

que la consommation des sandwichs reste identique, celle des yaourts à la vanille augmente. Les sujets compensent le déficit lié à la précharge pauvre en calories pour maintenir une quantité de calories suffisante à maintenir leur balance énergétique. Ils ont *appris* par le mécanisme du rassasiement conditionné à ajuster leur prise alimentaire en fonction du contenu énergétique des aliments.

➤ *À quoi servent les aliments allégés ?*

Les aliments allégés sont des petits malins qui auront bien du mal à déjouer la perspicacité d'un organisme qui en a vu bien d'autres.

Ces travaux conduisent à se poser la question de l'intérêt des aliments allégés. Les systèmes de la régulation laissent penser qu'il sera difficile de tromper l'organisme par la consommation de tels aliments sans que les mécanismes de compensation ne se mettent en place. Il est nécessaire pour répondre à cette question de distinguer les différents types d'allégement en sucre et en graisses.

L'ALLÉGEMENT EN SUCRE

Des études de comportement ont été conduites aux États-Unis, grand consommateur d'édulcorant. En particulier, une enquête réalisée auprès de 78 694 femmes de toute corpulence, a montré que les utilisatrices de produits édulcorés avaient pris plus de poids au cours de l'étude que les non-utilisatrices. Les études des physiologistes ont permis de comprendre que si les consommations d'édulcorant répondaient à des situations de faim, donc de besoins métaboliques, elles étaient, dans ce cas, intégralement compensées lors des repas suivants. En revanche, quand ces consommations répondaient à des prises alimentaires sans faim, la compensation devenait très aléatoire. Ces études ont permis de conclure que dans le cadre d'une alimentation libre, l'utilisation d'édulcorant s'avère inefficace sur la perte de poids.

L'ALLÉGEMENT EN GRAISSE

La plupart des études montrent qu'un allégement lipidique provoque une diminution non compensée de la consommation de lipides. En revanche, la diminution calorique qu'elle entraîne semble assez bien compensée par une surconsommation de glucides et parfois même de protéines. Si bien que si la composition de l'alimentation se trouve modifiée, le niveau calorique global reste souvent inchangé et ne permet pas d'obtenir une perte de poids significative. Ainsi, des femmes ayant consommé une alimentation allégée en lipides pendant deux ans ont perdu 3,2 kg pendant les six premiers mois de l'expérimentation. Au bout de deux ans, cette perte de poids n'était plus que de 1,9 kg. Ce faible amaigrissement avait pourtant été obtenu avec une alimentation ne comportant plus que 22,8 % de lipides [1]. Ces résultats confirment les observations réalisées aux États-Unis où l'on voit le poids moyen de la population augmenter simultanément avec une baisse générale de la consommation de graisse. Toujours chez des volontaires américains, une tendance à s'accorder une petite récompense en contrepartie de la consommation d'aliments de régime, mais « bons pour la santé », a été mise en évidence et semble pouvoir expliquer l'échec de l'allégement lipidique [2]. De la même manière, dans une étude épidémiologique française réalisée sur des hommes, l'utilisation de produits allégés en graisse ne s'accompagnait pas d'une réduction de la ration énergétique, mais au contraire, d'une consommation significativement plus élevée de sucre, biscuits, chocolat, miel et autres produits sucrés.

L'ensemble de ces processus, mécanique et sensoriel, contribue à moduler le plaisir gustatif et permet au mangeur d'ajuster précisément sa consommation d'aliments à ses besoins énergétiques. Le processus dynamique de diminution du plaisir gustatif se superpose au phénomène de rassasiement. Tandis que l'extinction du plaisir gustatif correspond à l'état de satiété. Ces systèmes, loin d'être redondants, agissent tous ensemble de façon synergique. Ils se mettent en place successivement dans le temps. Les premiers à apparaître, dès les premières minutes du repas, sont le rassasiement sensoriel spécifique et le rassasiement conditionné. Ils sont suivis par deux systèmes plus tardifs, l'alliesthésie alimentaire négative, qui contrôle également le contenu calorique du repas, et la distension gastrique qui réagit davantage au volume des aliments. Le système sensoriel est très

---

1. Sheppard L., Kristal A.R., Kushi L.H., « Weight loss in women participing in a randomized trial of low-fat diets », *Am. J. Clin. Nutr.*, 1991, 54, 821-828.
2. Mattes R.D., « Effects of aspartame and sucrose on hunger and energy intake in humans », *Physiol. Behav.*, 1990, 47, 1037-1044.

dépendant des facteurs cognitifs et de l'idée que se fait le mangeur de ses aliments. Par exemple, quand un aliment liquide est introduit directement dans l'estomac par l'intermédiaire d'une sonde gastrique, donc en court-circuitant les étapes cognitives, les sujets ressentent un rassasiement moins satisfaisant pour une même quantité d'aliments normalement consommée. De même, nous avons vu que les mangeurs restreints pouvaient se désinhiber et manger davantage après la consommation d'un aliment « interdit ». La même réaction peut être obtenue avec des aliments allégés dont on leur fait croire qu'ils sont riches en calories. Ce sont donc seulement les facteurs cognitifs qui semblent avoir entraîné la réaction de désinhibition.

Dans le cadre de la restriction cognitive, les mangeurs restreints semblent perdre la capacité de se réguler avec leurs mécanismes sensoriels et ne conserver que, ou essentiellement, la distension gastrique comme signal de fin de repas. Or, les obèses, donc des mangeurs restreints qui ne sont pas parvenus à obtenir une restriction calorique, possèdent une plus grande capacité à manger en distendant leur estomac et donc à reculer les limites de leur repas et augmenter leurs apports caloriques. Si les animaux, les enfants et beaucoup d'adultes paraissent être de très bons régulateurs, les psychologues Herman et Polivy ont bien montré, qu'à l'opposé, les personnes qui restreignaient leur alimentation pour s'empêcher de grossir, devenaient, elles, de très mauvais régulateurs ne sachant plus adapter la taille de leurs repas à l'état de leurs besoins. L'estimation des justes quantités devenant pour elles de plus en plus imprécise et s'opposant à une bonne régulation pondérale.

Comment choisit-on ses aliments ?

Nous sommes les jouets d'une illusion et choisissons
inconsciemment nos aliments en fonction de nos
besoins. Nous croyons, en effet, prendre plaisir à
manger des aliments qui ont bon goût, alors qu'en
réalité nous trouvons bon goût à des aliments qui
nous procurent du plaisir parce que nous en avons
besoin.

La régulation des apports alimentaires n'est pas seulement
quantitative, elle est également qualitative et nous permet
d'orienter nos choix de façon à satisfaire nos besoins en macro-
nutriments, vitamines et minéraux. En fonction de ses besoins
et dans un répertoire alimentaire culturellement possible, l'organisme va donc apprendre à sélectionner des aliments. Des
préférences et des aversions naîtront qui, en même temps
qu'elles construiront l'identité du mangeur, participeront à la
satisfaction de ses besoins nutritionnels.

Les préférences alimentaires

Le besoin crée le plaisir qui détermine ensuite les préférences. Si l'on soumet des rats à un régime carencé en protéines, spontanément, par la suite, quand ils auront le choix, ils
se dirigeront vers des aliments leur apportant des protéines. La
même expérience peut être répétée en infligeant des carences
beaucoup plus spécifiques en un acide aminé, une vitamine ou
un sel minéral. L'animal prend du plaisir et trouve bon les ali-

ments qui lui apportent le nutriment qui lui fait défaut. Chose importante, son goût pour cet aliment persistera bien au-delà de la réparation de cette carence. On a ainsi créé durablement une préférence alimentaire. Il a même été possible, grâce à des protocoles de conditionnement, de transformer des aversions en préférences. Par exemple, les animaux détestent tous l'eau acide et préfèrent naturellement l'eau pure. Après consommation d'un régime carencé en zinc, ils finissent tous par préférer l'eau acide si celle-ci leur apporte le zinc qui leur manque. De la même manière, chez l'homme qui présente une insuffisance surrénale, on constate une attirance étonnante pour la réglisse. Ce produit contient des substances qui corrigent les troubles dont souffrent ces personnes. Celles-ci ressentent alors un grand plaisir à consommer des aliments pour lesquels elles pouvaient n'avoir jusqu'alors qu'indifférence. Soudainement, la réglisse deviendra pour eux un aliment recherché et qui aura « bon goût ». De même, au cours d'un régime hypoglucidique, pouvons-nous décider de nous priver pendant plusieurs semaines de manger des féculents. Si soudainement on nous présente un délicieux plat de pâtes, à sa simple vue nous éprouverons un plaisir intense. Et nous en consommerons aussi longtemps que ce plaisir sera ressenti. Par ce message, le cerveau nous fait savoir que notre organisme est en état de manque et que nous devons reconstituer les stocks de glucides épuisés.

Les aversions alimentaires

À l'opposé, il est aussi possible d'inverser une préférence si la consommation de l'aliment n'apporte plus ce que l'on en attend. Ainsi, chez les animaux, le goût inné pour le sucré ne se maintient que s'il correspond à un apport d'énergie. En remplaçant le sucre par de la saccharine, on assiste progressivement à une extinction du goût pour le sucré. L'animal finit par se désintéresser de ce type d'aliments qui lui devient dorénavant indifférent s'il apprend qu'il ne lui permet plus de satisfaire ses besoins. Ce processus est désigné sous le terme d'« aversion gustative conditionnée ». Il s'agit d'un mécanisme biologique extrêmement puissant et profondément utile. Il peut si nécessaire se mettre en place après une seule ingestion si cette dernière est suivie d'effets néfastes. On peut, par exemple, chez un animal, volontairement provoquer un malaise digestif après ingestion d'un aliment inconnu de lui. Après une seule expérience, l'animal évitera la consommation de cet aliment jugé dangereux. On a expérimentalement rendu cet aliment aversif. Chez l'homme, le malaise digestif accompagné de nausée, qui suit parfois fortuitement l'ingestion d'un aliment nouveau, suffit à produire une aversion pour cet aliment. À tel point que la seule évocation du nom de cet aliment suffira parfois à produire des nausées. Ainsi l'homme ou l'animal qui consomme un aliment toxique éprouvera pour celui-ci une aversion telle qu'il en évitera ensuite la consommation.

C'est simple, mais c'est complexe...

En résumé, nous aurions, en apparence, affaire à un système d'une extrême simplicité. Pour maintenir son poids, il suffirait de manger quand on a faim, de s'arrêter quand on est rassasié et de tout bonnement se laisser guider par cette sorte de pilotage automatique. Cependant, derrière cette immense simplicité se dissimule une machinerie d'une complexité tout aussi extrême constituée de facteurs biologiques, psychologiques et sensoriels et dont les seules parties visibles sont la faim et la modulation du plaisir gustatif. Ce dernier est déterminant par sa fonction régulatrice qui nous renseigne sur nos besoins et renforce nos comportements positifs. Cependant, cette machinerie est d'autant plus fragile qu'elle est complexe. Les mangeurs restreints, ayant décidé de remplacer leurs sensations par des croyances alimentaires, ne disposent plus de ce pilotage automatique. À un stade plus avancé, ils finissent par ne plus les percevoir et se trouvent contraints de substituer cette régulation spontanée et inconsciente, qui ne nécessite aucun effort, par un contrôle volontaire épuisant. On pourrait imaginer la régulation comme un gigantesque ordinateur qui travaillerait sans répit et dont tous les résultats s'afficheraient sur un petit cadran avec seulement un voyant vert qui dirait de commencer à manger et un voyant rouge qui dirait de s'arrêter de manger. Au lieu de cela, le mangeur restreint se doit de prendre lui-même les commandes et de réfléchir à chaque aliment qu'il consomme. Est-ce le bon moment, est-ce le bon aliment, est-ce la bonne quantité ? Et pour tout mode d'emploi ce malheureux mangeur ne dispose que d'un discours diététique, stéréotypé, établi statistiquement, sans rapport avec ses besoins propres qui peuvent varier d'un instant à l'autre, et qui pour tout arranger dit et contredit sans cesse des allégations qu'il assène constamment avec la même assurance.

Entre un signal de début de repas, la faim, et un signal de fin de repas, le rassasiement, encore faut-il maintenant savoir ce que l'on peut manger. Nous aborderons donc, dans le prochain chapitre, la croyance « aliments autorisés-aliments interdits ». Existe-t-il réellement des aliments défendus quand on veut perdre du poids ? Mais surtout nous verrons comment il est possible d'apprendre à s'arrêter d'en manger quand on est rassasié.

CHAPITRE VI

Manger des aliments « interdits »

Voilà quinze jours que vous examinez vos sensations alimentaires à la loupe. Voyons ce qu'il en est maintenant et essayons d'en dresser un second bilan.

Faites le bilan
de cette deuxième période

Êtes-vous plus attentif à votre manière de manger ?

Êtes-vous parvenu à manger sans rien faire d'autre ?

☐ Jamais ☐ Parfois ☐ Souvent ☐ Toujours.

Sinon que faisiez-vous ?

En cas de difficulté, qu'avez-vous ressenti ?

Êtes-vous parvenu à manger plus lentement ?

☐ Jamais ☐ Parfois ☐ Souvent ☐ Toujours.

☐ Seulement au début du repas ☐ Tout au long du repas ?

Comment percevez-vous vos sensations alimentaires ?

1. La faim et l'envie de manger sont-elles pour vous des sensations plus précises ?
2. Percevez-vous la diminution du plaisir gustatif et le rassasiement ?

Pour tous les aliments ?

Sinon, pour quels aliments ?

Tenez-vous compte de ce que vous percevez ?

Avez-vous réussi à ne pas manger quand vous n'aviez ni faim, ni envie de manger ?

Sinon dans quelles circonstances ?

Avez-vous réussi à vous arrêter de manger quand vous preniez conscience que vous n'aviez plus faim et plus envie de manger ?

Sinon dans quelles circonstances ?

Au cours de cette période, vous êtes-vous empêché de manger certains aliments dont vous avez eu envie ?

☐ Rarement ☐ Parfois ☐ Souvent ☐ Très souvent

Lesquels ?

Quelques remarques sur ce deuxième exercice

• *Je ne parviens toujours pas à manger sans rien faire*
Si manger est trop culpabilisant pour vous, ce chapitre vous aidera certainement à retrouver une plus grande sérénité. Il est aussi possible que vous soyez bien trop préoccupé du confort ou de l'opinion de votre entourage pour pouvoir vous intéresser à vous-même. Certaines personnes sont si attentives à leur environnement qu'elles en deviennent oublieuses d'elles-mêmes au point de ne pas pouvoir se prêter la même attention.

• *La faim et l'envie ne sont toujours pas distinctes*
Vous avez déjà sauté un ou deux repas et la faim n'est pas survenue. La faim peut parfois tarder à réapparaître si vous vous trouvez dans une situation de surcharge pondérale importante par rapport à votre poids d'équilibre. Il n'y a rien d'autre à faire que d'attendre d'être revenu à un poids inférieur pour retrouver une vraie sensation de faim.

• *Je ne perçois toujours pas le rassasiement*
La faim est la première sensation à réapparaître de manière très précise. Le rassasiement, quant à lui, prend plus de temps à se manifester avec la même précision. L'état de restriction cognitive empêche de le percevoir distinctement. Il faudra attendre d'avoir un peu évolué dans le traitement de la restriction cognitive pour retrouver le rassasiement. Les exercices qui vont suivre seront essentiels pour vous.

• *Je mange sans faim et même sans envie*
Que vous commenciez à manger sans faim et sans envie ou que vous poursuiviez votre repas sans faim et sans envie impose dans une certaine mesure de se forcer à manger. Il s'agit généralement de suivre des croyances alimentaires : ne pas sauter les repas, prendre un petit déjeuner, équilibrer ses menus en

incluant certains aliments de manière obligatoire. Il peut également s'agir de la peur d'avoir faim entre les repas ou trop faim au repas suivant et de s'exposer ainsi à consommer des aliments interdits ou manger de trop grandes quantités de nourriture. Ce sont encore des manifestations de la restriction cognitive. L'étape que vous allez maintenant franchir améliorera sûrement la situation.

Au stade où nous en sommes, vous savez que vous pouvez manger quand vous voulez et prendre le nombre de repas qui vous convient. Vous pouvez sauter votre petit déjeuner, prendre un goûter dans l'après-midi et même deux si cela vous chante. Si chaque fois que vous mangez vous avez faim, vous obtiendrez un fractionnement de votre alimentation qui ne vous fera pas grossir. Peut-être même, avez-vous déjà engagé votre perte de poids ? Vous savez sans doute mieux reconnaître votre faim et la distinguer de l'envie de manger. En revanche, il est bien possible que le rassasiement vous cause encore des soucis. Peut-être avez-vous encore des difficultés à le percevoir ou même le percevez-vous, mais ne pouvez vous empêcher de continuer à manger ? Mais surtout, il est probable que vous vous attendiez à recevoir quelques conseils sur les choix des aliments les plus propices à votre perte de poids.

Tous les mangeurs restreints sont convaincus, s'ils veulent maigrir, qu'il serait préférable de favoriser la consommation de certains aliments et d'éviter celle de certains autres. Ils sont souvent victimes de l'inévitable discours antigras, antisucre. Mais, plus souvent, ils constatent eux-mêmes les difficultés qu'ils ont à se comporter normalement avec ce type d'aliments. Face à ceux-ci, il leur est très difficile d'arrêter d'en consommer quand ils sont rassasiés. Ils en mangent toujours au-delà. Parfois, simplement un peu trop, parfois jusqu'à ce qu'il n'en reste plus. Pour y remédier, ils préfèrent souvent ne pas les introduire chez eux. Ils évitent donc d'en acheter, mais deviennent incapables de les consommer avec modération. « Je ne sais pas en manger un peu. Soit je n'en mange pas soit je finis le paquet. » L'exposition à ce type d'aliments constitue pour eux un épineux problème. Ils se trouvent nécessairement exposés à leur présence dans de nombreuses situations, et tout particulièrement lors d'événements conviviaux. Leur système de protection s'avérant, dans ces circonstances, assez peu efficace.

« S'il n'y en a pas, je n'y pense même pas. Mais si je sais qu'il y en a à la maison, je ne pense plus qu'à ça et je les mange jusqu'à ce qu'il n'y en ait plus. C'est même le meilleur moyen de ne plus y penser. Je crois même que je finis le paquet en me disant que, de cette façon, je me débarrasse du problème. »

Dans certains cas, l'exposition peut se faire simplement par la pensée. Il suffit d'évoquer ce type d'aliments pour avoir envie d'en manger et devoir produire de grands efforts pour y résister, avec ou sans succès. Nous allons donc essayer de résoudre cette difficulté et soumettre la croyance « aliments autorisés-aliments interdits » à un petit test.

Aliments autorisés, aliments interdits ?

Question 1 : Selon vous, lequel de ces deux menus fait le plus grossir ?

Menu 1	Menu 2
Salade de crudités Poisson à la vapeur Ratatouille Yaourt à 0 %	Salade de tomates Poisson frit Mousse au chocolat

Question 2 : Faisons maintenant en sorte que ces menus apportent chacun 750 calories tout en précisant qu'ils ne présentent pas la même composition. Il n'y a ni gras ni sucre dans le menu 1 alors que le menu 2 en apporte dans la friture et la mousse au chocolat. Lequel de ces deux menus fait le plus grossir ?

Menu 1	Menu 2
Salade de crudités Poisson à la vapeur Ratatouille Yaourt à 0 %	Salade de tomates Poisson frit Mousse au chocolat
750 calories	**750 calories**

À la première question, la presque totalité des personnes répond que le menu 2 fait plus grossir que le menu 1. À la deuxième question, 90 % des personnes continuent à opter pour le menu 2. Seules 10 % répondent que les deux menus se valent. Cependant, si on demande à ces 10 % quel menu, en pratique, elles mangeraient dans la perspective de perdre du poids, toutes préfèrent manger le menu 1. Si bien, qu'en fin de compte, la quasi-totalité des personnes a choisi le menu 1 pour perdre du poids.

En réalité, les bonnes réponses étaient les suivantes. À la première question, comme les quantités n'étaient pas indiquées, il n'était pas possible de répondre. Ou bien, il fallait répondre « cela dépend des quantités ». À la seconde question, comme les quantités étaient mentionnées et étaient identiques, 750 calories, il fallait répondre que les deux menus se valaient. En théorie, mais en pratique aussi.

Ces réponses, sans surprise, sont néanmoins tout à fait cohérentes avec l'idée que se font la plupart des mangeurs de l'influence des aliments sur leur poids. Elles sont également cohérentes avec l'attitude qu'ils adoptent à leur égard. Pour la plupart des personnes, il existe, en effet, des aliments qui font grossir et d'autres qui ne feraient pas grossir, ou même qui feraient maigrir. En revanche, il est bien plus intéressant de s'interroger sur les conséquences comportementales d'un tel raisonnement. Comment les personnes qui appréhendent les aliments en fonction de leur influence sur le poids vont-elles se comporter avec la nourriture ?

Reprenons nos deux menus et voyons où nous conduit ce raisonnement. Démonstration.

Comme notre menu 1 est composé d'aliments qui ne font pas grossir, je peux donc tranquillement en manger et même, en théorie, en remanger. Après tout, ils ne présentent aucun danger et ne peuvent me faire grossir. Toutefois, si je me resers, je n'ai plus 750 calories dans mon assiette, mais peut-être 1000. Et de cette façon, je me comporte exactement comme si je pensais que 750 ou 1000 calories allaient produire sur mon corps le même résultat. Est-ce réellement concevable ?

Mais poursuivons. Notre menu 2 est, quant à lui, composé d'aliments qui font grossir car ils apportent du gras et du sucre.

Il est, en quelque sorte contaminé. Je pense donc, si j'en mange 500 calories, que je grossirai moins que si j'en avais mangé 750. Mais je grossirai quand même.

Menu 1	Menu 2
Salade de crudités Poisson à la vapeur Ratatouille Yaourt à 0 %	Salade de tomates Poisson frit Mousse au chocolat
750 calories ⇩ 1 000 calories	750 calories ⇩ 500 calories

Tiens donc ! Ne suis-je pas là en train d'affirmer que 500 calories du menu 2 me font plus grossir que 1 000 calories du menu 1 ? Ainsi 500 calories de chocolat feraient donc plus grossir que 1000 calories de ratatouille ? Est-ce concevable ? Certains seront sans doute tentés de l'affirmer. Après tout, « le gras et le sucre ne s'éliminent pas de la même façon », « ils se stockent sous forme de graisses corporelles ». Et puis, « il y a si peu de calories dans la ratatouille »... Tout bien considéré 500 calories de chocolat *doivent* faire plus grossir que 1 000 calories de ratatouille. Très bien, jusqu'où pourrez-vous donc soutenir ce raisonnement ? Pensez-vous que 250 calories de chocolat continuent à faire plus grossir que 1 000 calories de ratatouille ? Oui ? Bien. Et 100 calories de chocolat, et 1 carré de chocolat ? Il arrive un moment où l'irrationalité de ce raisonnement finit tout de même par apparaître. D'après vous, quelle est la quantité de chocolat qui finira par faire moins grossir que 750 calories de ratatouille ? 500 calories ? 200 calories ? 50 ? Où situez-vous la limite ? Comment justifiez-vous cette limite ? Si vous ne le pouvez pas et si vous ne savez pas où se trouve cette limite c'est tout simplement qu'elle n'existe pas.

Car ces deux menus produiront sur votre poids le même résultat.

Le postulat « aliments interdits-aliments autorisés » conduit donc selon « sa logique » à affirmer que :

— *Un saladier de ratatouille ne fait pas plus grossir qu'une seule cuiller à soupe de cette même ratatouille.*

— *Un carré de chocolat fait plus grossir qu'un saladier de ratatouille.*

Il n'est pas raisonnable de penser de telles choses. Nous nous trouvons là face à une pensée irrationnelle, au bord d'une croyance magique. Qui aura pour effet d'entraîner de notre part un comportement tout aussi irrationnel.

Examinons donc ce comportement irrationnel. Si je pense que le menu 1 ne fait pas grossir, je peux alors le déguster sans retenue ni arrière-pensée. Et pourquoi donc me priver, là où il y a de la gêne il n'y a pas de plaisir. Je peux donc en manger beaucoup. Quant aux aliments du menu 2, ils font grossir. J'essayerai donc de ne pas en manger. Mais, en réalité, il m'arrive bien souvent d'en manger quand même. Et dans ce cas, il m'arrive parfois de ne pas parvenir à me limiter et d'en consommer de grandes quantités. Au bout du compte, il m'arrivera parfois de manger en grandes quantités les aliments que je m'autorise ainsi qu'en grandes quantités les aliments que je m'interdis. Ainsi, ce schéma, « aliments autorisés-aliments interdits », me conduit à consommer de grandes quantités... de tous les aliments. Pour perdre du poids, reconnaissons que ce ne sont pas les meilleures conditions dont on puisse rêver. Il est donc plus raisonnable d'admettre que tout aliment apporte des calories qui, consommées en excès, exposent à la prise de poids.

Rappelez-vous aussi l'histoire de notre mangeuse qui commence par avoir envie de manger un carré de chocolat et finit par manger deux yaourts à 0 % et une demi-tablette de chocolat (voir Camille page 36). À son insu, ses consommations d'aliments ne sont plus guidées par des sensations alimentaires mais par des raisonnements qui se sont inscrits malgré elle dans sa manière de manger. Les idées qui la conduisent sont les suivantes :

Les processus cognitifs du mangeur restreint

— Je dois manger beaucoup d'aliments autorisés pour ne pas avoir envie de manger des aliments interdits.

— Si je consomme un aliment interdit, je dois en manger beaucoup car je n'y aurai plus droit par la suite.

Ces idées la poussent à manger au-delà de ses besoins mais vont également produire des émotions qui viendront brouiller la perception de ses sensations alimentaires.

Ces émotions qui font manger

Progressivement, le comportement alimentaire du mangeur se modifie et s'organise autour de la présence d'émotions produites par sa nouvelle manière de penser sa nourriture : la peur de manquer, le couple frustration-culpabilité et le trouble du réconfort.

La peur de manquer

La peur de manquer peut prendre plusieurs visages qui inciteront le mangeur à consommer au-delà de ses besoins.

➤ *La peur de manquer des aliments interdits*
ou de succomber à ses envies

Les processus cognitifs que nous avons décrits généreront rapidement des peurs qui prendront le pas sur les sensations de rassasiement et de satiété. Le sujet ne mange plus en fonction de ces dernières, mais pour se rassurer de ses peurs. Il se protégera de ses envies de manger des aliments interdits en surconsommant des aliments autorisés. Comme nous l'avions vu, les repas seront constitués de grandes quantités de légumes verts, viandes maigres ou laitages écrémés dans l'espoir de ne pas succomber à ses envies de plats plus alléchants ou de desserts. Tandis que la peur de manquer des aliments interdits le conduira à en constituer des provisions afin d'anticiper une pénurie prometteuse de longues frustrations. Dans ce contexte de peur, le sujet devient rapidement incapable de percevoir correctement ses seuils de rassasiement et mange en fonction de motivations sans rapport avec ses besoins réels.

> ### ➤ *La peur de la disparition des aliments*

Même une fois débarrassées de leur croyance « aliments autorisés-aliments interdits », certaines personnes parviennent difficilement à s'arrêter de manger alors même qu'elles ont conscience de ne plus avoir faim. Concrètement, elles se sentent incapables de renoncer à une partie de leur nourriture et ne peuvent s'empêcher de finir leur assiette. Il est naturellement possible d'avancer plusieurs explications à cette attitude. Marque de politesse : « Cela ne se fait pas », difficultés à s'affirmer : « Je risque de vexer mon hôte, lui faire de la peine », compassion pour ceux qui n'ont pas la chance de pouvoir manger à leur faim, etc. En réalité, il s'agit là de tout autre chose. Ces mangeurs restreints se comportent avec la nourriture comme s'ils la mangeaient pour la dernière fois, comme si elle allait disparaître : « Je mange vite. J'ai peur qu'il ne me reste plus rien », ou : « Je mange comme si la fin du monde était pour demain. »

Il est parfois légitime dans des circonstances un peu inaccoutumées d'adopter ce type de comportement : dans un grand restaurant, lors de la consommation d'aliments festifs, lors de la découverte de plats nouveaux ou de cuisines nouvelles, etc. Le caractère exceptionnel de l'événement justifie dans ce cas la présence d'un comportement moins habituel entraînant des consommations plus excessives, au-delà de la faim que nous ressentons. Un peu comme si la rareté de l'événement nous incitait à faire des provisions de plaisir. Car une fois l'occasion passée, elle pourrait bien de longtemps ne plus se reproduire. Mais la plupart du temps, lors de repas plus ordinaires, le mangeur régulé se contente de manger à sa faim. Il réalise sans difficulté que l'aliment qu'il consomme est parfaitement reproductible et qu'il pourra en remanger aussi souvent qu'il le souhaitera. Certaines personnes sont parfois amenées du fait de leur profession à manger très souvent, dans d'excellents restaurants, des plats toujours exceptionnels dont on peut penser qu'ils ne sont pas reproductibles. Dans ce cas, le mangeur régulé parvient à réaliser que ces plats non reproductibles sont toutefois remplaçables. Et que d'autres plats tout aussi succulents lui apporteront autant de plaisir dans d'autres occasions. Il n'éprouve pas la nécessité d'en manger comme si c'était la dernière fois qu'il faisait un bon repas. Le mangeur restreint ne se comporte pas ainsi. Il ne parvient pas à réaliser que ce qu'il mange est reproductible ou remplaçable. Il mange les aliments ordinaires comme s'ils étaient toujours exceptionnels et devait en faire des provisions. Cette attitude, une fois encore, l'incitera à en manger de bien plus grandes quantités. « Je mange trop, sans faire attention et comme si on allait me piquer ma part », ou : « Je me rends bien compte que je cherche à en manger le maximum. » Estelle vient de prendre conscience de ce comportement, voici ce qu'elle en dit :

« Je suis choquée de mon attitude. Je n'ai jamais manqué de rien. Le matin, je compte les biscottes qui restent à manger comme l'avare qui compte ses sous. Quand on partage un gâteau, je lorgne toujours sur la plus grosse part. J'ai toujours peur qu'on ne prenne ma part. Hier soir, mon frère est passé à la maison et nous avons improvisé un petit repas. Je crois que j'ai mangé uniquement par peur d'en avoir moins que lui. En le réalisant, cela m'a plongée dans un abîme d'angoisse. »

Voilà donc une nouvelle conséquence de la restriction cognitive qui entraînera le mangeur restreint à manger au-delà de ses besoins et donc, encore une fois, l'exposera à prendre du poids ou ne pas parvenir à en perdre.

➤ *La peur de la faim*

Les mangeurs régulés sont habituellement heureux de ressentir des sensations de faim. Ils savent que plus leur faim sera importante plus leur plaisir de manger s'en trouvera grandi et ils s'en réjouissent d'avance. Bien mieux, l'absence de la sensation de faim avant un succulent repas aurait plutôt pour effet de les désoler. Et ils exerceront généralement leur art de manger de manière à avoir suffisamment faim avant de se mettre à table. Rien n'est plus agréable pour eux, dans un contexte d'abondance alimentaire, que de ressentir ce petit creux au ventre avant de déguster un aliment apprécié. Il en est tout autrement du mangeur restreint. L'ensemble des règles diététiques auquel il s'astreint provoquerait plutôt chez lui une appréhension face à cette sensation, certes, parfois désagréable mais pourtant en aucun cas redoutable. Rappelez-vous, le régime de « bon sens » lui recommandait vivement de *manger préventivement* afin d'*éviter la faim qui risquerait de favoriser les grignotages ou les compulsions.* Car, en effet, la faim est présentée dans la plupart des régimes comme une dangereuse ennemie. Elle est généralement considérée comme une menace qui exposera le mangeur à transgresser ses règles de bonne conduite. Ne lui a-t-on pas formellement affirmé qu'il se devait de ne pas manger entre les repas ? Ne lui a-t-on pas fortement déconseillé de ne pas manger d'aliments contenant du sucre ou du gras ? Or si, par malchance, il advenait qu'il ait faim entre deux repas quelle alternative s'offrirait donc à lui ? La première, la plus évidente pour la plupart des gens mais pas pour le mangeur restreint, consisterait à manger. Évidemment, à moins d'avoir pris des précautions, ce qu'il pourra consommer au beau milieu de l'après-midi risque fort d'être un aliment « interdit ». Il n'est pas très simple à cette heure de la journée de se procurer un fruit, un yaourt ou tout autre aliment sanctifié. Cette première solution présente donc l'inconvénient de le pousser à la transgression d'au moins deux règles fondamentales de son régime. Et nous avons vu ce qu'il lui en coûterait : culpabilité, reproches, sentiment d'échec, etc. La seconde solution, plus économique d'un point de vue psychique, serait de résister à sa faim et d'attendre l'heure du repas le plus proche ou au moins la possibilité de se procurer un aliment « autorisé ». Cette solution, diététiquement correcte, peut s'avérer assez pénible et n'est pas non plus dénuée de risque. Car rien ne garantit, si la faim devient trop forte, qu'il pourra finalement lui résister. Au bout du compte, soit il mange et s'accable de reproches, soit il ne mange pas et la faim lui tenaille le ventre jusqu'au repas suivant. Pas simple. Si l'on ajoute qu'à chaque fois qu'il mange un aliment « interdit », il s'expose à une perte de contrôle et à des consommations qui s'effectueront sur un mode compulsif, on comprend que le malheureux mangeur redoutera de se trouver aux prises avec ce terrible dilemme et fera son possible pour ne pas s'y trouver confronté. Derrière la peur de la faim, se profile, en fait, la peur de « craquer ». Manifestement, la faim qui serait plutôt une sensation heureuse dans un pays où la nourriture est présente partout en surabondance, est devenue pour le mangeur restreint, du fait de règles de régime sans fondement, un véritable problème. Le régime lui a rendu la faim dangereuse et effrayante. Il est consternant d'avoir à le dire, mais des personnes qui vivent au milieu de placards et de réfrigérateurs regorgeant de nourriture, qui sont entourées de centaines de magasins d'alimentation et distributeurs de nourriture ont peur d'avoir faim et surtout peur de « craquer ». Voici des extraits du carnet alimentaire de Caroline :

> J'avais faim. Je ne pouvais pas résister à la faim car j'avais peur de faire un malaise pendant ma séance de natation.
> J'avais un peu faim. Vu le trajet à faire en voiture, vu les grèves, j'ai préféré ne pas résister, pour de pas avoir faim durant mon trajet.
> J'avais faim. Je n'aime pas résister à la faim par crainte d'une migraine.

J'avais un peu faim. Si j'avais résisté, j'aurais eu peur de ne pas pouvoir dormir.

L'intensité de cette peur est variable, allant de la simple inquiétude au réel état de panique pouvant s'inscrire dans un authentique tableau de phobie. Certaines personnes affirment parfois être sujettes, avant les repas, à des malaises qu'elles qualifient d'hypoglycémies : sueurs, tremblements, sensations d'étouffement, bourdonnements d'oreilles, etc. Une investigation soigneuse, éventuellement complétée par des examens biologiques, éliminera rapidement ce diagnostic et révélera qu'il s'agit, en fait, de manifestations d'anxiété pouvant prendre la forme de véritables états de panique. « J'ai beaucoup de difficultés à supporter la faim. Je me sens tout de suite très mal. Je n'arrive plus à respirer, comme si j'étais claustrophobe et je risque de me jeter littéralement sur la bouffe. »

Dans un contexte de régime amaigrissant, la conséquence la plus inattendue de cette peur est qu'elle incite le mangeur restreint à manger au-delà de ses besoins. Pour le comprendre, voyons comment se comportera un mangeur qui a peur d'avoir faim. Une personne qui a peur cherche naturellement à éviter l'objet de sa peur. Dans le cas qui nous occupe, le mangeur cherchera donc à ne pas se trouver confronté à sa faim. Sachant que celle-ci l'expose à un risque de craquage, il mangera sans faim avant l'apparition des premiers signes de faim. Et au terme du repas, pour éviter un retour trop précoce de la faim il mangera au-delà de son rassasiement. « Je préfère manger même si je n'ai pas faim. Mieux vaut prévenir. Je me dis : tu auras faim et tu ne pourras plus manger. » À l'inverse, la certitude de pouvoir manger calme son inquiétude et lui permet de moins manger : « Quand je sais que je peux manger ce que je veux, je mange moins. Je me sens plus calme et je peux laisser de la nourriture de côté. Je sais que je pourrai la manger plus tard si j'ai faim. » Certaines personnes ont si peur d'être prises au dépourvu par une sensation de faim qu'elles ne peuvent sortir de chez elles qu'en se munissant de petites quantités de nourriture dont le but n'est pas nécessairement d'être consommées mais de calmer leur anxiété. C'est ainsi qu'Isabelle ne quitte jamais son sac à main qui lui permet de dissimuler des barres de céréales ou des pommes sans lesquelles elle ne pourrait sortir de chez elle.

Les spécialistes des comportements phobiques reconnaîtront ici tous les signes caractéristiques de ces troubles. Manifestations d'anxiété, voire états de panique, stratégies d'évitement : manger avant l'apparition de la faim, manger au-delà de la faim pour en retarder la réapparition et enfin conduites contraphobiques : présence de nourritures destinées à réduire l'anxiété.

Au bout du compte, le régime amaigrissant entraîne le mangeur dans une situation surréaliste qui consiste à manger sans faim pour éviter de manger quand il aura faim. Exactement l'inverse de ce que ferait un mangeur régulé.

Le couple frustration-culpabilité

La frustration et la culpabilité sont des émotions puissantes que nous avons déjà évoquées et qui viendront troubler les mécanismes de la régulation. La lutte permanente du sujet contre ses envies de manger provoque une frustration gonflant comme une vague qui viendra ensuite éclater dans une compulsion d'autant plus bruyante qu'elle aura été longue et péniblement vécue. Le rattrapage calorique se fait sans rapport avec le manque réel. Le sujet se comporte là comme s'il lui fallait consommer en une fois tout ce qu'il n'a pas mangé depuis le début de ses privations. À l'opposé, la culpabilité conduit le mangeur restreint à compenser ses écarts alimentaires sans rapport avec l'excès calorique commis. Ce ne sont pas les calories qui sont compensées, mais l'idée que le mangeur se fait de sa faute. Plus la culpabilité sera grande, plus la compensation sera sévère et sans rapport avec la régulation physiologique exigée par l'organisme. La frustration et la culpabilité, comme par un effet de levier, agissent sur les sensations alimentaires en majorant les processus naturels de compensation. La frustration faisant manger plus qu'il ne le faudrait, la culpabilité produisant l'effet inverse. Ainsi, encore une fois, ce sont les émotions qui prendront le pas sur les processus de rassasiement et la satisfaction des besoins.

Le trouble du réconfort ou la quête de l'introuvable

On parle bien souvent des obèses comme de personnes incapables de gérer leurs émotions de façon adaptée et systématiquement tentées de recourir à la nourriture pour apaiser leurs tensions. Ils seraient, en quelque sorte, victimes d'une oralité effrénée. Or jusqu'ici, aucune étude n'a jamais permis de retrouver chez les obèses les moindres traits de personnalité communs. Ils ne semblent pouvoir se caractériser par aucune particularité psychologique. En revanche, si au lieu de considérer le poids, on s'intéresse au degré de restriction cognitive, les mangeurs restreints, quel que soit leur poids, présentent un certain nombre de ressemblances. Ils sont plus irritables, plus anxieux, plus sujets aux dépressions, plus vulnérables aux stress, présentant une forte réactivité émotionnelle. L'état d'inhibition les mettant sans cesse sur des positions défensives, occasionnant une forme d'usure mentale sournoise et exténuante. L'état de désinhibition, quant à lui, les renvoyant toujours à des pensées culpabilisantes et à une déplorable estime de soi. On conçoit ainsi comment la restriction cognitive, par les deux aspects qui la caractérisent et par un long travail de sape souterrain, s'emploie efficacement à fragiliser le mangeur sur le plan émotionnel et, paradoxalement... peut-être, l'incite à rechercher un réconfort dans la prise de nourriture. Or, là encore, les études démontrent que les obèses, bien souvent après avoir mangé, loin de se sentir soulagés de leur tension, ne s'en trouvent au contraire que plus anxieux, plus coupables, plus honteux... et même plus obèses. Et pourtant, malgré cela, rien ne pourra les empêcher de récidiver comme s'ils recherchaient désespérément dans cet acte un bien-être auquel ils ne pouvaient avoir accès. Comme s'ils semblaient définitivement condamnés à mener une quête éternelle et inaccessible, à chercher sans fin un réconfort impossible.

Dans bien des prises en charge, on a vu les thérapeutes s'ingénier à convaincre leurs patients de l'attrait d'autres manières de s'apaiser : prendre une douche froide, manger des bâtonnets de carottes, aller promener son chien... Mais d'une certaine manière, l'infortuné mangeur se sent toujours grugé. Car, au fond de lui, il sait. Ce qu'il cherche se trouve dans la nourriture. Et il ne l'a toujours pas découvert. On lui suggère de regarder ailleurs, il ne dit pas non. On lui suggère d'oublier les aliments, il ne demande pas mieux. Mais il n'y parvient pas. Il y a quelque chose dans la nourriture dont il ressent un immense besoin et qu'il ne trouve pas. Il ne peut s'empêcher de le chercher et il ne s'arrêtera que lorsqu'il l'aura trouvé. Devant tant d'obstination, mieux vaut se demander ce qu'il cherche et l'aider à l'obtenir. Voilà un remède qui lui permettra peut-être de cesser son errance.

Or ce que le mangeur attend, c'est précisément que ses aliments le soulagent d'une tension et lui apportent le réconfort attendu. Malheureusement cette attente ne se réalise pas. Non seulement le réconfort ne vient pas mais, bien souvent, l'acte alimentaire se transforme en une compulsion qui à elle seule vient gâcher toute trace de plaisir qui aurait pu survenir. Plus le réconfort tarde à venir, plus le sujet mange. Comme s'il vivait dans l'espoir vain de le trouver dans la bouchée suivante. Mais son attente sera toujours déçue et se soldera encore une fois par le cortège habituel des reproches, de la culpabilité et de la honte. Alors que le mangeur régulé s'arrête de manger dès le réconfort atteint, le mangeur restreint paraît incapable de réconfort et ne peut s'arrêter de manger. Il semble atteint d'un trouble du réconfort.

Sophie et le gâteau de semoule

Sophie, 28 ans, présente un surpoids modéré (IMC = 27) mais ne parvient plus à contrôler sa manière de manger. Elle mange, dit-elle, « pour compenser », en réaction à toutes sortes de stress. Dans ces moments-là, il lui arrive de se gaver de gâteaux de semoule. Pourquoi le gâteau de semoule ?

À l'âge de 8 ans, avant l'école, sa maman lui préparait chaque matin un gâteau de semoule dont elle faisait une galette au fond de son assiette et qu'elle mangeait malicieusement en grignotant les bords et en se rapprochant progressivement du centre. Adolescente, alors qu'elle vivait chez ses grands-parents, elle adorait s'amuser à faire la course avec son grand-père. Le premier qui finissait sa part de gâteau de semoule avait le droit de venir manger dans l'assiette de l'autre.

Beaucoup plus tard, elle avait conservé l'habitude, « pour se faire du bien », de continuer à manger cet aliment de l'enfance. Malheureusement, quand, jeune adulte, elle décida de perdre du poids, elle réalisa que son gâteau de semoule, riche en sucre, ne correspondait pas à l'idée qu'elle se faisait d'une alimentation minceur. Elle décida donc, à l'avenir, de se passer de cette stratégie réconfortante. Elle résista longtemps puis, un jour, céda. Sans pouvoir s'en empêcher, elle se mit à en manger de plus en plus grandes quantités. Elle découvrait les compulsions et terminait ses crises assise au pied de son lit, prostrée, le ventre rempli à se rompre et enroulée autour d'elle-même.

Elle grossissait et le gâteau de semoule ne lui faisait plus aucun bien !

Les travaux portant sur le stress et la prise alimentaire montrent que les personnes qui mangent sous le coup d'une anxiété se sentent généralement moins anxieuses après cette consommation. Mais le mangeur restreint, au contraire, n'éprouve, lui, aucunement moins d'anxiété. Manger ne le soulage de rien. Manger ne fait qu'alourdir le fardeau qu'il porte ! D'où lui vient donc cette incapacité ? Pourquoi sombre-t-il dans cet engrenage alimentaire sans rapport avec ses besoins physiques et psychologiques ? Plusieurs explications sont sans doute possibles mais l'une d'entre elles mérite toute notre attention, car elle nous est maintenant familière et offre des possibilités d'interventions thérapeutiques immédiates. Il s'agit de l'état de restriction cognitive. Comment, en effet, le mangeur aux prises avec une croyance aliments interdits-aliments autorisés pourrait-il parvenir au moindre réconfort lorsqu'il mange des aliments dont il est convaincu qu'ils le rendent obèse ? Que peut-il bien penser en mangeant un gâteau au chocolat ? « Non seulement, j'ai des tas d'emmerdements mais en plus je suis en train de grossir comme une baleine », ou : « Ce que je mange est délicieux mais m'empoisonne. » Le mangeur restreint pense bien trop de mal de lui et de ses aliments pour qu'ils puissent lui procurer le moindre réconfort ou soulagement. Les processus cognitifs qui régissent sa manière de manger ont bien trop dégradé sa relation avec la nourriture pour qu'elle puisse produire les émotions positives qu'il s'attend à éprouver. Quand il mangera des aliments défendus, ceux-ci ne lui procureront plus, au contraire, que des émotions négatives.

Malheureusement ses ennuis ne s'arrêteront pas là. Convaincu qu'il transgresse sa ligne de conduite, qu'il commet une faute, il se promet bien qu'on ne l'y reprendra plus. Nous reconnaissons bien cet aspect de la restriction cognitive qui conduit notre mangeur à se jurer qu'il ne succombera plus à ses écarts et à manger tout son chocolat comme si c'était le dernier. Enfin, toujours du fait de la restriction cognitive notre mangeur, qui vient de manger en excès, ne saura ou ne pourra pas correctement se réguler et s'exposera à la prise de poids. La culpabilité qu'il éprouve pourra l'inciter à se priver de manger au repas suivant, la perte de contact avec ses sensations alimentaires à ne pas compenser son excès de manière adéquate, ses croyances diététiques à l'obliger à manger au repas suivant alors qu'il n'a plus faim. Voilà comment le mangeur restreint, après avoir perdu le contact avec ses sensations alimentaires, non seulement ne parviendra plus à se réconforter, absorbera de trop grandes quantités de nourriture et deviendra incapable de les réguler.

**Les conséquences
de la croyance « aliments interdits-aliments autorisés »**

— Le mangeur finit par consommer de grandes quantités de tous les aliments.

— Ses consommations d'aliments ne sont plus guidées par ses sensations alimentaires mais par des processus cognitifs et des émotions.

— Les sensations alimentaires finissent par s'estomper puis disparaître.

---

*Vérifions que tout le monde
a bien retenu*

Peut-être commencez-vous maintenant à trouver ces allégations sur les aliments « interdits » un peu moins convaincantes qu'auparavant. Pour poursuivre, je vous propose de résoudre un petit exercice pratique. Voici deux menus bien différents. Le premier apporte 750 calories et se veut « diététiquement correct ». Le second apporte 200 calories et ne se compose que d'un pain au chocolat.

Selon vous, quel sera le menu le plus avantageux pour votre poids ? Attention, la question n'est pas de savoir si vous aimez le pain au chocolat ni ce que vous pourrez manger au repas suivant ni même si un seul pain au chocolat suffira à calmer votre faim. Simplement, quel est le menu qui aura, sur le moment, l'effet le plus favorable sur votre poids ?

Menu « diététique » à 750 calories	Menu à 200 calories
Crudités Viande ou poisson Légumes + pain Yaourt +/− fruit	Pain au chocolat

Dans l'absolu, ce sont, bien sûr, les 200 calories, donc le pain au chocolat, qui seront les plus avantageuses. Nous pouvons maintenant resituer cette comparaison dans un contexte plus approprié. Imaginons qu'un jour, vous n'ayez pas très faim, il sera plus judicieux, ce jour-là, de vous contenter de 200 calories plutôt que d'en manger 750, même si ces 200 calo-

214 • MAIGRIR SANS RÉGIME

ries sont apportées par un pain au chocolat. On comprendrait, en effet, assez mal pourquoi une personne qui n'a pas très faim devrait se forcer à manger, en quelque sorte, trois fois plus que sa faim ne l'exige. Surtout si elle espère maigrir ! En revanche, si vous souhaitez grossir, sachez que vous suivez à la lettre les conseils que l'on adresse aux personnes maigres pour les encourager à prendre du poids. On leur recommande de se forcer à manger, même si elles n'ont pas faim. Mais peut-être avez-vous d'autres projets ?

Poursuivons notre démonstration et imaginons maintenant que vous soyez contraint, pour des raisons qui nous échappent, de ne plus vous nourrir que de deux pains au chocolat par jour, 400 calories, pendant plusieurs mois. Selon vous, quelles en seraient les conséquences pour votre poids ? Il est tout d'abord probable que vous ayez immédiatement très faim. Ensuite, après trois semaines de ce régime, vous aurez sans doute beaucoup maigri. Et enfin, après trois ou six mois vous serez mort... de faim, avec dix ou vingt kilos de moins et ceci en n'ayant mangé que du chocolat. Ce petit exercice d'imagination était simplement destiné à vous faire réaliser qu'il n'est pas possible de grossir en mangeant de si petites quantités de nourriture, fussent-elles même du chocolat. Ce qui est d'ailleurs bien regrettable. Nous serions tous très heureux d'apprendre que l'on peut grossir en nous nourrissant exclusivement de 400 calories de chocolat. Nous pourrions alors proposer une solution rapide aux famines qui sévissent dans certaines régions du monde. Nous distribuerions à chacun une tablette de chocolat et n'aurions plus qu'à attendre que les malheureux affamés grossissent. Je conseille aux optimistes, qui ne sont toujours pas convaincus, de tenter l'expérience... et de s'armer de patience.

Exercices de substitution

Toutes ces démonstrations m'ont semblé nécessaires pour vous montrer à quel point les mangeurs que nous sommes devenus sont victimes d'un conditionnement diététique et normatif qui les empêchera de maigrir durablement et les poussera inexorablement à reprendre les kilos perdus. Ces démonstrations peuvent certes vous paraître séduisantes, mais s'avéreront pourtant insuffisantes à vous convaincre totalement. Il s'agit maintenant de passer d'une compréhension intellectuelle à un véritable déconditionnement vous permettant de manger selon vos propres besoins et non selon une manière « diététiquement correcte » de penser la nourriture. Il est indispensable pour cela que vous expérimentiez vous-même cette nouvelle conception de la nourriture. Nous allons donc recourir à des exercices de substitution des aliments « autorisés » par des aliments « interdits ».

Premier exercice de substitution

Ce premier exercice s'adresse aux mangeurs qui ont l'habitude de faire des repas relativement structurés se terminant généralement par un fruit ou un laitage. Je conseille à ceux qui ont des habitudes différentes de passer directement à l'exercice suivant. Voici une liste d'aliments couramment consommés en fin de repas.

Yaourt nature à 0 %	50 cal
Yaourt nature entier	70 cal
Yaourt aux fruits à 0 %	90 cal
Yaourt aux fruits et au lait entier	110 cal
Un fruit moyen de 150 g	70 cal
2 carrés de chocolat	40 cal

Il apparaît assez clairement que les 40 calories apportées par les deux carrés de chocolat seront plus avantageuses pour votre poids que celles apportées par tous ces autres aliments. Si vous souhaitez donc manger du chocolat mieux vaudra prendre deux carrés à 40 calories plutôt qu'un yaourt à 0 % qui, lui, apporterait 50 calories. Vous pourrez même consommer le chocolat de votre choix, ils se valent tous en valeur calorique. Bien sûr, il s'agit de deux carrés qui seront pris dans une tablette de 100 g comprenant 6 rangées et 4 carrés par rangée. L'exercice de substitution consiste à remplacer un aliment « autorisé » par un aliment « interdit ». Si, par exemple, vous avez l'habitude de consommer un fruit ou un yaourt aux fruits à 0 % de matières grasses qui représente donc 70 à 90 calories, remplacez-le par une quantité légèrement inférieure de chocolat, ici 2 à 4 carrés de chocolat, 40 à 80 calories. En pratique, voici comment se déroulera l'exercice :

Premier exercice de substitution

1. Supprimez les fruits et les laitages à tous les repas (sauf au petit déjeuner) *pendant une durée de 6 jours.*
2. Remplacez-les *systématiquement* par 2 à 4 carrés de chocolat, soit 40 à 80 calories.
3. *Pesez-vous* le premier et le dernier jour de l'exercice.

Si vous mangiez un yaourt aux fruits à chaque repas, vous le remplacerez donc deux fois par jour par les deux ou quatre carrés de chocolat. Systématiquement. C'est-à-dire que vous en ayez envie ou non. En opérant cette substitution vous supprimez 90 calories et en ajoutez 40 à 80, soit en moyenne 60 calories. Ceci s'appelle une soustraction ! Elle ne peut d'aucune manière entraîner une prise de poids. Au cours des 6 jours que durera cet exercice, vous ne pourrez donc pas grossir. Ou du moins, si vous prenez du poids vous ne pourrez l'imputer à cet exercice. Il est probable, dans ce cas, que d'autres changements seront intervenus dans votre alimentation. Dans 6 jours, vous interromprez l'exercice et pourrez reprendre votre consommation de fruits ou de yaourts ou continuer à manger du chocolat si vous le souhaitez. Quelle sera selon vous, à ce moment, votre attitude à l'égard des yaourts, des fruits et du chocolat ? Sans doute, serez-vous heureux de retrouver vos fruits et vos laitages préférés, mais sans pour autant vous obliger à en manger quand vous n'en avez pas envie. Vous pourrez peut-être même constater qu'ils deviennent meilleurs quand ils ne sont plus obligatoires. Et comment vous comporterez-vous à l'égard du chocolat ? Peut-être le chocolat cessera-t-il enfin d'être pour vous un aliment diabolique, chargé de tous les dangers ? L'objectif de cet exercice n'est évidemment pas de vous apprendre à détester le chocolat, mais que vous cessiez de penser qu'un carré de chocolat vous fera plus grossir qu'un saladier entier de ratatouille et vous permettre ainsi de retrouver de la régulation.

N'oubliez pas de vous peser au début et à la fin de l'exercice. Il est indispensable que vous puissiez vérifier par vous-même qu'on ne grossit pas en mangeant du chocolat de cette façon. Vous devez le croire parce que vous l'aurez vu de vos yeux et non parce qu'un médecin inspiré vous l'aura raconté. L'idée qu'il existe des aliments qui font grossir est une croyance. L'idée qu'il n'en existe pas pourrait en être une autre. Il ne s'agit donc pas de remplacer une croyance par une autre.

218 • MAIGRIR SANS RÉGIME

Mais d'obtenir la preuve irréfutable qui permettra de changer, même dans votre inconscient, l'idée qu'il peut y avoir des aliments interdits. Vous ne réussirez pas à convaincre votre inconscient avec de simples raisonnements, aussi séduisants soient-ils. L'inconscient ne se convainc pas par des démonstrations, il ne réagit qu'à des expériences, des situations vécues. Qui de surcroît seront soumises à une analyse. Dans ce cas, si, durant ces quatre jours, vous ne grossissez pas ou si vous maigrissez vous ne pourrez prétendre que c'est à cause de la pleine lune ou d'une autre raison. Vous serez bien forcé d'admettre ce que vous avez constaté : on peut maigrir en mangeant du chocolat. Et une preuve ne s'efface pas.

Deuxième exercice de substitution

Vous pouvez maintenant passer à ce deuxième exercice. Par ailleurs, tous les mangeurs restreints ne suivent pas les recommandations des nutritionnistes et ne font pas des repas structurés se terminant invariablement par un fruit ou un yaourt. D'autres sont perpétuellement en état de désinhibition, ils mangent beaucoup, de manière souvent compulsive, des aliments riches en calories qu'ils peuvent consommer tout au long de la journée. Pour ceux-là ajouter deux carrés de chocolat à leur alimentation n'aurait guère de sens et ne les convaincrait pas qu'ils peuvent maigrir en mangeant des aliments « interdits ». Sans aucun doute des arguments plus forts et autrement convaincants leur seront nécessaires. Il est également probable qu'ils devront se faire aider par des spécialistes. Néanmoins, voici une expérience qui pourra les inciter à réfléchir.

Deuxième exercice de substitution

Un repas « moyen » apporte en moyenne 750 calories.
Une tablette de chocolat de 100 g apporte 500 calories.

1. Supprimez votre déjeuner habituel *pendant 4 jours.*
2. Remplacez-le *systématiquement* par 1/2 à 1 tablette de chocolat (250 à 500 calories).
3. Déguster votre chocolat tranquillement en essayant de vous arrêter quand vous êtes *rassasié.*
4. En cas de faim dans l'après-midi, mangez une collation de *votre choix.* Ne la consommez *qu'en cas de faim* et essayez de vous arrêter quand la faim aura disparu.
5. N'oubliez pas de vous *peser* le premier et le cinquième jour de l'exercice.

La substitution du déjeuner par le chocolat entraînera une soustraction d'au moins 250 calories. Il n'existe donc aucun risque de prise de poids. Et vous verrez qu'il n'est pas si drôle de manger une tablette de chocolat pendant quatre jours. Il se peut que très rapidement vous parveniez à vous satisfaire d'une simple demi-tablette. Il se peut également, dans ce cas, ne vous étant nourri que de 250 calories, que vous ayez faim dans l'après-midi. Vous pourrez alors soit terminer votre chocolat, soit réaliser que vous souhaitez manger un aliment différent. Attendez simplement que la faim se manifeste et mangez tranquillement ce que vous aurez décidé de manger en restant attentif à votre rassasiement. Au dîner, prenez le repas qui vous convient en pratiquant comme d'habitude vos exercices sur les sensations alimentaires.

Au terme de cette expérience, contrôlez votre poids. Vous pourrez là encore constater de vos yeux qu'on ne grossit pas de cette façon, même en mangeant une tablette entière de chocolat pendant quatre jours. Peut-être même aurez-vous maigri ? Et cela, sans souffrir aucunement de la faim !

Les objectifs de cet exercice

1. Retrouver de la régulation. Le mangeur régulé peut dire qu'il a envie de manger un carré de chocolat et n'en manger qu'un seul. De la même façon, il saura tout aussi bien n'en manger qu'une demi-tablette, si c'est ce qu'il souhaite consommer. Bref, la quantité de nourriture qu'il mange correspond généralement à celle qu'il avait initialement prévu de manger. Il possède inconsciemment une maîtrise de lui-même qui ne l'expose pas à dépasser inconsidérément ses envies. À l'opposé, le mangeur restreint décide de s'accorder un carré, mais ne sait jamais combien il en mangera. Peut-être n'en prendra-t-il qu'un seul ? Ou peut-être deux, trois, dix, douze... ? Son comportement est imprévisible.

2. Suivre ses sensations alimentaires. Le but de l'exercice n'est évidemment pas de se forcer à finir la tablette. Il s'agit, au contraire, de réussir à s'arrêter quand on se sent rassasié. Vous devez vous laisser guider par vos sensations alimentaires et non plus manger en fonction des idées que vous avez sur la bonne manière de manger.

3. Modifier le schéma « aliments interdits-aliments autorisés ». Enfin, cerise sur le gâteau (au chocolat), cet exercice pourra, dans les jours qui suivent, vous faire perdre du poids. Non pas du fait de cette petite soustraction calorique que vous avez opérée. Mais en vous faisant échapper à la croyance « aliments interdits-aliments autorisés » qui vous pousse à manger à votre insu, il vous rendra capable de moins manger. Entraînant ainsi une réduction calorique responsable de votre perte de poids.

Plus et mieux avec les aliments « interdits »

Peut-être pensez-vous maintenant qu'il vous est possible de manger du chocolat sans prendre de poids. Mais êtes-vous parfaitement convaincu qu'il vous est possible de maigrir de cette façon ? Quelle quantité de chocolat, de frites ou de pâtes pensez-vous pouvoir manger tout en perdant du poids ? Pour répondre à ces questions, nous allons nous livrer au petit test suivant.

Sandwich au saucisson

←――――――― Rassasié

Pomme

Supposons que vous mangiez un sandwich au saucisson et, qu'une fois terminé, vous vous sentiez tout à fait rassasié. Puis, pour une raison quelconque vous décidez ensuite de manger une pomme. Dans ce menu, quel est l'aliment qui pourra vous faire grossir ?

C'est la pomme qui vous fera grossir !

Car vous l'avez mangée alors que vous étiez déjà rassasié. Le rassasiement est, en effet, un signal qui vous informe que vos besoins sont couverts. Les aliments que vous consommez après ce signal apportent des calories supplémentaires dont vous n'avez pas besoin pour l'instant. Ne pouvant être utilisées, elles seront stockées et pourront vous faire grossir. Il faut cependant apporter deux nuances à cette observation.

La première est que, d'un point de vue strictement biochimique, ce ne sont pas les calories de la pomme qui seront stockées mais celles du saucisson. L'organisme n'a pas la capacité de stocker les glucides apportés par la pomme. En revanche, ces glucides, qui seront brûlés prioritairement, le seront à la place des graisses du saucisson qui seront mises en réserve. Sans les calories glucidiques excédentaires de la pomme, les calories lipidiques du saucisson auraient été brûlées et ne vous auraient pas fait grossir.

La seconde est qu'un repas trop copieux ne fait pas obligatoirement grossir. Les mangeurs régulés savent très bien manger sans faim ou au-delà de leur faim sans pour autant grossir. Ils s'apercevront au repas suivant que leur faim est moindre et effectueront spontanément, parfois sans même le réaliser, une compensation calorique. Selon l'importance de l'excès, la compensation pourra s'effectuer sur un ou plusieurs repas. En revanche, le mangeur restreint qui perçoit mal son rassasiement ou se force à manger, si chaque fois qu'il mange dépasse ses besoins d'une pomme ou d'un yaourt, n'aura plus la possibilité de réaliser cette compensation et prendra du poids repas après repas, pomme après pomme. Il grossira sournoisement en mangeant des pommes et en incriminant ses sandwichs au saucisson.

Les mangeurs régulés savent dépasser leur faim

Lors d'un repas de réveillon, la plupart des convives n'ont déjà plus faim après l'entrée. Ils se sont rassasiés de petits fours et de foie gras et pourraient fort bien s'en tenir là et rentrer chez eux. Ce n'est pourtant pas ce qu'ils font, tous les mangeurs continuent à manger sans faim, mais heureux de partager un bon moment et des aliments de choix. Cependant, vous observerez que les mangeurs régulés ne se comportent pas exactement comme les mangeurs restreints. Les premiers, dès le plat suivant, commencent à chipoter : « Je prendrai juste un petit morceau de dinde, je me réserve pour le dessert, juste un peu, mais vraiment c'est pour faire plaisir, etc. » En réalité, ils commencent à réguler. Ils poursuivront même le lendemain, en se passant de petit déjeuner : « J'ai vraiment trop mangé hier soir. » Le mangeur restreint se sert une part normale de dinde, de fromage et de bûche. Et même, s'il n'était pas si « raisonnable », il en aurait bien repris une deuxième fois. Et le lendemain matin, il prend son petit déjeuner exactement comme s'il s'était couché la veille en ayant mangé une soupe. Il ne régule pas et grossit. À moins qu'il ne décide de se mettre au régime pour rattraper ses « écarts ».

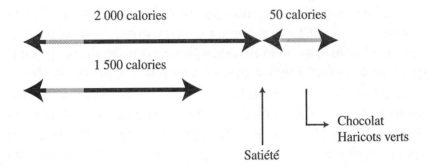

Imaginons maintenant un mangeur dont l'organisme brûlerait 2 000 calories. Si ce mangeur mangeait chaque jour 50 calories supplémentaires de chocolat, son poids, lentement, mais très sûrement augmenterait. S'il remplaçait le chocolat par des haricots verts le résultat serait naturellement identique. Il n'est pas possible de considérer, qu'une fois ingérés, certains aliments auraient la propriété d'être stockés tandis que d'autres auraient celle de s'évaporer. Toutefois, si ces 50 calories de chocolat, plutôt que d'être consommées en surnombre, étaient incluses dans les 2 000 calories qu'il dépense chaque jour, elles ne pourraient dans ce cas lui faire prendre du poids. Si bien que la même quantité de chocolat pourra selon les circonstances le faire grossir ou non. Il devient donc très important pour ce mangeur de savoir dans quelles conditions le chocolat l'expose à prendre du poids. Comment pourra-t-il déterminer s'il en a *assez mangé* ou *trop mangé* ? Tout simplement en décelant son seuil de satiété. C'est en effet le seul et unique moyen dont il disposera pour le savoir. Il n'en existe pas d'autres et surtout personne d'autre que le mangeur lui-même ne pourra connaître ce moment. Or, tant que le mangeur conservera des *a priori* sur les aliments, considérant que certains font grossir ou que d'autres font maigrir, ce seuil de satiété restera confondu dans une zone de flou rendant très difficile sa détermination. C'est la raison pour laquelle nous nous consacrons avec tant d'insistance à faire disparaître ces idées fausses.

Mais poursuivons plus loin et imaginons qu'au lieu de manger 2 000 calories, notre mangeur se contente de n'en manger que 1 500 qui incluraient ses 50 calories de chocolat. Dans ce cas, sans aucun doute possible, il pourrait perdre du poids. Il pourrait même manger 1500 calories de chocolat et tout de même maigrir. Au bout du compte, on voit que les mêmes 50 calories de chocolat pourront produire trois effets différents selon l'état énergétique du mangeur. Elles peuvent aussi bien être associées à une augmentation, une stabilisation ou une diminution du poids. Si le même chocolat peut avoir des conséquences si opposées, c'est qu'il n'est pas lui-même responsable du phénomène. La différence ne vient effectivement pas de ce que consomme le mangeur, mais simplement du fait qu'il a mangé avec ou sans faim.

Les conséquences de ces démonstrations sont véritablement immenses sur la manière d'envisager l'amaigrissement. Car dorénavant, en tout état de cause, si vous souhaitez maigrir ce que vous mangez ne présente aucun intérêt. Vous pourriez tremper vos frites dans du Nutella et tout de même maigrir, pour peu que vous les mangiez en ayant faim. Je vous suggère donc dès cet instant de vous désintéresser totalement de la composition biochimique des aliments pour ne vous consacrer qu'aux qualités gastronomiques que vous leur accordez. Cessez de vous poser mille questions sur les effets supposés des lipides et des glucides, des horaires, des combinaisons alimentaires et je ne sais trop quoi encore. Ne vous posez plus que des questions de vrais mangeurs : ai-je faim, est-ce bon, ai-je du plaisir, ai-je assez mangé ? Aucune autre. Les seules questions qui doivent désormais vous préoccuper sont celles de votre faim et de votre seuil de satiété ainsi que votre capacité à vous y arrêter. Ce qui constitue pour le mangeur restreint la principale de ses difficultés. Voici un exercice qui vous aidera à progresser dans ce domaine.

Retrouver la satiété

Troisième exercice de substitution

1. Supprimer le déjeuner pendant *au moins 4 jours.*
2. Le remplacer tous les jours par un repas de gâteaux *à volonté.*
3. S'arrêter de manger quand on est *rassasié.*
4. Remanger des gâteaux dans l'après-midi, en cas de *faim seulement.*
5. Au dîner, régler la taille du repas en fonction *de la faim et de la satiété.*
6. *Se peser* le premier et le dernier jour de l'expérience.

Déroulement de l'exercice

1. Pour être efficace, cet exercice doit nécessairement se dérouler sur plusieurs jours consécutifs.

2. Vous pourrez réaliser cet exercice avec les aliments de votre choix. Il suffit pour cela que vous choisissiez des aliments « interdits » d'une même gamme : des pâtisseries, du pain et du fromage, du pain et de la charcuterie, des tartes salées (pizza, quiches, tartes au fromage...) et que vous n'en changiez plus pendant toute la durée de l'exercice. Vous devez acheter chaque jour la même quantité d'aliments, même si vous ne les mangez pas en totalité, par exemple trois pâtisseries ou trois tartes salées.

3. Dans les exercices précédents, j'avais pris la précaution de vous indiquer des limites à ne pas dépasser. Cette fois, je ne vous donnerai aucune indication et vous exécuterez l'exercice en tentant de déterminer votre propre limite, constituée par votre seuil de satiété, et essayer de vous y arrêter.

4. Pour réussir à vous arrêter, il vous faudra impérativement respecter une condition : vous devez vous autoriser à remanger des gâteaux au cas où vous auriez de nouveau faim dans l'après-midi. Une personne rassasiée n'éprouvera aucune difficulté à s'arrêter de manger au beau milieu d'un gâteau si elle est convaincue qu'elle pourra le terminer aussitôt qu'un nouveau besoin s'en fera sentir. Vous pourrez, en effet, le finir d'ici un quart d'heure, une heure... dès la réapparition de votre faim. En revanche, si vous pensez que vous n'avez pas le droit de manger entre les repas, que vous ne devez pas avoir faim dans l'après-midi ou que vous mangez votre dernier gâteau, il y a fort à parier que vous le finissiez jusqu'à la dernière miette. Il est donc essentiel que vous soyez conscient de la possibilité de remanger dans l'après-midi.

Faire des réserves de nourritures pour éviter la faim reviendrait à s'engager sur une autoroute avec une citerne d'essence alors qu'il existe des stations-service tous les 40 km.

5. Au dîner, vous constaterez que vous n'avez sans doute plus grande attirance pour les gâteaux et choisirez d'autres aliments qui vous feront plaisir. Cette fois, vous mangerez des salades non parce qu'elles font maigrir, mais parce que vous en aurez une furieuse envie. Cependant vous devrez prendre ce repas en étant attentif à votre faim et adapter la taille de votre repas à l'appétit qui restera à la fin de cette journée. Vous constaterez ainsi que quand on vous oblige à manger du chocolat, vous vous jetez sur les légumes. Comme de la même façon, quand on vous obligeait à manger des légumes vous vous jetiez

sur le chocolat. Conclusion, si on ne vous oblige à rien, vous ne vous jetez plus sur rien.

6. Enfin, comme d'habitude, vous vérifierez par vous-même que l'exercice s'est bien déroulé en vous pesant le premier et le dernier jour de l'expérience.

Résultats de l'exercice

1. Le premier jour, vous mangerez vos gâteaux comme vous mangez habituellement vos gâteaux. C'est-à-dire probablement au-delà de votre faim. Ce dépassement est très prévisible et ne doit pas vous alarmer. Il traduit les effets de la restriction cognitive sur votre comportement alimentaire et la présence de mécanismes conscients et inconscients qui vous font dépasser le rassasiement. Toutefois, il n'aura probablement aucune incidence sur votre poids car dès le soir même, votre régulation prendra le relais. Vous aurez naturellement moins faim et ne prendrez sans doute qu'un repas assez léger. Cette compensation de votre excès annulera spontanément l'effet sur votre poids.

2. Puis au fil des jours, quand vous comprendrez qu'à chaque fois que vous avez faim il vous faut encore manger des gâteaux, toutes ces raisons qui vous faisaient manger ces gâteaux au-delà de votre faim disparaîtront les unes derrière les autres : la peur de manquer, la peur d'avoir faim, la peur de grossir... Il ne vous restera plus, en fin de compte, qu'une seule raison de manger : calmer votre faim. Vous ne trouverez plus une seule raison de manger ne serait-ce qu'une bouchée de trop. Vous deviendrez capable de déterminer précisément pour les gâteaux votre seuil de satiété et, mieux encore, de vous y arrêter.

3. Votre comportement à l'égard des gâteaux doit profondément changer au cours de cette expérience. Si, au quatrième

jour, votre attitude vis-à-vis de ces aliments n'est pas devenue sensiblement différente de ce qu'elle était le premier jour, vous devrez poursuivre l'expérience encore un jour ou deux.

4. Tout ce qui n'aura pas été mangé à la fin de la journée devra être jeté et non pas conservé pour le lendemain. Il ne s'agit pas de gaspiller gratuitement de la nourriture mais d'apprendre à se passer de la part de nourriture dont vous n'avez pas besoin. Je vous rappelle que la plupart des mangeurs restreints ne savent pas laisser de nourriture dans leur assiette. Pour faire face à cette défaillance, ils n'ont d'autre choix que de manger leurs restes alors qu'une attitude appropriée aurait naturellement consisté à les mettre de côté et les conserver dans un réfrigérateur ou un congélateur. Pour devenir capable d'effectuer ce geste simple, il vous faudra passer par la désagréable épreuve du jeter de nourriture.

5. Attention, si vous mangez systématiquement un nombre entier de gâteaux il est fort probable que vous n'ayez pas été capable de vous arrêter à votre seuil de satiété. Il n'y a, en effet, aucune raison pour que les pâtisseries soient précisément calibrées pour correspondre à votre rassasiement. Si l'exercice se passe comme prévu, la satiété pourra aussi bien apparaître trois bouchées avant ou après la fin du deuxième gâteau.

Nous allons à présent utiliser un nouveau modèle de carnet alimentaire. Il ne s'agit plus maintenant de prendre des notes sur toutes les situations alimentaires, mais seulement sur celles qui restent encore problématiques. Celles au cours desquelles vous avez encore la sensation de trop manger. Schématiquement, deux types de situations pourront dorénavant se présenter : soit vous mangez sans avoir faim, soit vous continuez à manger alors que vous n'avez plus faim. Enfin, comme vous pouvez à présent manger tous les aliments que vous aimez, vous cesserez de les consigner sur votre carnet alimentaire pour ne plus vous intéresser qu'à vos sensations alimentaires.

Contexte	Sensations alimentaires	Ce qui m'empêche d'en tenir compte
		1. Je n'ai pas faim, mais je mange quand même. 2. Je n'ai plus faim, mais je continue quand même.

Je vous ai montré au cours de ce chapitre comment faire tourner le monde à l'envers en vous exposant une première situation dans laquelle vous pouviez grossir en mangeant des pommes et une seconde dans laquelle vous pouviez maigrir en mangeant du chocolat. Bien des candidats au régime ont failli y perdre leur bon sens.

Charlotte : « Je fais attention toute l'année à ce que je mange. Je suis toujours très raisonnable. Pourtant, il suffit que je mange un malheureux gâteau pour prendre aussitôt un kilo. En revanche, en vacances, je mange ce que je veux. Je ne fais jamais attention, je refuse de m'embêter avec tout ça. Je ne prends jamais de poids. Il m'arrive de maigrir. Vous ne le croiriez pas si vous saviez ce que je mange. »

Il est exact que Charlotte est toujours très vigilante sur son alimentation, hypervigilante même. Elle ne s'autorise que très peu d' « écarts », pas même au restaurant ou chez ses amis. Elle surveille très attentivement ce qu'elle mange. Mais quand elle mange des aliments « interdits », c'est toujours sous l'effet d'un stress, des quantités conséquentes et généralement sans faim. De cette façon, elle prend du poids qu'elle reperd aussitôt en se remettant au régime. Toutefois, pendant les vacances, elle relâche son attention et consomme plus naturellement des aliments « interdits » qu'elle mange avec faim et sans excès. Durant ses vacances, elle grossit rarement et souvent parvient même à maigrir. Elle s'explique cet étrange phénomène par un surcroît d'activité physique, mais surtout par l'effet que le stress exercerait sur elle une sorte d'alchimie qui la ferait grossir. Nous verrons donc dans le chapitre suivant ce qu'il en est des émotions et de l'alimentation.

Questions-Réponses

Comment utiliser les exercices de substitution ?

Entre chaque exercice, je vous suggère de laisser passer une ou deux semaines. Commencez par les exercices les plus simples avant de tenter les plus difficiles.

— Remplacement du dessert par une quantité légèrement inférieure d'aliments « interdits ».

— Remplacement du repas par une quantité prédéterminée d'aliments « interdits ».

— Remplacement du repas par une quantité indéterminée d'aliments « interdits ».

— Répéter plusieurs fois ce dernier exercice en changeant de gamme d'aliments « interdits ».

J'aurai des carences si je n'équilibre pas mes repas

Le déjeuner doit [...] toujours comporter une entrée, un plat et un dessert.

Reprenons l'exemple de notre menu 1. Il est considéré par beaucoup comme un modèle de repas équilibré qui apporterait en quantité harmonieuse tous les nutriments dont nous avons besoin. Il convient pourtant d'observer qu'un grand nombre de nutriments y sont présents en quantité très insuffisante.

Le yaourt à 0 % est dépourvu de toutes les vitamines liposolubles habituellement présentes dans la matière grasse : la vit. A, la vit. D... La ratatouille n'apporte pas les quantités suffisantes de glucides et de ce fait vous prive des vitamines du groupe B, et du magnésium. Le poisson et la crudité sans huile n'apportent pas les quantités nécessaires d'acides gras essentiels, de sélénium, de vit. E... Bref, beaucoup d'éléments importants font cruellement défaut. Si ce menu correspond peut-être à une certaine vision de la diététique, il n'est en aucun cas équilibré. Et même, il est tout bonnement très carencé. Tout autant d'ailleurs que le menu 2. Au bout du compte, pour obtenir un repas équilibré, il vous faudrait manger le menu 1, plus le menu 2, plus un troisième et encore un quatrième menu. L'ensemble représenterait de telles quantités de nourriture que le poids que vous souhaitez atteindre ne deviendrait rapidement qu'un lointain souvenir. Vous voyez donc qu'il n'est pas très réaliste d'espérer équilibrer son repas. En revanche, il est plus pertinent d'équilibrer globalement son alimentation, au cours de laquelle vous mangeriez un jour le menu 1, un jour le menu 2 et les jours suivants d'autres menus tous différents. Il est plus judicieux d'envisager une alimentation équilibrée sur plusieurs semaines ou plusieurs mois qu'un repas équilibré dans lequel de toute façon il manquera toujours des nutriments essentiels.

D'un point de vue physiologique, rien non plus ne vient justifier la nécessité d'apporter à chaque repas un peu de tous les nutriments. Les réserves de vitamines et de minéraux de l'organisme sont généralement suffisantes pour lui assurer une autonomie de plusieurs semaines, voire de plusieurs mois pour certains. Nous pouvons donc facilement nous passer pendant quelques jours de manger des oranges sans être immédiatement exposés au risque de scorbut. Et nous pouvons donc ainsi remercier notre organisme qui, grâce à ses formidables mécanismes d'adaptation, nous évite la pénible tâche de devoir manger à chaque repas une nourriture parfaitement équilibrée. L'idée que nous serions obligés, à chacun de nos repas, de manger un tiers de nos besoins quotidiens est, certes, une idée amusante mais essentiellement fausse. Je vous rappelle tout de même que l'humanité a parfaitement survécu jusqu'à nous en se nourrissant de légumes en été et de féculents en hiver. Nous devrions donc pouvoir nous en sortir en nous abstenant de consommer durant quelques jours des fruits et des laitages.

Au bout du compte, vouloir équilibrer son alimentation en s'imposant à chaque repas la présence de tous les groupes d'aliments finit par imposer au mangeur une contrainte qui l'incitera, là encore, à manger sans tenir compte de ses sensations alimentaires. Et parfois, bien plus qu'il n'en a besoin. Alors que sa faim lui indiquerait de se contenter d'un morceau de fromage et d'une salade, l'acharné d'équilibre s'astreindra à ajouter une viande et un féculent pour compléter son repas.

Je ne maigrirai pas si mes repas sont déséquilibrés

Examinons ensemble cette nouvelle règle de « bon sens » qui nous affirme que « pour maigrir, il faut faire des repas équilibrés ».

L'entrée conseillée est une montagne de légumes, de salade avec un peu d'huile, de crudités ou un potage [...]. Le plat est composé de viande et d'un féculent sans ajout de beurre et sans frites. Le dessert est un yaourt (même aux fruits, même sucré), un fruit ou un sorbet.

Question : si mes repas sont « déséquilibrés », pourrai-je maigrir *seulement* en les équilibrant ?

Pour beaucoup de personnes « faire un repas équilibré » n'a pas une signification bien précise, on les comprend. Pour d'autres, cela consiste à manger un peu de tout. Ce qui d'ailleurs dans l'esprit de la plupart signifie « de tout sauf des graisses et des sucres rapides ». Les nutritionnistes, conscients de cette difficulté, proposent généralement des moyens mnémotechniques simples pour construire des repas équilibrés. Ils suggèrent le plus souvent d'associer dans chaque repas plusieurs groupes d'aliments et, bien souvent, de limiter la consommation de graisses et de sucres rapides.

« Repas équilibré »
1. Légumes verts cuits ou crus 2. Féculents 3. Poissons, viandes ou œufs 4. Laitage 5. Éventuellement un fruit

Nous pouvons donc compléter maintenant notre question : si mes repas ne comprennent pas tous ces groupes d'aliments et aucun autre, suis-je exposé à grossir ? Ou encore, si je décide de respecter cette recommandation, et seulement cette recommandation, pourrai-je maigrir ?

Si nous reprenons notre menu 1, qui respecte cette recommandation, et que nous le comparons à un menu identique dans sa composition mais d'un niveau énergétique supérieur, pensez-vous qu'ils produiront tous les deux le même effet sur votre poids ?

Menu 1	Menu 1 « bis »
Salade de crudités Poisson à la vapeur Ratatouille Yaourt à 0 %	Salade de crudités Poisson à la vapeur Ratatouille Yaourt à 0 %
750 calories	**1 500 calories**

On conçoit aussitôt que le simple fait d'équilibrer ses repas ne peut en aucun cas constituer une garantie de minceur. Tout aussi « équilibré » le menu 1 « bis » apporte deux fois plus de calories et expose, bien évidemment, à un risque plus important de surpoids. En mangeant « équilibré » mais au-delà de ses besoins énergétiques une personne grossira alors qu'en mangeant « équilibré », mais en deçà de ses besoins, elle maigrira. La meilleure preuve de l'ineptie de cette affirmation se trouve à l'intérieur même des manuels de nutrition. On y préconise exactement le même équilibre alimentaire aux individus maigres qui souhaitent grossir. Comment peut-on concevoir sans sourciller que ce qui fait maigrir les gros pourra tout autant faire grossir les maigres ?

Je n'ai aucun aliment « interdit » car je mange ce que je veux

Le fait que vous mangiez des aliments interdits ne prouve en aucune manière que vous n'avez pas d'interdits. Réalisez plutôt ce petit exercice mental.

Fermez les yeux et imaginez-vous en train de manger une belle assiette de courgette bouillie. Pouvez-vous concevoir que vous êtes en train de maigrir ?

Faites le même exercice en vous imaginant manger une assiette de frites. Êtes-vous toujours en train de maigrir ?

Si oui, vous n'avez pas d'aliments interdits.

Si non, l'exercice a simplement prouvé que vous pouvez transgresser sans grande culpabilité vos interdits.

> Le but de tous ces exercices n'est pas de vous apprendre à manger des aliments « interdits », mais de faire disparaître l'idée qu'il existe des aliments « interdits ».

Je n'aime pas le chocolat

Peut-être n'êtes-vous pas amateur de chocolat ni de produits sucrés. Vous êtes davantage attiré par les aliments salés. Et ce sont eux qui vous exposent au plus grand risque de perte de contrôle. Dans ce cas, vous pouvez tout aussi bien envisager la substitution avec un repas de chips ou d'oléagineux (noix, cacahouètes, amandes...).

1. Supprimez votre dîner habituel (environ 750 calories) *pendant quatre jours.*
2. Remplacez-le par 60 à 100 g de chips (environ 350 à 600 calories).
3. En cas de faim dans la soirée, mangez une collation de votre choix. Ne la consommez *qu'en cas de faim* et essayez de vous arrêter quand la faim aura disparu.
4. N'oubliez pas de vous peser le premier et le dernier jour de l'exercice.

J'ai peur de ne pouvoir m'arrêter à deux carrés de chocolat

Si vous considérez que cet exercice s'avère trop dangereux pour vous, s'il existe un risque de ne pas vous arrêter aux deux carrés et de manger toute la tablette, vous devrez vous entourer de certaines précautions. Achetez une tablette, mettez de côté les deux carrés nécessaires à l'exercice et jetez l'autre partie de la tablette. Il vous en coûtera une tablette à chaque opération. Mais vous récupérerez largement votre investissement. Au bout de deux, trois ou quatre jours, vous réaliserez que vous devenez capable de manger vos deux ou trois carrés et de cohabiter en toute paix avec le reste de la tablette.

1. Achetez une petite tablette de chocolat.
2. Mettez deux carrés de côté.
3. Jetez le reste de la tablette.

Si, malgré ces précautions, l'exercice continue à vous paraître effrayant, reprenez votre liste des aliments « grossissants », choisissez un aliment moins dangereux pour vous et tentez une nouvelle substitution moins difficile. Le but de cet exercice est de vous aider à retrouver du contrôle et des sensations alimentaires. Il ne doit donc pas dégénérer et augmenter vos craintes. Abandonnez-le si vous n'y parvenez pas. Vous avez besoin d'une aide plus sérieuse.

Mon problème, c'est justement que je ne perçois pas la satiété

La plupart des mangeurs restreints se font une idée fausse de leur rassasiement ou ne le perçoivent pas du tout. C'est justement leur problème et l'une des raisons qui les a fait grossir. Le rassasiement ne peut être perçu tant que les croyances dominent votre comportement alimentaire. Aussi longtemps que vous penserez qu'il existe des aliments interdits, vos difficultés persisteront. Les exercices sont précisément destinés à vous prouver qu'il n'en est rien et à chasser les idées pour laisser les sensations alimentaires retrouver leur place.

Si je m'arrête quand je suis rassasié, comment pourrai-je maigrir ?

Un mangeur régulé passant au-dessus de son poids d'équilibre et qui dépense 2 000 calories se sentira rassasié avant d'avoir mangé ses 2 000 calories. Rappelez-vous : chez un mangeur régulé qui prend du poids, les sensations alimentaires évolueront pour l'inciter à moins manger et retrouver son poids d'équilibre. Sa faim diminuera et le rassasiement apparaîtra plus rapidement. S'il ne mange que 1 500 calories, les 500 calories manquantes seront fournies par ses réserves énergétiques, ce qui entraînera une perte de poids sans aucun sentiment de privation.

Si vous êtes au-dessus de votre poids d'équilibre, dès lors que vous retrouverez de vraies sensations alimentaires, il ne vous restera rien d'autre à faire que de vous laisser guider par elles.

Je ne vais pas passer mon temps à compter les calories

Il n'est bien sûr pas question que vous contrôliez vos consommations en apprenant la teneur en calories de tous les aliments. Il existe dans votre cerveau un vrai compteur à calories bien plus performant que toutes les tables de composition des aliments. C'est lui que vous devez apprendre à faire travailler.

Je trouve abominable de devoir jeter de la nourriture

Moi aussi. Je trouve même cela parfaitement stupide. Il serait bien plus intelligent de la conserver. Mais c'est justement ce que vous ne savez pas faire et, par conséquent, plutôt que de ranger vos restes vous les mangez. Quand vous aurez appris à laisser la part en trop dans votre assiette, vous pourrez vous épargner de jeter cette nourriture. Nos aïeux avaient un immense respect pour leurs aliments et ne se seraient jamais autorisés à les jeter dans une poubelle. C'est bien vrai. Mais ils vivaient aussi à une époque où les dépenses d'alimentation pouvaient atteindre 40 à 90 % du budget des ménages. Aujourd'hui elles n'en représentent plus que 17 %. Ils se donnaient beaucoup de mal pour gagner leur pitance et n'avaient surtout aucune possibilité de conserver leurs restes. Ce qui n'était pas mangé était irrémédiablement perdu. Ce n'est plus le cas aujourd'hui où nous pouvons tous conserver nos aliments pendant plusieurs mois. Apprenez donc à laisser la part que vous auriez mangée sans faim, à conserver ce qui peut l'être et à jeter ce qui ne peut pas l'être.

Il est essentiel de réussir à effectuer ce geste, aussi déplaisant soit-il. Le fait d'en être capable permet de bien marquer au plus profond de soi que la nourriture ne manque pas. Si je jette des aliments, c'est que je suis vraiment convaincu que je n'en aurai plus besoin. Que demain, et chaque jour, j'en trouverai une quantité suffisante à mes besoins. C'est à ce prix que je pourrai me défaire de l'état de manque. Me persuader qu'il est inutile de faire des provisions, car demain il n'y aura pas de pénurie.

CHAPITRE VII

Pour en savoir plus :
Le gras fait-il grossir ?

De nos jours, l'alimentation des Français, comme celle de toutes les populations des pays développés, est jugée trop riche en graisses par les experts et ce déséquilibre serait, selon eux, essentiellement responsable de l'épidémie mondiale d'obésité. Partant de cette idée simple, il n'y a qu'un pas à franchir pour affirmer qu'il suffirait de réduire la consommation de graisses afin d'enrayer le fléau mondial.

La théorie moderne de l'obésité s'appuie sur une idée très simple : réduisons notre consommation de gras, augmentons notre activité physique et nous réglerons le problème de l'obésité. Tous les efforts de la médecine se déploient actuellement dans ce sens. Il n'est plus un article, un congrès, un symposium en France et dans le monde où l'on n'affirme la responsabilité des graisses et de la sédentarité dans la prise de poids. Il s'agit d'un credo mondial qui entraîne les médecins, les industriels de la pharmacie ou de l'agroalimentaire et les pouvoirs publics de tous les pays à multiplier des actions visant à limiter la consommation de gras des populations et à les inciter à se dépenser davantage. Voyons sur quels arguments se fondent ces convictions que rien ne semble pouvoir ébranler, pas même les échecs retentissants attestés par toutes les évaluations engagées dans le monde.

Mais nous allons d'abord voir que, dans le passé, d'autres responsables ont été tour à tour incriminés.

La valse des théories

Toutes les théories ont été tour à tour expérimentées. Le gras, les sucres, les protéines, les combinaisons d'aliments, les horaires de consommation des repas... ont été jugés responsables de l'obésité. En pratique, les succès temporaires de ces théories ne s'expliquent que par un seul point commun : elles permettent toutes d'obtenir une réduction calorique.

Toutes les solutions diététiques préconisées par les générations successives de chercheurs ont chaque fois été justifiées par des principes biochimiques imparables et ont systématiquement donné lieu à des dérives théoriques.

La théorie protidique

Les physiologistes ont montré, depuis déjà longtemps, que les protéines n'avaient pas la capacité d'être stockées par l'organisme. Certains en ont aussitôt déduit qu'elles pouvaient donc être consommées en quantité illimitée. Malheureusement, les biochimistes ont récemment découvert des voix métaboliques qui permettaient aux acides aminés, éléments de base des protéines, de se convertir en sucre. Et, comble de malchance, une étude française a aussi établi l'existence d'une corrélation entre la consommation de protéines et la fréquence de l'obésité chez l'enfant. Bien qu'à ce jour, aucun lien de causalité n'ait pu encore être démontré, il n'en a pas fallu davantage pour que certains préconisent immédiatement de réduire la consommation de protéines des chérubins.

La théorie glucidique

Les glucides ont été considérés pendant très longtemps comme les grands responsables de l'obésité. La théorie biochimique de l'époque voulait que les lipides étaient incapables de se stocker en l'absence de glucides. Les médecins sérieux ont donc prescrit des régimes sans sucre, limitant sévèrement pain, féculents et pâtisseries. Mais, très vite, cette théorie a donné lieu à toutes sortes de régimes farfelus qui en interdisaient strictement la consommation et préconisaient celle des lipides en quantité illimitée[1]. Par conséquent, rien n'interdisait de se gaver de foie gras et de saucisson à condition, naturellement, de bien vouloir les manger sans pain. Là encore, les biochimistes sont intervenus en démontrant que l'organisme était, en réalité, bien incapable de stocker les glucides. Même en grandes quantités, ils étaient obligatoirement brûlés. C'en était terminé de la théorie glucidique.

La théorie lipidique

Comme les protéines en excès sont capables d'être converties en sucres et que les sucres ne peuvent être stockés en graisses, il ne reste plus aujourd'hui qu'à limiter les graisses comme le suggèrent les théories les plus récentes de l'obésité. Comme d'habitude, certains n'ont pas hésité à préconiser des régimes limitant sévèrement les lipides mais autorisant une

---

1. Atkins : *Passeport pour l'infarctus.*

libre consommation des deux autres nutriments. En 1998, lors d'un congrès de nutrition sur l'obésité de l'enfant, un orateur n'a d'ailleurs pas le moins du monde trouvé dérangeant d'affirmer qu'il n'était pas possible de grossir en buvant un litre et demi de Coca-Cola mais qu'il fallait à tout prix éviter le moindre excès de graisses. D'autres, à côté du corps médical, n'ont pas attendu longtemps pour nous inviter à nous gaver de toutes sortes de féculents à condition de traquer toutes traces de gras.

La théorie des combinaisons

Pour d'autres, ce sont seulement certaines combinaisons qui s'avéreraient néfastes. Et par conséquent, une gestion appropriée des aliments permettrait d'en manger autant qu'on en souhaiterait. Toutes sortes de combinaisons ont été envisagées. La plus célèbre est celle qui interdit l'association des lipides et des glucides. Celle-ci, il faut le reconnaître, est de loin la plus avantageuse puisqu'elle suggère qu'il est possible de consommer les deux groupes d'aliments en quantité illimitée à condition de bien vouloir les manger séparément. Cette fois, toujours au nom d'une présumée science, il sera possible de se gaver alternativement de saucisson puis de pain.

Tous les médecins nutritionnistes ont rencontré des patients qui avaient grossi en consommant des quantités excessives de protéines ou de glucides ou de lipides.

Akim est un sportif très enveloppé depuis qu'il a suivi un traitement antidépresseur. Depuis plusieurs années, il pratique assidûment la musculation en se rendant plusieurs fois par semaine dans une salle de sport pour perdre ses kilos surnuméraires. Il lit également très attentivement les revues spécialisées qui lui suggèrent de surveiller minutieusement son alimentation. Malgré tous ses efforts, son poids ne semble pas décider à fléchir le moins du monde. En réalité, rien d'étonnant à cela. Le soir, après ses séances, Akim rentre affamé et mange des quantités impressionnantes de viandes maigres (jambon à 1 % de matières grasses, blanc de poulet) et de fromage blanc à 0 %. Tout le monde lui a affirmé qu'il n'était pas possible de grossir en mangeant des protéines. Akim est donc très perplexe : il pratique une activité physique intense et ne mange que des aliments qui ne font pas grossir... et pourtant il ne maigrit pas.

Il est pourtant manifeste qu'imputer la responsabilité de la prise de poids à un nutriment en particulier ne peut dispenser du contrôle sur les deux autres. Quelle que soit la théorie sur laquelle on s'appuie, il n'est donc pas possible ni concevable de faire l'économie des aspects quantitatifs de l'alimentation.

Petite illustration de l'inconstance scientifique

En 1979, voilà ce que l'on pouvait lire dans un traité de nutrition :

« La réduction calorique globale doit comporter une réduction préférentielle des *glucides* et apporter le *maximum de protéines*. *Les lipides*, malgré leur haut potentiel énergétique, sont *plus aptes à entraîner la satiété* et leur part relative peut être *augmentée* [1]. »

Et voici ce que diraient les nutritionnistes en 2002 :

« La réduction calorique globale doit comporter une réduction préférentielle des *lipides* et *la part des protéines ne doit pas excéder 15 %*. Les lipides, *en plus* de leur haut potentiel énergétique, sont *moins aptes à entraîner la satiété* et leur part relative peut être *réduite*. »

---

1. « L'obésité en pratique quotidienne », *Médicorama*, n° 233, 1979.

Qu'en disent les statistiques ?

> À ce jour, aucune statistique n'a jamais permis
> d'établir une relation de cause à effet entre l'obésité
> et la consommation de graisses.

Les études épidémiologiques permettent de comparer les différentes populations du monde et d'établir des corrélations entre leur état de santé et leur mode de vie. Or, en matière de poids et de consommation alimentaire, le moins que l'on puisse dire, est que ces études sont loin de produire des résultats homogènes. Les plus significatives montrent effectivement que l'association entre l'obésité et la consommation de lipides est nette quand on compare les pays industrialisés avec les pays en voie de développement mais devient très faible quand on compare entre eux les différents pays industrialisés [1]. L'enquête MONICA, réalisée en 1988 par l'OMS [2] dans 18 pays d'Europe, non seulement n'a pu établir aucune relation entre le poids (IMC) et la consommation de graisses mais a même révélé que l'IMC des femmes européennes était plus élevé en cas d'alimentation pauvre en graisses [3].

Une autre étude qui cette fois suivait l'évolution d'une population dans le temps montrait qu'au Danemark, entre 1945 et 1985, la fréquence de l'obésité avait augmenté chez les

---

1. Lissner L., Heitmann B.L., « Dietary fat and obesity : evidence from epidemiology », *European Journal of Clinical Nutrition*, 1995, 49, 79-90.
2. Organisation mondiale de la santé.
3. WHO, « Geographical variation in the major risk factors of coronary heart disease in men and women aged 35-64 years », *WHO Health Statistical Quarterly*, 1988, 41, 122-123.

jeunes adultes en même temps qu'avait augmenté leur consommation de graisses. Mais, là encore, aucune conclusion ne peut être retirée de ce travail. Car, sur un plan statistique, deux paramètres qui se modifient de manière linéaire avec le temps montrent toujours une corrélation parfaite dont il est impossible de déduire un lien de causalité.

Cependant la plupart des études sur des groupes restreints de sujets ont confirmé l'existence de cette corrélation entre l'IMC et la consommation de graisses. Lissner et Heitmann ont montré que, sur 13 études analysées, cette corrélation était confirmée 11 fois. Les deux auteurs prenaient toutefois grand soin de souligner qu'il s'agissait chaque fois d'une relation statistique sans relation de causalité prouvée. En particulier, rien ne permettait non plus d'exclure l'hypothèse inverse selon laquelle ce serait l'obésité qui entraînerait une surconsommation de lipides.

Enfin, l'étude historique de la consommation d'aliments dans les pays développés, sur les deux derniers siècles, permet de se rendre compte que l'évolution de leur consommation présente partout les mêmes caractéristiques[1]. On constate, dans une première phase, une augmentation de leur ration calorique correspondant à l'accroissement de la consommation de tous les aliments. Durant cette période, la structure de l'alimentation est remarquablement stable et essentiellement composée de glucides (70 %) et très peu de lipides (20 %). Cette situation s'est prolongée en France jusqu'en 1860. Une phase de transformation de l'alimentation lui a ensuite succédé au cours de laquelle on a vu alors diminuer la consommation des produits bon marché tandis que celle des produits plus chers augmentait. Cette évolution s'est traduite sur le plan nutritionnel par une

---

1. Combris P., « La consommation d'aliments et de nutriments en France et dans les pays développés », *in* « Évolution des consommations et des comportements alimentaires », *La Lettre scientifique de l'Institut français pour la nutrition*, n° 56, 1998.

diminution de la consommation de glucides et une augmentation de la consommation de lipides jusqu'à atteindre une part relative pour les deux nutriments avoisinant chacune 45 %. Dans le même temps, on s'apercevait que les Français mangeaient moins et réduisaient parallèlement leur consommation calorique globale. Ce stade de la transformation a été atteint en France au début des années 1970 et la même évolution a été observée dans 85 pays. Elle semble régulièrement accompagner l'augmentation des revenus par habitant. Au point que certains ont pu proposer d'en faire un marqueur du développement économique des pays.

Cependant, depuis cette date, on observe dans plusieurs pays une nouvelle tendance se dégager en sens inverse au cours de laquelle on voit la consommation des lipides diminuer et même passer au-dessous du seuil des 40 % dans certains pays (France, Angleterre, États-Unis). Il n'est d'ailleurs pas impossible que cette évolution récente soit le fruit des campagnes de prévention de l'obésité et de l'athérosclérose menées par les acteurs de santé.

Ainsi, s'il est vrai que l'association consommation lipidique et prise de poids est fréquemment retrouvée, elle n'en constitue pas pour autant la règle. Plusieurs études ont même rapporté des résultats tout à fait contraires. Et si, en effet, il existe une relation, aucun lien de causalité n'a pu être démontré. Seule l'expérimentation pourra apporter la preuve de ce lien de causalité. Dans le cas présent, nous devrions nous attendre à ce qu'une diminution de la consommation lipidique entraîne une réduction de l'obésité. Ce qui est loin d'être le cas comme le démontrent les études d'intervention.

Qu'en pensent les chercheurs ?

Les arguments physiologiques

Quelle que soit la nature de l'alimentation consommée en excès (glucidique, lipidique ou protidique), elle conduit à stocker cet excès sous forme de graisses.

Le discours nutritionnel semble totalement disculper les glucides et les protéines et désigner les lipides comme les seuls coupables dans la genèse de l'obésité. Est-il exact que seul l'excès de lipides puisse entraîner une prise de poids ? Essayons de comprendre.

La part des protéines est généralement assez stable dans l'alimentation et se situe aux environ de 15 %. Les 85 % restants se répartissant entre les glucides et les lipides. On peut donc distinguer deux types d'alimentation hypercalorique. La première porte sur l'excès de lipides, elle est dite hyperlipidique. La seconde porte sur l'excès de glucides, elle est dite hyperglucidique.

• *Quand les excès portent sur les graisses*

Dans cette situation, les apports en glucides coïncident précisément avec les besoins. Les apports caloriques sont supérieurs aux dépenses de l'organisme du fait d'un excès d'apports en lipides. Ces derniers seront systématiquement mis en réserve et entraîneront la prise de poids.

• *Quand les excès portent sur les sucres*

Dans cette situation, les apports en lipides coïncident précisément avec les besoins. Tandis que les apports en glucides sont supérieurs aux besoins de l'organisme. Les connaissances actuelles en biochimie permettent de dire que l'organisme n'a pas la possibilité de stocker cet excédent et doit obligatoirement le brûler. Cependant, si les besoins d'énergie sont couverts par la part excédentaire de glucides, une part équivalente de lipides ne sera pas utilisée pour cette fonction et sera ainsi mise en réserve dans le tissu adipeux entraînant de ce fait la prise de poids. Il faut également signaler que de nouvelles études viennent aujourd'hui démontrer que les besoins de l'organisme en lipides peuvent être couverts par une conversion non négligeable des glucides en lipides[1].

Ainsi, en régime hypercalorique, quel que soit le déséquilibre, lipidique, glucidique, ou même protéique, la part excédentaire sera toujours stockée sous forme de lipides dans le tissu adipeux qui constitue la seule forme de réserve possible pour l'organisme. Il n'est donc pas raisonnable de penser ou laisser croire qu'une consommation illimitée de glucides n'aurait aucune conséquence sur le poids. Il n'est plus rare aujourd'hui de rencontrer des personnes qui limitent leur consommation de lipides et prennent du poids ou ne parviennent à maigrir du fait d'une augmentation de leur consommation d'aliments protidiques (yaourts maigres, viandes et poissons maigres) ou glucidiques (légumes verts, fruits, parfois féculents).

Les arguments sensoriels

Les mécanismes de rassasiement sensoriel sont défaillants ou inopérants chez les personnes en restriction cognitive. La conscience du rassasiement repose essentiellement pour eux sur le phénomène de distension gastrique.

1. Hirsch J., Hudgins L.C., Leibel R.L., Rosenbaum M., « Diet composition and energy balance in humans », *Am. J. Clin. Nutr.*, 1998, 67, 551S-555S.

Les arguments sensoriels sont d'un poids considérable à l'heure actuelle dans l'incrimination des lipides par rapport aux glucides. Pour diverses raisons que nous allons comprendre, ils sont considérés par certains auteurs comme étant moins rassasiants que les glucides et se prêteraient donc plus facilement à des surconsommations responsables de la prise de poids.

➤ Les graisses n'auraient pas de goût

Les épreuves de dégustation ont montré que la teneur en lipides d'un aliment pouvait parfois être difficile à percevoir par le mangeur. Quand on propose des biscuits de composition variable en sucre, lipides et contenu calorique à des dégustateurs, ils perçoivent très bien les variations de la teneur en sucre et indiquent avec précision lesquels sont les plus sucrés. En revanche, il leur est beaucoup plus difficile d'indiquer quels sont les biscuits les plus gras. Leurs réponses donnent lieu à des estimations très variables et indépendantes du contenu réel du biscuit.

Faites vous-même l'expérience et testez votre goût

Disposez plusieurs tasses à café sucrées avec des quantités variables de sucre. Puis exercez-vous à les classer par ordre de sucrosité. Vous pourrez normalement très vite détecter des variations inférieures à un quart de sucre (1 gramme). Ce qui signifie que vous êtes en mesure de détecter une différence de 4 calories. En revanche, si vous faites l'expérience avec des tartines de beurre vos réponses auront rarement la même précision. Il est peu probable que vous puissiez mesurer une différence de 1 gramme de beurre qui apporte pourtant 8 calories.

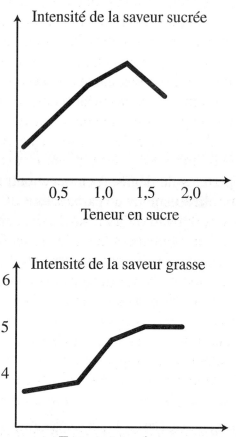

A. Drewnowski a évalué le plaisir que procurait sur certains sujets la consommation d'aliments apportant des concentrations croissantes de sucre et de graisses. Dans le cas des aliments sucrés, le plaisir augmente avec la concentration de sucre puis atteint un pic pour ensuite diminuer. Les sujets finissent par éprouver une forme de déplaisir et par trouver les concentrations de sucre trop élevées à leur goût. Alors que, pour les aliments apportant des concentrations croissantes de graisses, les sujets expriment une augmentation continue de leur plaisir, parallèle aux concentrations. Il semble donc, dans des conditions expérimentales, que ces personnes soient moins à même de limiter par le système plaisir/déplaisir leur consommation d'aliments gras que celle d'aliments sucrés. Néanmoins, ces expériences sont toujours effectuées sur un seul repas et ne tiennent jamais compte des capacités de régulation des mangeurs lors des repas suivants. Dans des conditions normales, rien ne permet de penser qu'une personne qui aurait consommé une trop grande quantité de graisses à un repas conserverait autant d'appétit au repas suivant. D'autres expériences laissent penser, qu'au contraire, une personne correctement régulée réduirait ultérieurement ses consommations. Ce qui n'est justement pas le cas des mangeurs restreints.

Au terme de ces expériences, les seuls faits certains sont que le gras est plus difficilement perceptible au goût et donc capable, uniquement chez certaines personnes, d'échapper aux capacités de régulation à court terme. Là encore, il n'est pas possible d'assurer que les lipides sont directement en cause. Il serait tout aussi possible d'incriminer un déficit des mécanismes régulateurs et de supposer que nous nous trouvons face à un trouble de la régulation des apports caloriques (TRAC).

> ➤ *Les graisses n'occupent qu'un petit volume*

D'autres arguments concernent cette fois le volume qu'occupent les aliments lipidiques dans l'estomac. Un gramme de lipides apporte 9 calories alors qu'un gramme de glucides ou de protéines n'apporte que 4 calories. Une quantité déterminée de calories lipidiques occupe donc une place moins importante dans l'estomac que la même quantité de calories glucidiques. Or certains chercheurs, s'appuyant sur des études sérieuses, pensent que l'individu obèse régule sa consommation alimentaire beaucoup plus en fonction des volumes ou des poids de nourritures ingérées qu'en fonction de son contenu calorique. Ainsi, quand on propose à ces sujets une alimentation dont on fait varier la teneur en lipides, on constate qu'ils ne tiennent pas compte de cette variation mais se contentent de maintenir un poids de nourriture relativement constant. Ainsi, à poids égal, plus la nourriture est riche en lipides plus les sujets augmentent leur consommation de calories. La sensation de plénitude gastrique semblait, dans la régulation des consommations alimentaires, avoir joué un rôle plus déterminant que le contenu calorique. De la même manière, quand on propose à des individus obèses soit une alimentation apportant peu de calories sous un grand volume soit beaucoup de calories sous un petit volume, on constate que les sujets sont portés à consommer un poids constant d'aliments plutôt qu'une ration calorique constante [1]. À l'opposé, les individus non obèses règlent leur consommation non pas sur le volume mais bien sur le contenu calorique. Et, pour confirmer ce que j'évoquais précédemment, ils se révèlent parfaitement capables de compenser une augmentation du contenu calorique de leur repas en réduisant le contenu calorique du ou des repas suivants.

Tous ces travaux attirent donc l'attention sur une anomalie de l'individu obèse qui, contrairement au non-obèse, assimile le rassasiement à la sensation de distension de son estomac. Tout se passe, dans sa façon de manger, comme si son organisme renonçait à comptabiliser des calories pour les remplacer par des centimètres cubes. Ceci ne va évidemment pas sans rappeler le comportement du mangeur restreint qui, ne percevant plus son rassasiement, ne s'arrête de manger qu'au moment où la sensation de plénitude gastrique le rappelle à l'ordre. Certains chercheurs ont donc rapidement conclu que la solution au problème de l'obésité pourrait consister à diminuer la densité de l'alimentation en augmentant son volume par adjonction de

---

1. Duncan K., Bacon J., Weinsier R., « The effects of high and low energy diets on satiety, energy intake, and eating time of obese and non-obese subjects », *Am. J. Clin. Nutr.*, 1983, 37, 763-767.

fibres alimentaires et réduction de sa teneur en graisses. En pratique, cela revient encore à préconiser la consommation de grandes quantités de légumes et limiter celle des aliments riches en lipides. Bien des personnes en difficulté avec leur poids, conscientes de leur difficulté à réguler la consommation d'aliments riches, adoptent déjà ce comportement comme un moyen inconscient de réduire leur consommation calorique.

Martine, 53 ans, explique ses choix alimentaires : « Je sais que j'ai assez mangé quand j'ai le ventre plein. Je préfère donc manger des légumes car si j'en mange de grandes quantités les conséquences ne seront pas trop graves. En revanche, si je mange des aliments riches comme des pommes de terre sautées j'en mangerai autant que des légumes et je suis sûre de prendre un kilo. »

➤ *Les graisses ne rassasieraient pas*

Pour mieux comprendre ce dont nous allons parler, il nous faut d'abord distinguer le pouvoir rassasiant et le pouvoir satiétogène d'un aliment. L'aliment rassasiant est celui qui « cale » très vite, il est familièrement « bourratif » et empêche de continuer à manger beaucoup. Il n'empêche pas la faim de revenir assez vite. Ce serait, par exemple, un morceau de pain très compact. L'aliment satiétogène, quant à lui, calme la faim pour une longue durée. Ce serait, par exemple, une bonne tranche de foie gras. Ainsi chaque aliment peut être plus ou moins rassasiant et plus ou moins satiétogène.

Pour beaucoup d'auteurs, les lipides présenteraient le grand défaut de ne pas calmer la faim. Ils ne seraient pas satiétogènes. Certains pensent qu'ils le seraient simplement moins que les glucides, d'autres qu'ils ne le sont même pas du tout. Au point, selon eux, qu'un repas ordinaire calmerait ni plus ni moins la faim que le même repas additionné d'une motte de beurre. Ou encore qu'un sandwich au foie gras ne calmerait pas mieux la faim qu'un sandwich à la tomate. Cette conclusion a été présentée très sérieusement lors d'un respectable congrès de nutrition. La question est véritablement d'importance. Car si les graisses ne sont pas satiétogènes, le mangeur s'expose alors à consommer de grandes quantités de calories sans même s'en rendre compte et se met réellement en danger de grossir dès qu'il mange ce type d'aliments. Ces conclusions sont en parfaite contradiction avec les travaux réalisés sur les aliments allégés en graisses.

La plupart des expériences sur le pouvoir satiétogène des aliments utilisent généralement deux protocoles. Le premier mesure l'intervalle entre deux repas. On propose à une personne un menu d'une composition et d'un niveau calorique connus et on mesure le temps au bout duquel le sujet ressent de nouveau sa faim. Le second s'effectue en fixant les horaires des repas et étudie l'effet d'un repas de composition et niveau calorique connus sur la composition et le niveau calorique du repas suivant. La consommation d'un premier repas copieux devrait normalement entraîner une diminution calorique au repas suivant. Une autre manière de procéder consiste à faire consommer une précharge, plus familièrement une entrée, dont la composition est connue et d'observer le profil du repas qui suit immédiatement la précharge.

Ces expériences ont permis de réaliser que les nutriments n'entraînaient pas les mêmes conséquences sur la satiété et ont abouti à deux types d'observations.

• Tout d'abord, dans les suites immédiates du repas, les différents nutriments n'exercent pas leurs effets en même temps [1]. Les premiers à agir sont les glucides qui calment la faim le plus rapidement mais pour une courte durée. Ils rassasient vite, mais disposent d'une satiété courte. Sans doute en raison de leur éva-

---

1. Green S.M., Delargy H.J., Joanes D., Blundell J.E., « A satiety quotient : a formulation to assess the satiating effect of food », *Appetite*, 1997, 29, 291-304.

cuation rapide de l'estomac et de la rapidité avec laquelle ils sont ensuite métabolisés par l'organisme. Ils sont suivis, en position intermédiaire, par les protéines et accessoirement l'alcool. Et enfin, les derniers à agir seraient donc les lipides sans doute en raison de leur plus grande densité énergétique qui ralentit la vidange gastrique. Ils mettent plus de temps à rassasier, mais calment la faim pour une durée plus longue. Chacun pourra se rapporter à sa propre expérience et se rappeler qu'un repas même copieux mais composé de pain et de légumes, s'il remplit bien l'estomac, ne calme pas la faim bien longtemps. Alors qu'un excès de foie gras, bien qu'il n'occupe guère une grande place dans l'estomac, calme la faim pour une plus longue durée. Dans la vie quotidienne, tous ces nutriments sont habituellement réunis au sein d'un même repas et exerceront successivement et chronologiquement leurs effets sur la satiété, de façon à produire un confort dès la fin du repas et pendant les heures qui suivront.

• Cependant, quand on observe le phénomène sur une période plus longue, c'est-à-dire à distance du repas ou même sur plusieurs repas, on finit par réaliser que les effets satiétogènes sont proportionnels à la quantité de calories apportée et non plus à la nature de ces calories. La charge énergétique d'un aliment devenant ainsi le déterminant le plus puissant de son pouvoir satiétogène. C'est pourquoi les légumes, qui occupent un grand volume, mais contribuent très peu aux apports caloriques, possèdent une action de courte durée sur la satiété. Ils rassasient vite, mais ne nourrissent pas et sont donc suivis d'un retour rapide de l'état de faim. Dans une importante monographie sur le sujet, France Bellisle finit par conclure qu'une alimentation riche en glucides ou en lipides, à ration calorique égale, est aussi satiétogène. Cependant, du fait de son volume important, une alimentation très glucidique facilitera le rassasiement à court terme.

Pour terminer, il est difficile de ne pas évoquer une dernière expérience. Quand une même quantité de calories lipidiques ou glucidiques est administrée directement dans l'estomac par le moyen d'une sonde intragastrique, on constate qu'elles possèdent toutes deux le même pouvoir satiétogène [1], alors qu'il était admis par beaucoup que les glucides absorbés oralement présentaient un pouvoir satiétogène supérieur à celui des lipides. Cet effet serait directement lié à leur charge énergétique et à leur action spécifique avec des récepteurs de l'intestin grêle et serait sans rapport avec la distension gastrique. Car, au contraire, une préparation d'eau salée de même volume et qui produirait la même distension de l'estomac n'aurait quant à elle aucun effet satiétogène. Au bout du compte, cette étude démontre que l'on peut se remplir le ventre d'eau salée, on ne s'en trouve pas nourri pour autant. Les auteurs de cette étude suggèrent alors que les différences observées entre les glucides et les lipides seraient dues aux facteurs sensoriels et cognitifs [2].

Autrement dit, s'ils passent directement dans l'estomac, sans que le sujet puisse identifier le goût de l'aliment ni avoir aucune connaissance préalable de ce dernier, les glucides et les lipides produisent le même effet sur la satiété. Mais quand ils passent par la bouche et sont détectés par l'analyseur sensoriel et que le sujet sait ou croit savoir ce qu'il mange, leur pouvoir sur le rassasiement s'en trouve modifié. Il semble donc que l'anomalie se situe au niveau de la reconnaissance de l'aliment et du traitement de cette information par le cerveau. Bref, la conscience de ce qu'on mange modifie le pouvoir rassasiant de l'aliment. Il s'agit là d'une expérience essentielle qui corrobore

---

1. Manger un aliment coupe la faim pour un certain temps et détermine un état de satiété. Plus ce délai est important plus le pouvoir satiétogène de cet aliment est élevé.
2. Cecil J.E., Castigione K., French S., Francis J., Read N.W., « Effects of intra-gastric infusions of fat and carbohydrate on appetite rating and food intake from a test meal », *Appetite*, 1998, 30, 65-77.

parfaitement celle d'Herman et Polivy sur le phénomène de désinhibition déclenché quand on laisse croire au sujet qu'on lui fait manger des aliments caloriques.

En fin de compte, les études démontrent que les lipides sont tout aussi satiétogènes que les glucides et sont soumis à une régulation tout aussi efficace. En revanche, ce que pense le mangeur de ses aliments peut venir perturber son rassasiement. Ce sont donc là encore les facteurs cognitifs qui interviennent comme agents dérégulateurs. Ceci nous renvoie à une autre dimension de la nourriture que nous verrons plus loin et qui est cette fois le pouvoir réconfortant de l'aliment. Quoi qu'il en soit, les lipides sont parfaitement rassasiants quand le mangeur est régulé.

Qu'en pensent les nutritionnistes ?

> Quand on augmente la teneur en graisses
> de leur alimentation, certains individus
> sont conduits à manger davantage.

Les manipulations diététiques sur des patients ont assez bien confirmé ce défaut qu'avaient certains individus à ne pas pouvoir correctement contrôler leurs apports caloriques quand ceux-ci comportaient des quantités croissantes de lipides. C'est ce qu'a démontré Lissner, en 1987, en proposant 3 régimes différents par leur composition en lipides, pendant 15 jours, à des femmes âgées de 22 à 41 ans. Seule la composition du régime état imposée et ces femmes qui pouvaient consommer les quantités de nourriture qu'elles souhaitaient de façon à reproduire les conditions de la vie quotidienne normale.

Régime 1 : 15 à 20 % de lipides → 2 087 calories
Régime 2 : 30 à 45 % de lipides → 2 352 calories
Régime 3 : 40 à 50 % de lipides → 2 714 calories

On constate aussitôt que plus le régime est riche en lipides, plus les personnes augmentent leur consommation calorique. Les chercheurs qui observent ce phénomène le décrivent sous le nom de surconsommation passive. Il confirme que certains individus éprouvent de grandes difficultés à réguler leur consommation quand celle-ci devient plus riche et ne réalisent pas qu'ils mangent davantage.

Cependant, il faut nuancer ces résultats et les commenter avec une grande prudence. Toutes ces expériences sont menées sur de très courtes durées et il n'est pas possible d'en déduire qu'elles produiraient les mêmes effets sur des durées plus longues. On sait que la régulation s'opère sur de très longues périodes, de plusieurs semaines ou même plusieurs mois, nécessaires pour que les capacités d'apprentissage de l'individu lui permettent de s'adapter à des changements d'alimentation. Et il n'est donc pas possible d'affirmer que ces personnes n'auraient pas été en mesure de rétablir leur consommation après quelques semaines d'apprentissage de cette nouvelle alimentation.

Tous ces résultats ont donc, là encore, amené certains chercheurs à conclure que les individus obèses n'étaient pas en mesure de réguler correctement leur alimentation quand celle-ci était riche en lipides et à déduire, encore une fois, qu'il était possible d'y remédier en leur proposant des régimes pauvres en lipides et d'un grand volume. Il va de soi qu'une telle attitude ne pourra qu'aggraver les troubles de la régulation et que la vraie solution sera d'apporter un remède à ce trouble.

Que se passe-t-il quand on réduit les graisses ?

> La réduction des graisses n'a jamais empêché personne de grossir. Le maintien des graisses n'a jamais empêché personne de maigrir.

Seule l'expérimentation peut apporter la preuve d'une théorie. Ainsi, si l'hypothèse lipidique s'avère exacte nous devons nous attendre à ce qu'une réduction des graisses entraîne une diminution significative de l'obésité. Comme la plupart des traitements et des campagnes d'information actuelles préconisent la réduction des matières grasses, les chercheurs se sont livrés à des évaluations de ces traitements afin d'en apprécier l'efficacité. Il faut admettre que les résultats se sont révélés particulièrement décevants. Je vous propose que nous les passions ensemble en revue.

Régime sans gras contre régime sans sucre[1]

Quand on propose des régimes de même niveau calorique (1 000 calories par jour) soit pauvre en graisses (26 % de lipides et 45 % de glucides) soit pauvre en glucides (53 % de lipides et 15 % de glucides), on observe dans les deux cas une perte

---

1. Golay A., Allaz A.F., Morel Y., De Tonnac N., Tankovs S., Reaven G., « Similar weight loss with low or high-carbohydrate diets », *Am. J. ⁻lin. Nutr.* 1996, 63, 174-178.

de poids identique. Aucun des deux régimes ne s'avère plus efficace.

Diminuez le gras et mangez ce que vous voulez

De nombreux traitements reposent sur de simples conseils de réduction des matières grasses tout en préconisant une absence de contrôle sur les autres nutriments. Il s'agit de régimes hypolipidiques sans surveillance particulière des calories. Même en limitant la part des lipides à seulement 15 % de l'alimentation[1], la perte de poids observée se situe aux alentours de 0,5 à 1 kg par mois pendant quelques mois. Et malheureusement, cette perte de poids ne se maintient pas à long terme[2].

À quoi servent les campagnes d'information ?

À force de messages antigras, certains pays sont parvenus à modifier le comportement alimentaire de leurs consommateurs. En 20 ans, la France et les États-Unis ont réduit leur consommation de lipides de 42 à 38 % de la ration calorique quotidienne, ce qui est une transformation considérable à l'échelle de toute une nation. En toute logique, nous aurions dû assister à une diminution sensible de la fréquence de l'obésité dans ces pays. Or, dans le même temps, aux États-Unis la fréquence de l'obésité a littéralement explosé et en France elle n'a pas baissé le moins du monde. Mais ce qu'il faut surtout souli-

---

1. L'alimentation moyenne des Français apporte 38 % de lipides.
2. Shah M., McGovern P., French S., Baxter J., « Comparison of a low-fat ad libitum complex-carbohydrate diet with a low-energy diet in moderately obese women », *Am. J. Clin. Nutr.*, 1994, 59, 980-984.

gner c'est qu'au cours de cette période, entre 1970 et 1994, Lisa Harnack, de l'Université du Minnesota, a constaté une augmentation de 15 % de la quantité de calories consommée par habitant. Les Américains dégraissent leur alimentation, mais grossissent alors même qu'ils sont devenus les champions du monde des produits allégés. D'une manière tout à fait surprenante, moins les Américains mangent gras et plus ils mangent globalement. Ce qui est tout à fait contraire à ce que laissaient attendre les expériences de laboratoire qui soulignaient les phénomènes de surconsommation passive liés à l'augmentation de la part des graisses dans l'alimentation. Manifestement, il ne suffit pas de manger moins gras pour réduire sa consommation globale. La vie n'est apparemment pas un simple laboratoire géant.

Plusieurs observations démontrent qu'il est possible de perdre du poids sans pour autant réduire les graisses

• Les amphétamines ou coupe-faim ont permis à beaucoup de personnes de maigrir sans pour autant changer quoi que ce soit à la composition de leur alimentation. Elles entraînent, par leur mode d'action pharmacologique, une diminution de la faim et donc une réduction globale des apports alimentaires responsable de la perte de poids.

• Tous les nutritionnistes ont encore le souvenir des anciens régimes « équilibrés », riches en lipides, aujourd'hui classés dans les « déséquilibrés », qu'ils prescrivaient il y a 20 ans et qui faisaient maigrir tout aussi bien que les nouveaux régimes « équilibrés » actuels, pauvres en lipides. J'ai moi-même, durant mes dernières années à l'hôpital, largement prescrit ce type de régime et mes patients n'avaient pas plus de difficultés à maigrir qu'avec les régimes sans graisses que je leur ai prescrits dans mes premières années d'exercice.

• Enfin, la chirurgie de l'estomac prouve, s'il en était encore besoin, que la perte de poids est simplement due à la diminution des apports caloriques. La réduction du volume de l'estomac impose une réduction des apports alimentaires à l'origine de la perte de poids sans modifier pour autant la composition de l'alimentation.

Finalement, que doit-on penser de la limitation des graisses ?

En 1997, l'APRID [1] a réuni à Paris les plus éminents spécialistes français et étrangers de la nutrition autour d'un congrès sur la masse grasse [2]. Les conclusions de leur réflexion exposées par le Pr Prentice, de l'Université de Cambridge, étaient les suivantes :

• Lorsque l'homme consomme des aliments à teneur réduite en lipides, il se permet souvent ensuite une attitude de consommation permissive qui, ainsi, lui fait perdre le bénéfice attendu. Les personnes doivent donc comprendre qu'il est nécessaire de réduire l'apport énergétique.

• Le message simple portant sur la réduction des lipides est insuffisant pour entraîner une perte de poids significative.

• Il est indispensable de faire comprendre au public et aux personnels de santé l'infaillibilité de la balance énergétique et la nécessité de réduire l'apport calorique. Le recours à des aliments pauvres en lipides [entraîne la perte de poids parce qu'il] facilite la réduction de l'apport calorique.

Voilà qui a le mérite d'être clair et de trancher avec le discours magique où les mauvais lipides sont responsables de tous les kilos excédentaires et où les bons aliments, innocentés de

---

1. Association des praticiens pour l'information en nutrition et diététique.
2. Messing B. et Billaux M.S. (dir.), *La Masse grasse. Aspects physiopathologiques*, Arnette, 1998.

tout, peuvent être consommés en toute liberté sans entraîner la moindre conséquence pondérale.

Les études épidémiologiques ne démontrent rien d'autre qu'une corrélation inconstante entre la consommation de lipides et le poids. Et la plupart des expérimentations ne viennent pas confirmer l'existence d'un lien de causalité. Les campagnes d'intervention ont permis d'obtenir une diminution de la consommation lipidique, mais n'ont pas été accompagnées, comme il était logique de s'y attendre, par une diminution de l'obésité. La physiologie nous explique que tout excès calorique conduira à une augmentation de la masse grasse et donc du poids. Et qu'il est par conséquent illusoire de limiter les graisses sans tenir compte du devenir des autres nutriments. On constate que l'obésité ne cesse de progresser aux États-Unis alors que la consommation de lipides a été réduite de 10 % mais que dans le même temps la taille des portions servies a augmenté et que les apports caloriques ont progressé de 15 %. La neurophysiologie nous apprend que les lipides exercent sur la satiété un effet identique à celui des glucides et qu'ils sont tout aussi bien régulés quand les facteurs sensoriels et cognitifs n'interviennent pas. En revanche, les personnes en restriction cognitive présentent assurément un trouble du rassasiement et ne parviennent plus à ajuster leur consommation à leurs besoins. Elles ne savent plus quand s'arrêter de manger et préfèrent donc s'orienter vers des aliments qui occupent un grand volume dans l'estomac, ce qui leur imposera de s'interrompre quand leur estomac sera plein.

Toutes les personnes ayant une alimentation hyperlipidique ne sont pas obèses, loin de là. Beaucoup de personnes minces mangent aussi gras, même plus, que certains obèses qui surveillent attentivement leurs apports lipidiques et pourtant ne perdent pas de poids. La génétique n'est pas responsable de tout. En revanche, il est évident que certains individus qui mangent gras pourront devenir obèses si cette consommation de lipides s'associe à une surconsommation calorique. Il est incontestable que cette surconsommation calorique peut en grande partie être facilitée par les phénomènes de surconsommation passive liés aux lipides et surtout par les difficultés que présentent certaines personnes à réguler leurs apports caloriques. Il semble que cette anomalie s'inscrive au centre de la problématique pondérale. C'est donc beaucoup plus le trouble de cette régulation que la simple consommation de lipides qui devrait devenir l'objet des recherches à venir. Et c'est donc sur les causes de cette dérégulation que j'ai été amené à me questionner pour en trouver les raisons. Tout particulièrement, celles sur lesquelles il était possible d'agir cliniquement. Si certaines causes biologiques existent, il ne fait plus de doute pour moi que la plus grande part de ces raisons sont à rechercher dans les sphères sensorielles, cognitives et psychologiques du comportement alimentaire.

CHAPITRE VIII

Mes émotions me rassasient

Si vous n'avez pas rencontré de difficultés majeures au cours des différentes étapes que nous avons franchies votre comportement alimentaire a dû déjà beaucoup se transformer.

1. Vous percevez vos sensations alimentaires de manière plus précise. En particulier, vous distinguez la faim de l'envie de manger et savez reconnaître le moment du rassasiement.

2. Vous mangez beaucoup le matin ou beaucoup le soir selon votre faim. Et vous choisissez vous-même de manger ou de ne pas manger quelle que soit l'heure de la journée.

3. Vous avez commencé à maigrir en mangeant tous les aliments que vous aimez sans vous culpabiliser.

4. Vous ne vous posez que des questions de vrais mangeurs : ai-je faim, est-ce bon, ai-je assez mangé ? Sans vous préoccuper le moins du monde du contenu des aliments en gras, sucre ou quoi que ce soit d'autre.

5. Vous mangez moins qu'avant et vous n'en éprouvez pas davantage la faim.

En revanche, il est possible que vous ne parveniez pas toujours à tenir compte de vos sensations. Et ce sont surtout des émotions qui vous font manger au-delà de votre faim. Puisque nous sommes entre nous, laissez-moi vous faire une confidence et vous raconter une anecdote personnelle. Voyez-vous, écrire un livre occupe beaucoup de temps et vous empêche de faire tout un tas d'autres choses. De sorte que la fin est toujours vécue comme un certain soulagement. Aussi, quand un mois avant de rendre mon manuscrit, Catherine Meyer, mon éditeur, m'a demandé d'en revoir une partie importante, bien que trouvant ses remarques très justifiées, j'ai été pris d'un grand mouvement de mauvaise humeur. Aussi, ce jour-là, autant découragé qu'en colère, j'ai décidé que je ne travaillerai plus et je suis allé chez M. Delépine, le pâtissier de notre ville, lui acheter l'un de ses nouveaux gâteaux au chocolat. M. Delépine est un amoureux du chocolat, il vous le marie avec tous les parfums du monde et vous le décrit sous des facettes inconnues du plus blasé des gastronomes. Ce jour-là, je lui ai demandé un malgache, une petite génoise au chocolat fourrée d'une crème au chocolat et recouverte d'une mousse au chocolat noire. Je suis rentré à la maison, ai débouché une bouteille de sauternes et dégusté tout cela, seul, blotti dans mon canapé sur un fond de musique baroque. Enfin un peu de douceur dans ce monde de brutes. Vous n'imaginez pas à quel point je me suis senti réconforté. J'allais beaucoup mieux. Mes aliments avaient produit des émotions positives et chassé ma colère et mon découragement. Deux heures après, j'ai dû expliquer à ma femme que je n'avais plus aussi faim que d'habitude. Je me suis toutefois installé à table avec elle, j'ai dîné légèrement et nous avons discuté de mon livre. Voilà comment les émotions négatives font manger un nutritionniste averti et comment il parvient à se réconforter sans grossir avec ses aliments préférés.

Quant à vous, savez-vous que votre personnalité et vos émotions passionnent depuis toujours les médecins et les psychologues au plus haut point ? Elles sont pour eux un véritable mystère. Ils se sont longtemps convaincus que vous ne deviez pas être tout à fait comme tout le monde. Dans votre dos, on vous a affublé de tous les noms, crédité de toutes les théories, affecté de toutes les mauvaises mères. Mais il faut bien le reconnaître, vous n'êtes pas très coopératifs. Vous ne voulez entrer dans aucun tiroir. Pour maigrir, on vous demande de moins manger, mais à chaque petite contrariété, vous vous jetez sur la nourriture comme la misère sur le monde. Comment voulez-vous qu'on vous aide si vous n'y mettez pas un peu de bonne volonté ? Vous n'êtes vraiment pas très raisonnable.

Votre gros défaut serait votre obstination à chercher du réconfort dans la nourriture. Certains ont donc imaginé que la solution serait de vous débarrasser de tous vos petits soucis. Vous perdriez ainsi les mauvaises raisons qui vous font manger. Figurez-vous que j'ai imaginé une autre solution. Après tout, une théorie de plus ou de moins, vous n'en irez pas plus mal. J'ai décidé que j'allais plutôt vous aider à vous réconforter en mangeant. Et en prime, vous aider aussi à perdre du poids.

Le goût, le rassasiement et les émotions

C'est entendu, les émotions nous font manger. Mais avez-vous constaté que, de leur côté, les aliments avaient la faculté de nous procurer des émotions ? Quand nous les apprécions, ils nous contentent. Ils nous procurent de la satisfaction, de la joie, de l'extase. Quand, à l'inverse, ils nous déplaisent, ils peuvent entraîner de la déception, de la frustration ou même de la colère. Il s'agit bien là d'émotions, positives ou négatives, produites par les aliments eux-mêmes. Le mangeur en paix avec sa nourriture choisira naturellement de manger ceux qui lui procureront des émotions positives. Il préférera évidemment éviter ceux qui le déçoivent ou le mettent en colère. Eh bien, ces émotions positives produites par les aliments nous intéressent au plus haut point car elles participent au rassasiement. L'individu qui apprécie sa nourriture se rassasie davantage. Quand un repas nous satisfait et que l'on sait que l'on n'en sera jamais privé, il est très facile de s'arrêter de manger au moment où l'on sent que l'on est rassasié. Tandis que les aliments qui produisent des émotions négatives ne rassasient pas vraiment.

Les exercices qui suivent portent à la fois sur le goût, le rassasiement et les émotions. Ils sont destinés à vous permettre de mieux percevoir votre seuil de rassasiement. Ils vous aideront à mieux vous concentrer sur ce que vous mangez et à découvrir que les aliments nourrissent parfois de manière inattendue. De ce fait, ils vous offriront donc la possibilité de vous arrêter de manger plus tôt que vous ne l'auriez fait.

Exercice 1

Déterminez la composition des plats que vous mangez : ingrédients, épices, herbes, sauces, cuisson, etc.

Ce premier exercice consiste, chaque fois que vous mangez des plats que vous n'avez pas vous-même préparés, à déterminer leur composition. Comportez-vous comme un critique gastronomique qui s'apprête à livrer son commentaire, ou mieux, comme un cuisinier qui souhaiterait reproduire la recette. Cherchez à reconnaître tous les ingrédients présents dans le plat, identifiez les épices, les herbes, les aromates que vous avez devinés. Cherchez à savoir quels ont été les modes de cuisson utilisés. Bref, devenez un mangeur averti. Vous pouvez vous amuser à pratiquer ces tests en aveugle ou à les effectuer en famille ou entre amis. Saurez-vous faire la différence entre un rouget et un saint-pierre ? Saurez-vous déceler la présence du basilic, du thym ou du romarin ? Serez-vous capable de reconnaître le goût délicatement poivré de la muscade ou de la cannelle ? À vous de découvrir vos talents de gastronome.

Exercice 2

Recherchez les caractéristiques des aliments qui ont « bon goût », *pour vous.*
— La vue : aspect, couleur, forme, etc.
— L'odorat
— La saveur : salée, sucrée, amère, acide
— Les sons : le craquement d'une biscotte ou d'une salade
— La consistance : onctueuse, râpeuse, filandreuse, moelleuse, etc.
— La température : optimale, froide, chaude

Ce second exercice consiste à rechercher les caractéristiques des aliments qui ont bon goût pour vous. Il s'agit en fait de décrire les qualités organoleptiques des aliments que vous aimez. Ce que les physiologistes appellent les composantes discriminatives de la sensation gustative. Elles ne se modifient pas au cours de la consommation de l'aliment et caractérisent le « goût de » l'aliment. Vous devez maintenant bien les distinguer de la composante affective inhérente à la sensation gustative, le plaisir gustatif, qui lui, bien au contraire, évolue et diminue au cours de la consommation de l'aliment et caractérise le « goût pour » l'aliment et le rassasiement. Vous décrirez soigneusement le « goût de » vos aliments préférés en détaillant leurs différentes composantes : la vue, l'odorat, la saveur, les sons, la consistance, la température. Devenez maintenant un mangeur difficile.

Pour mieux comprendre cet exercice choisissons un exemple. Prenons un amateur qui va tenter de nous décrire son chocolat noir préféré. S'il aime réellement cet aliment, il se révélera difficile dans ses choix et se gardera bien de le choisir au hasard. Les premières informations lui seront apportées par la vue et l'odorat. Puis une fois en bouche, les odeurs deviendront plus précises et il pourra s'exprimer sur les saveurs, la consistance, etc.

Décrivez le goût de votre tablette de chocolat noir préféré

Sa couleur :
☐ brun clair ☐ brun foncé ☐ presque noir

La taille de la tablette :
☐ petite ☐ moyenne ☐ grande

L'épaisseur de la tablette :
☐ fine ☐ épaisse

La taille des carrés :
☐ petite ☐ moyenne ☐ grande

La surface de la tablette :
☐ lisse ☐ avec des reliefs

L'aspect :
☐ mat ☐ brillant

Les saveurs :
Sucrée : ☐ un peu ☐ moyen ☐ beaucoup
Amère : ☐ un peu ☐ moyen ☐ beaucoup

La consistance :
☐ fondante ☐ onctueuse ☐ crémeuse

La température :
☐ ambiante ☐ fraîche ☐ froide

Il serait sans doute possible d'en dire bien davantage sur cet aliment de légende et je prie à l'avance les amateurs de chocolat de bien vouloir me pardonner. Disons que nous avons là une description suffisante pour notre exercice. Plus notre amateur aura le sentiment de manger un chocolat qui se rapproche de cette description qu'il vient d'en faire, plus il sera heureux. Plus il s'en éloignera, plus il sera déçu. En vérité, chaque fois qu'il mange du chocolat, il le compare à la représentation qu'il se fait de cet aliment. Tous les mangeurs se comportent ainsi. Chaque fois qu'ils mangent un aliment qu'ils connaissent, ils le comparent, consciemment ou inconsciemment, à la représentation qu'ils s'en font. Le couscous de ma mère, la blanquette d'agneau de tante Charlotte, etc. Il leur arrive même d'en parler à table avec les autres convives. Cette disposition des mangeurs va nous servir à travailler sur le rassasiement et le réconfort. Car elle s'accompagne d'étranges propriétés qui nous intéressent. Contrairement à ce que vous pensez peut-être, plus vous mangerez des aliments que vous aimez, plus il vous sera facile de vous rassasier. À condition d'écarter deux exceptions à cette règle. L'aliment ne doit pas être consommé au cours d'une compulsion ; dans ce cas, la régulation ne se fait plus. Et ce ne doit pas être un aliment trop rare. Car dans ce cas, vous risqueriez d'en faire des réserves en attendant la prochaine occasion d'en manger. Vous anticiperiez le manque à venir, un peu comme le mangeur restreint se comporte avec ses aliments « interdits ». En réalité, avec nos aliments habituels, ceux qui constituent notre alimentation de tous les jours, plus nous les apprécierons plus nous serons capables de nous arrêter au moment où nous sentons que nous sommes rassasiés.

Prenons un exemple. Imaginons que nous apportions deux carrés d'un chocolat médiocre à notre amateur. Il les mange, puis nous lui apportons deux carrés de son chocolat de rêve. Parions ensemble qu'il les mangera aussi. Imaginons l'inverse. Nous lui apportons d'emblée la merveille des merveilles des chocolats noirs, qu'il mange. Puis aussitôt après les deux carrés toujours aussi médiocres. Il les laisse sans remords. Que s'est-il passé ? Dans la première expérience, les deux mauvais carrés ont nourri le mangeur mais l'ont laissé dans l'attente de « quelque chose » qui se trouvait dans les deux carrés suivants. Il a fallu quatre carrés, deux fois plus de calories, pour que notre amateur se rassasie. Tout s'est passé comme si les deux premiers carrés avaient bien nourri son corps, mais les deux seconds avaient nourri sa tête. Dans la seconde expérience, le bon chocolat a nourri d'emblée le corps et la tête de notre mangeur. Il a laissé le médiocre chocolat et a consommé deux fois moins de calories. Voilà donc à quoi ressemble la satiété, elle possède toujours une dimension physique et psychologique. Pour que le mangeur puisse se lever de table en disant : « Je n'ai plus besoin de rien. Je suis rassasié », il faut que sa tête et son corps aient reçu tous deux la nourriture qu'ils réclamaient.

Les aliments ont une image émotionnelle

Ainsi, un individu ne se rassasiera parfaitement que lorsqu'il sera satisfait à la fois physiquement et psychologiquement. Plus vite il le sera, plus tôt il cessera sa consommation. Car l'individu ne se nourrit pas seulement de calories mais surtout de sens. Il faut qu'il puisse penser du bien de ce qu'il mange. « Pour qu'un aliment soit bon à manger, il faut avant tout qu'il soit bon à penser », disait Lévi-Strauss. Ou, comme le rappelait Vachon-France, pour se rassasier complètement, chaque personne se doit de nourrir à la fois son Être de Besoin et son Être de Désir. L'Être de Besoin, l'organisme, quand il est en hypoglycémie, se nourrit d'un objet concret, le sucre. Toutes formes de sucre en quantité appropriée pourront combler ce besoin : un morceau de sucre, un carré de chocolat, une timbale de riz, même du glucose en perfusion. Tout cela parviendra au foie et aux cellules qui se moquent éperdument de leur provenance. Cependant, l'Être de Désir se nourrit, lui, d'un objet subtil, quelque chose d'indescriptible, d'indéfinissable, qui fait que la personne aura une préférence pour le chocolat plutôt que pour la perfusion de glucose. Et encore ne s'agira-t-il pas de n'importe quel chocolat mais de celui qui correspond à la représentation du bon chocolat, telle que vous venez de la réaliser.

Et pour que le mangeur soit correctement rassasié, il faudra que son Être de Besoin et son Être de Désir aient tous les deux été nourris. Dans le cas contraire, il pourrait se lever de table avec une insatisfaction qui l'inciterait à poursuivre son repas. C'est ainsi que nous voyons des mangeurs restreints se lever de table avec l'estomac saturé de légumes, blanc de poulet et yaourts à 0 % et dire : « Il me manque encore quelque chose. » Seule l'alimentation qui possède un sens pour le mangeur parviendra à le rassasier. Et c'est seulement à cette condition que la fonction de plaisir pourra s'associer harmonieusement à la fonction de besoin.

Les physiologistes caractérisent l'aliment par une double image : sensorielle et métabolique. Il faut peut-être leur suggérer qu'il en existe sans aucun doute une troisième : l'image émotionnelle. Tous les aliments sont associés à des émotions qui nous nourrissent et nous rassasient ou, au contraire, nous laissent sur notre faim. L'ingestion d'un aliment semble pouvoir modifier la concentration d'un même peptide agissant à la fois sur le système physiologique du stress et du comportement alimentaire. Nous ne sommes donc pas de simples machines thermodynamiques qui se nourrissent de calories, mais des machines pensantes et émotionnelles qui se nourrissent d'aliments qui ont du sens.

Peut-être aviez-vous constaté que les émotions négatives vous faisaient manger. Vous cherchiez dans les aliments un apaisement que vous ne trouviez pas, car la restriction cognitive vous avait privé de leur pouvoir réconfortant. Ils n'étaient plus en mesure de produire les émotions positives capables de neutraliser les émotions négatives dont vous cherchiez à vous libérer. S'il est vrai que certaines émotions font manger, il est tout aussi vrai que d'autres nourrissent. C'est parce qu'elles ne vous nourrissaient plus qu'elles vous faisaient manger. Vos aliments ne vous rassasiaient plus.

Pourquoi les aliments sont-ils réconfortants ?

Nos aliments nous réconfortent car ils produisent des émotions positives. Ils produisent des émotions positives car nous pouvons en penser du bien. Et nous pouvons en penser du bien car nous avons vécu avec eux une partie de notre histoire singulière que nous aimons qu'ils nous rappellent.

L'identité alimentaire : « Dis-moi ce que tu manges... »

➤ *Le pays*

« ... je te dirai qui tu es. » Je mange des croissants et de la baguette, une multitude de fromages, j'apprécie le vin, les cuisses de grenouilles et le pot-au-feu, je me délecte d'une infinie variété de pâtisseries. Qui suis-je ? Il n'est parfois pas bien difficile de deviner l'origine nationale d'un mangeur. Chaque pays, en matière d'alimentation, possède un répertoire de plats qui, facilement, permettrait de l'identifier. Certains, parfois, nous étonnent par la consommation d'aliments qui nous semblent proprement incomestibles. Nous n'aurions d'ailleurs pas imaginé qu'ils soient même mangeables. Les Français conçoivent péniblement que l'on puisse, par exemple, savourer du chien ou des insectes. Alors, pourtant, que les pays du monde qui les acceptent dans leur répertoire alimentaire sont beaucoup plus nombreux que ceux qui les rejettent. Mais voilà, les goûts et les couleurs ne se discutent pas. Ils font la spécificité des pays et des cultures.

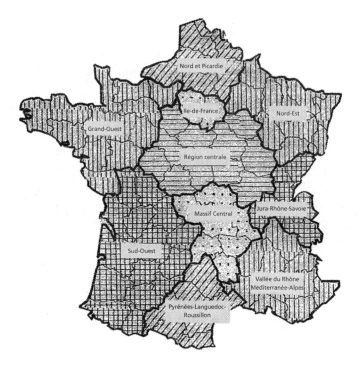

➤ *La région*

Toutefois, si chaque pays se différencie par sa cuisine, il existe aussi dans chacun de très grandes diversités régionales. En France, nous nous régalons de la cuisine provençale, catalane, alsacienne, savoyarde, bretonne, périgourdine, bourguignonne, etc. Le CREDOC a ainsi distingué dix France alimentaires se regroupant autour d'une culture culinaire régionale (voir carte). Chacune se caractérisant par une répartition et une préparation différentes des aliments. La vallée du Rhône et la Méditerranée sont associées dans l'amour des agrumes, bananes, fruits secs et huile d'olive. Tandis qu'elles délaissent le beurre, les pommes de terre, la charcuterie et la bière. La région Jura-Rhône-Savoie favorise les fruits frais et les fromages à pâtes persillées, alors qu'elle dédaigne les fruits de mer, le cidre et les apéritifs. Suivant les régions, les modes de cuisson favoriseront davantage le beurre, la crème, l'huile d'olive, la graisse d'oie, le saindoux, etc. Chacune affichant fiè-rement ses plats de prédilection et ses spécialités : bouillabaisse de Marseille, cassoulet de Toulouse, choucroute de Strasbourg, fondue au fromage de Savoie, soca de Nice, tripes à la mode de Caen, calissons d'Aix, nougat de Montélimar, etc. Il est sûre-ment plus facile pour la plupart d'entre nous de désigner du doigt le Roquefort ou le saint-marcellin sur l'étal du fromager que sur une carte routière. Montrant ainsi que nous pouvions oublier que ces noms de fromages étaient d'abord des villes de France avant d'être ceux de spécialités culinaires.

➤ *La famille*

Au sein de chacune de ces communautés se trouvent de plus petites sous-unités constituées par les familles, puis les individus eux-mêmes. En Inde, où l'on consomme le curry, mélange de plusieurs épices, chaque famille possède sa recette qui lui permet de se distinguer des autres par son art d'associer les épices et de préparer le mélange. En France, comme ailleurs, chaque famille possède son répertoire alimentaire comprenant recettes et savoir-faire. Dans la mémoire de chacun, la cuisine familiale est comme un signe de reconnaissance : « Quand je vais manger avec la famille, je reconnais tout de suite son gâteau, ses œufs à la neige ou son cake[1]. » C'est sa cuisine, c'est sa famille, c'est donc soi-même que l'on retrouve, dit la sociologue Anne Muxel, auteur d'une belle étude sur les souve-nirs de tables. Ou encore, rapporté par l'un de ses interviewés : « Il y avait les macaronis au four du dimanche, des macaronis qui récupéraient toutes les viandes du vendredi soir et du samedi. Le jeudi, c'était le jour des fèves sèches. C'était typi-

---

1. Muxel A., *Individu et mémoire familiale, Essais et recherche*, Paris, Nathan, 1996.

quement familial. À ma connaissance, les autres familles ne le faisaient pas. »

Nous pouvons ainsi montrer que chaque unité géographique possède sa spécificité alimentaire. Mais se décline ensuite en sous-unité de plus en plus petites qui, en même temps qu'elles affichent les caractéristiques de l'unité qui les englobent, s'en distinguent en y ajoutant leurs propres caractéristiques. Beaucoup de spécialistes considèrent d'ailleurs que la cuisine et l'alimentation, en créant un espace commun de communication, jouent un rôle semblable à celui du langage permettant à la fois de s'identifier et de se distinguer.

➤ *Les religions*

Au sein de ces sous-unités géographiques vivent aussi des communautés qui se caractérisent par leurs habitudes alimentaires. Les communautés religieuses présentent de ce point de vue un intérêt tout particulier. Une enquête récente, qui comprenait des questions sur les interdits alimentaires, montrait l'attachement des musulmans à leurs pratiques alimentaires religieuses, malgré des comportements souvent moins rigoureux comprenant quelques aménagements avec les règles. Pour beaucoup, tout particulièrement les jeunes nés en France, cet attachement reflétait bien davantage une fidélité à la culture d'origine plutôt qu'un véritable choix religieux[1]. Pour Michel Gervais[2], les interdits portant sur le porc et sur le vin sont surtout à considérer comme une manifestation collective à laquelle une personne adhère pour rendre concrète son appartenance à un groupe. « Il n'y a pas d'individu sans groupe d'apparte-

---

1. Brisebarre A.M., « Interdits alimentaires et Islam. Les interdits alimentaires »,
Xᵉ Entretiens de Belley, *Cahiers de l'OCHA*, n° 7, 1996.
2. Gervais M., « Qu'est-ce qu'un interdit alimentaire ? Les interdits alimentaires »,
Xᵉ Entretiens de Belley, *Cahiers de l'OCHA*, n° 7, 1996.

nance, il n'y a pas de groupe d'appartenance sans interdits alimentaires. »

De la même manière, pour Julien Bauer[1], l'une des raisons de l'alimentation cachère réside dans le désir de maintenir une séparation entre les juifs et la société. Une alimentation différente sert de garant à la spécificité juive et limite les risques d'effacement et d'assimilation : « N'aie crainte d'aller en Égypte ; si tes enfants restaient ici, ils épouseraient des Canaanites et s'assimileraient mais cela n'arrivera pas en Égypte car les Égyptiens n'ont pas le droit de manger du pain avec les Hébreux. » L'aliment joue ici clairement son rôle de frontière et d'isolant social. En même temps, il devient facteur de cohésion sociale entre ceux qui mangent ensemble et partagent les mêmes règles alimentaires.

Les chrétiens, bien que ne possédant pas d'interdits alimentaires, n'en respectent pas moins également des règles prônant le jeûne (le Carême, l'Avent, les Quatre temps, Vigile...) et l'abstinence portant essentiellement sur la viande (vendredi, samedi). Si l'usage s'en est un peu perdu, le Moyen Âge prévoyait 150 jours de jeûne ou d'abstinence au cours de l'année. Là encore, ce sont les rituels alimentaires qui permettent aux croyants de se reconnaître entre eux. Ainsi, dans chaque religion, les principes concernant les comportements alimentaires sont un moyen de constituer une identité sociale afin de regrouper les fidèles et de les distinguer de ce qui n'appartient pas au groupe.

On voit comment la nation, la région, la famille, la religion contribuent à donner à chacun son sentiment d'appartenance à une communauté dans laquelle il s'intègre en en respectant les rites et les coutumes alimentaires. Mais également en forgeant les goûts alimentaires comprenant des préférences et des aversions spécifiques. Comme le traduisent ces souvenirs de table

1. Bauer J., *La Nourriture cacher*, Paris, PUF, coll. « Que sais-je ? », 1996.

rapportés par Anne Muxel : « Le dimanche, c'était le poulet, et tous les vendredis c'était du poisson pour raison religieuse-lozérienne-catholique. Puisque nous n'aimions pas la viande, nous trouvions que vendredi c'était parfait. »

➤ *Le mangeur s'individualise*

On sait, aujourd'hui, que le goût d'un individu pour les aliments de son futur répertoire alimentaire n'est pas inné. Il est acquis et résulte d'un processus d'apprentissage qui commence dès la vie embryonnaire. Il est par exemple possible après une perfusion d'une solution sucrée à la mère d'observer chez le fœtus des mouvements de déglutition et parfois même un sourire. Alors que la perfusion d'une solution amère produira une grimace de sa part. De même, il est possible de rendre le nouveau-né sensible à des arômes qui auront imprégné le liquide amniotique de la mère. On peut donc se demander si une part de nos préférences d'adultes ne serait pas déjà conditionnée par les choix alimentaires de nos mères. Puis, l'enfant naît. Et se trouve, comme la totalité des espèces animales vivantes, préprogrammé à ne pouvoir digérer que des produits lactés et à préférer la saveur sucrée et rejeter la saveur amère. C'est seulement par la suite, soumis aux influences multiples, familiales, sociales et biologiques, que les goûts se transformeront pour atteindre chez l'adulte cette formidable diversité qui fait de chaque individu un mangeur unique, marqué par ses préférences et ses rejets.

Le premier lieu de socialisation de l'enfant est le repas de famille. Il y trouvera la possibilité de repérer et d'assimiler les signes qui forgeront son identité alimentaire en même temps que son identité sociale et familiale.

Très tôt, marqués par leur propre identité alimentaire, les parents opéreront dans leur répertoire alimentaire une sélection d'aliments qu'ils jugent bons pour eux-mêmes et pour leur enfant. C'est ainsi, qu'à leur insu, ils lui donneront l'exemple de leurs propres goûts et manières de manger. Tout naturellement, l'enfant, en cherchant à adopter les comportements familiaux, exprime son aspiration à s'intégrer au cercle familial et à accéder au monde des adultes. Il s'approprie ainsi les comportements qu'il observe, intériorise des goûts et éprouve le sentiment d'appartenir à une communauté culturelle. Son désir d'intégration le poussera même à surmonter des aversions biologiquement déterminées et à adopter des goûts pour des aliments tout d'abord rejetés. Les consommations d'alcool, d'aliments amers, épicés ou pimentés devraient être pour nous un grand sujet d'étonnement. Elles traduisent, dans ce domaine, la suprématie des dimensions culturelles et identitaires de l'alimentation sur la programmation génétique. Paul Rozin a bien montré comment les jeunes enfants mexicains, par le simple fait d'être mis de façon répétée en présence d'aliments pimentés, sans même les goûter, finissaient par se familiariser avec leur goût et les accepter en tant qu'aliments, témoignant ainsi de leur entrée dans le groupe des adultes.

Bien sûr, la famille n'est pas le seul lieu d'influence. Les autres enfants exercent aussi sur le petit mangeur une influence, qui pour certains serait même supérieure à celle de sa famille. Lean Birch[1] a montré comment il était possible de faire apprécier à un jeune enfant un aliment qu'auparavant il refusait. Il suffit pour cela de le mettre, pendant plusieurs jours, au contact d'enfants de son âge, ou mieux légèrement plus âgés, pour qu'au terme de l'expérience, l'enfant finisse par apprendre à aimer cet aliment que, jusque-là, il évitait. Par imitation de ses pairs, le jeune enfant en vient à transformer les goûts transmis par le modèle parental. Et c'est ainsi que le phénomène d'identification familial s'exprimant tout d'abord sur un mode fusion-

1. Birch L. L., « Effect of peer model's food choices and eating behaviours on preschooler's food preferences », *Child Development*, 1980, 51, 489-496.

nel, laisse dans un second temps la place à un besoin de se démarquer des membres de la famille. Le jeune enfant affirme au sein de sa tribu de nouvelles préférences qui le distinguent des autres membres et lui permettent de s'individualiser et de se situer par rapport à elle. Pourquoi les enfants iraient-ils manger des McDonald's ? Simplement parce que c'est bon ? N'est-ce pas plutôt parce qu'ils participent ainsi à un phénomène de société auquel les jeunes s'identifient et peuvent s'affirmer par rapport aux générations précédentes ? Ces futurs adultes se rappelleront, plus tard entre eux, qu'ils y fêtaient leurs anniversaires, en collectionnaient les figurines, et s'y donnaient leurs premiers rendez-vous. Ils conserveront longtemps le sentiment d'avoir fait partie d'une autre tribu dont ils connaissaient parfaitement les codes et les signes distinctifs.

Manger c'est plus que se nourrir

Il n'y a pas seulement dans l'alimentation une dimension identitaire. Elle possède également une forte dimension psychologique et symbolique attachée de façon beaucoup plus intime à l'individu et à son histoire personnelle avec les aliments.

➤ *Je mange des émotions*

Nous sommes tous marqués par des expériences avec certains aliments avec lesquels nous entretiendrons ensuite une relation toute particulière. Certaines sont positives et souvent associées à des souvenirs heureux.

Myriam se souvient de son enfance chez ses grands-parents de Bretagne : « À peine arrivions-nous pour les vacances, mon grand-père s'adressait à ma grand-mère et disait : Mémé, sors-nous le pain de trois livres pour les enfants. Il attrapait dans le réfrigérateur une gigantesque motte de beurre salé toute jaune de laquelle on voyait sortir de gros morceaux de sel. Il coinçait la grosse miche de pain sous son bras et sortait son Opinel de sa poche. Il ne le quittait jamais. Ensuite, il coupait à chacune de nous une tranche de pain épaisse comme le pouce et la recouvrait de beurre. Aujourd'hui je ne peux pas manger une tartine de beurre sans penser à la ferme de mes grands-parents.

Catherine se rappelle son enfance au Brésil. Sa mère y travaillait dans une grande organisation internationale et ne pouvait lui consacrer tout le temps qu'elle aurait souhaité. « Parfois, pour être ensemble, ma mère m'emmenait à son bureau. J'y croisais des gens de toutes les nationalités. Tous ces gens avaient toujours l'air de s'amuser. La plupart étaient des réfugiés du Moyen-Orient, mais riaient tout le temps. Ils faisaient tout le temps la fête et apportaient chaque jour des quantités de nourritures qui m'étaient inconnues. Et je me rappelle que ma mère adorait le houmous. Elle me laissait toujours finir le plat avec les doigts. Depuis que je vis en France, chaque fois que je n'ai pas le moral, je vais manger dans un restaurant libanais. En pensant à tout ça, j'en ai quelquefois les larmes aux yeux. »

D'autres sont négatives et se transformeront en aversions parfois définitives. Les chercheurs ont montré, sous le nom d'effet Garcia[1], qu'il suffisait d'une seule association entre un aliment nouveau et des effets digestifs pénibles, volontairement provoqués par l'expérimentateur, pour que l'animal développe une aversion très durable pour cet aliment. L'association entre un aliment et des conséquences physiques négatives suffit même parfois à le rendre définitivement aversif. De la même façon, chez l'homme, une association entre un aliment et une expérience psychologique négative peut produire le même résultat.

---

1. Garcia J., Hankins W.G., Rusiniak K.W., « Behavioral regulation of the milieu intern in man and rat », *Science*, 1974, 185, 824-831.

Myriam, toujours, n'a pu manger de bœuf bourguignon pendant des années. « C'était le plat préféré de mon père. Ma mère nous le préparait tous les mardis soir. Je crois qu'à cette époque je devais être un peu jalouse de mon père. Je n'admettais pas qu'il ait, en quelque sorte, un régime de faveur. Et j'essayais d'attirer l'attention de ma mère, en l'obligeant à préparer un plat spécialement pour moi. Je n'ai pas mangé de bourguignon jusqu'à ce que je rencontre mon mari. »

Bernard raconte : « Entre les carottes et moi, il y avait une certaine incompatibilité. Mon père passait derrière moi et il me pinçait le nez, si bien que j'ouvrais la bouche. Nous étions obligés de tout aimer parce que cela créait de telles difficultés quand nous n'aimions pas quelque chose qu'il était plus simple de le manger. Mais je peux vous dire qu'encore aujourd'hui, pour rien au monde, vous ne me ferez manger des carottes râpées. »

➤ Je mange des symboles

L'aspect symbolique de la nourriture repose en grande part sur le principe d'incorporation : « Je suis ce que je mange. » Et nous pouvons souligner à quel point nous consommons des aliments porteurs de symboles.

Par exemple, on fait déguster en aveugle un vin de qualité ordinaire à des étudiants en œnologie. Dans une première expérience, on présente le vin avec une étiquette de cuvée moyenne. Puis dans une seconde, on leur présente le même vin avec une étiquette de grand cru. On leur demande ensuite de noter leur dégustation. Ils mettent 8 dans le premier cas et 13 dans le second. Qu'ont-ils bu ? En réalité, un symbole qui se trouve être l'étiquette. Certains pourront jurer qu'ils ne s'y seraient pas laissé prendre. C'est pourquoi, je rappelle que l'expérience n'a pas été conduite avec de simples amateurs mais des étudiants en œnologie dont on pouvait attendre une assez bonne discrimination gustative.

De même, le caviar est-il bon parce qu'il a un goût inéga-
lé ? Ou plutôt, parce qu'il est rare et cher ? Combien de personnes se sont détournées aujourd'hui du saumon qui ornait
autrefois nos tables de fêtes ? Le saumon qu'autrefois nous
trouvions si exceptionnel est maintenant souvent dédaigné de
ces grandes occasions. Il n'est plus un aliment rare, un symbole
d'opulence et d'appartenance aux classes sociales favorisées.
En se démocratisant, sa valeur symbolique s'en est trouvée
considérablement réduite.

Que reproche-t-on à McDonald's et ses hamburgers ? On
y voit un symbole de la mondialisation et surtout de l'emprise
américaine sur la culture française. En réalité, derrière les
attaques contre l'enseigne, c'est le spectre de l'Amérique qui
apparaît en filigrane. Le sociologue Olivier Benoît a mené
auprès des consommateurs une enquête sur le McDonald's. Il
a pu constater que les mots « invasion » et « envahissement »
revenaient régulièrement comme un leitmotiv. Pourtant, qui
sait que le plat le plus consommé au monde se trouve être la
pizza ? Qui s'en préoccupe et la considère comme un danger
pour notre identité nationale ? L'Italie n'est pas soupçonnée
d'impérialisme culturel. On ne s'en prend donc pas à ses symboles.

Au nom du « bien manger »

Il est donc très complexe ce rapport à la nourriture, très
intime. Il participe à l'élaboration de la personnalité et souvent
la structure. Face aux aliments, chaque individu est si unique
qu'il n'est pas exagéré, par analogie avec les empreintes digitales, de parler d'empreintes alimentaires qui permettraient
d'identifier chaque mangeur. S'il était possible de décrire avec
la précision requise le comportement du mangeur nous pourrions même aboutir à une identification aussi précise que celle

que nous obtenons aujourd'hui avec les codes ADN. Mais à la différence des empreintes digitales ou de la carte génétique, le comportement alimentaire, lui, n'est pas figé une fois pour toutes. Il est perpétuellement en mouvement. Et s'inscrit dans une dynamique inlassable qui se révèle être le reflet de ce que nous sommes, la somme de ce que nous avons été et toujours prête à s'adapter à des besoins en constante évolution.

Face à cette immense complexité, se trouve une science qui nous voudrait tous identiques. L'alimentation équilibrée, par son aspect normatif, n'a que faire de nos personnalités et de nos sensibilités individuelles, identitaires, psychologiques, symboliques et même biologiques. Cette volonté de standardisation est indifférente à ce que nous sommes et contribue à développer ce que nous pourrions considérer comme un véritable trouble de l'identité alimentaire. Nous subissons continuellement des campagnes d'informations nutritionnelles nous inondant d'innombrables conseils comme si nous n'étions que simples pâtes à modeler, sans passé, sans histoire, capables de nous transformer au gré des fantasmes d'une science en perpétuel mouvement.

➤ *Le mangeur apatride*

Si les Crétois sont heureux de ce qu'ils mangent, les Toulousains le sont tout autant. Ainsi que les Esquimaux, les Japonais, les Gascons, etc. Chacun ayant survécu en sachant s'adapter à un environnement différent. Tous ont le sentiment de leur appartenance culturelle et savent que leur manière de manger en est un élément fortement constitutif. Ces chercheurs qui voudraient nous faire manger de la bonne façon en prenant chez chacun de ces peuples ce qu'il y a de meilleur n'ont finalement réussi à inventer qu'un mangeur sans identité, sans histoire, totalement apatride.

Quel sens y a-t-il à vouloir faire manger du saumon trois par semaine à des Alsaciens ? De l'huile d'olive à des Normands ? Ou de l'ail à des Suédois ?

➤ *Le mangeur sans famille*

Peut-on imaginer le sentiment de rejet qui s'empare de ces enfants que l'on met au régime ? Pour les psychologues Pouillon et Le Barzic [1], le partage de la nourriture est un moyen privilégié pour l'expression et la réalisation du désir identificatoire. Ces enfants que l'on empêche de manger comme le reste de leur famille peinent à développer leur sentiment d'appartenance au groupe familial. Et c'est en pensant faire pour le mieux que les parents vont perturber les processus identificatoires de leur enfant. Ce dernier peut facilement se sentir rejeté par sa famille et pourra éprouver « le sentiment qu'il ne pourra jamais être comme ses parents voudraient qu'il soit et [...] n'aura d'autre choix que de tenter de se mettre au régime pour plaire à sa mère et conserver son amour au détriment de sa propre singularité ». La première rencontre avec le sentiment d'exclusion qui accompagne l'obésité dans notre société aura le plus souvent lieu au sein de sa propre famille.

Jacqueline a 36 ans et consulte aujourd'hui pour un surpoids et des compulsions. Elle se souvient, petite, de son premier régime. « Aussi loin que je m'en rappelle, ma mère a toujours fait attention à son apparence et toujours surveillé son alimentation ainsi que celle de mes sœurs. Peu de temps après mon huitième anniversaire, elle m'a emmenée chez le pédiatre pour qu'il fasse disparaître "mon petit bidon". Je ne crois pas que j'étais vraiment grosse. Mes copines ne m'ont jamais fait de réflexions désagréables. Ma grand-mère me trouvait adorable. Mais ma mère voulait prendre les

1. Le Barzic M., Pouillon M., *La meilleure façon de manger*, Paris, Éditions Odile Jacob, 1998.

devants. Elle disait toujours qu'elle s'était battue toute sa vie contre les kilos et qu'elle ne voulait pas que nous suivions le même chemin. Pour elle, c'était de la prévention. Pourtant en regardant aujourd'hui les photos de cette époque, je n'arrive toujours pas à comprendre comment elle a pu me trouver grosse. En tout cas, le résultat c'est que je suis au régime depuis 30 ans et que je n'ai jamais pu manger normalement.

Et j'avais horreur de cela. Les autres avaient leurs bouts de baguettes avec du chocolat, et moi j'avais des trucs qui ne ressemblaient à rien. La nourriture de ma mère me paraissait être une nourriture décalée. On ne mangeait jamais de frites ou de purée. On ne mangeait que les trucs qui étaient bons pour la santé, mais qui n'étaient pas marrants ! La nourriture avec ma mère, c'était plus une nourriture obligée. Il y avait toujours le devoir de manger comme il faut, et équilibré. Heureusement qu'il y avait mes grands-parents ! Je mangeais normalement chez mes grands-parents. En même temps, j'avais mauvaise conscience de manger normalement. Quand mon grand-père ne faisait des frites, ma mère me disait que les frites ce n'était pas bon pour la santé. C'était quand même un peu embêtant. Il faisait des sardines. Moi, j'aimais beaucoup les sardines. C'est pareil. Ma mère disait que c'était trop gras. Le chocolat était interdit. Il y avait beaucoup d'interdits dans la nourriture familiale [1]. »

Ces enfants, qu'ils soient gros ou seulement qu'ils le croient, vont donc souvent, d'eux-mêmes, se mettre au régime. Et ne plus manger comme leurs petits camarades. Au McDonald's, quand tout le monde se réjouira en commandant le fameux Big Mac, ils seront les seuls à manger la salade du pêcheur, la salade de fruits et le Coca light. Ce sont, là encore, les processus d'identification qui seront troublés. Eux mangeront une nourriture « saine et équilibrée » mais seuls, tandis que tous les autres se mettront des frites et du ketchup plein les doigts mais ensemble.

---

1. Anne Muxel.

➤ *Le mangeur sans identité*

Le régime perturbe les processus d'identification au groupe social ou familial. Mais, plus encore, il modifie notre rapport à sa nourriture et nous apprend que nous devons renoncer à ce que nous sommes. Jour après jour, nous tissons une relation intime et singulière avec les aliments. L'alimentation équilibrée viendra nous apprendre qu'il faut y renoncer pour adopter le modèle du bien manger.

Rappelez-vous Myriam. Pour maigrir, elle a accepté de renoncer au beurre salé de son enfance et au souvenir de ses grands-parents. À la place, elle mange de la margarine allégée. Bernard se force à manger des carottes et des crudités. On lui a affirmé qu'il n'était pas possible de maigrir sans manger de légumes. Catherine a renoncé au restaurant libanais et force son mari à l'accompagner dans des restaurants japonais. On lui a juré que c'était la cuisine la moins grasse.

Isabelle raconte d'où lui vient son amour des bonbons. « Enfant, je vivais dans une famille très modeste qui ne mangeait pas tous les jours ce qu'elle aurait aimé manger. Mon père était un homme dur et tyrannique qui privait volontiers ses enfants pour se garder la meilleure part. Au dîner, il était le seul à pouvoir manger la crème de marron que nous, les enfants, regardions avec envie et avidité. Chaque trimestre, ma grand-mère nous envoyait des colis de bonbons. Le jour où il arrivait, ma mère nous donnait, à ma sœur et à moi, un bonbon à chacune. Puis, elle installait le colis au-dessus du buffet de la cuisine, hors de notre portée, et on ne le revoyait plus. Quand j'ai commencé à travailler et à pouvoir disposer de mon premier salaire, savez-vous ce que j'ai fait ? J'ai dépensé ma paye tout entière en bonbons et en crème de marron. »

Imaginez le sentiment de liberté que ressent Isabelle chaque fois qu'elle mange des bonbons. Il n'y a rien qui puisse aussi bien la réconforter que quelques rouleaux de réglisse ou fraises Tagada. Parfois, il ne lui suffit de rien d'autre pour se consoler d'un petit malheur. Eh bien, elle aussi a accepté d'y renoncer. On lui a affirmé que ses bonbons, trop riches en sucre, l'empêcheraient de maigrir surtout si elle les mangeait entre les repas.

Peut-être pensez-vous que tout ceci est faire grand cas de bien peu de chose ? Après tout, on peut bien vivre sans manger de beurre salé, houmous, rouleaux de réglisse et en se forçant à manger quelques crudités. Tout d'abord pour renoncer à ce qu'on aime encore faut-il que cela soit utile. Ensuite, on ne soupçonne pas les conséquences qu'entraîne la suppression d'aliments qui sont si intimement liés à l'histoire d'une personne et qui avaient pour principale vertu de parvenir à leur procurer de l'apaisement ou du réconfort. En réalité, Myriam, Catherine, Isabelle n'ont pas pu renoncer aux aliments de leur enfance. Malheureusement, elles sont toutes les trois devenues des mangeuses restreintes et compulsives. Quand elles mangent leurs aliments réconfortants, elles ne savent plus s'arrêter. Elles en mangent de très grandes quantités en s'accablant de reproches. Le pire qui puisse arriver a fini par se produire : elles ont toutes appris à détester ce qu'elles adoraient autrefois sans pour autant être capables de s'en passer.

CHAPITRE IX

Mes émotions
me font manger

Nous parvenons au terme d'un parcours au cours duquel
votre relation avec la nourriture s'est profondément transformée. J'espère, à ce stade, vous avoir sincèrement réconcilié
avec les aliments et avoir largement amorcé l'indispensable
processus de paix nécessaire à votre perte de poids. Vous avez,
sans aucun doute, pris conscience qu'il était bien inutile, et
même nuisible, de manger en fonction de la composition des
aliments et qu'il était autrement important de vous interroger
sur ce que vous ressentiez. La disparition de l'état de restriction
cognitive vous aura permis de vous détacher des aliments, de
vous recentrer sur vous-même et de mieux connaître vos
besoins.

Beaucoup d'entre vous ont déjà commencé à maigrir mais
restent bien conscients qu'il leur reste encore du chemin à parcourir avant de crier victoire. Il vous reste également à vous
réconcilier avec votre corps et avec les autres, afin de retrouver
des émotions plus paisibles. Car, en effet, beaucoup se plai-
gnent que leurs émotions les font manger sans faim et se déses-
pèrent de ne rien pouvoir y changer. Cette situation les empêche
de maigrir ou entrave un amaigrissement pourtant déjà en
bonne voie.

Aline est une institutrice, mère de deux enfants. Et pesait presque
100 kg. Après avoir beaucoup travaillé sur sa relation avec la nourri-

ture, elle a enfin pu échapper à l'état de restriction cognitive. Grâce à cette paix qu'elle a conclue avec les aliments, elle a perdu une dizaine de kilos. Elle souhaite ardemment en perdre davantage. Mais constate qu'elle ne peut s'empêcher de manger sous l'effet de ses émotions. Elle a bien conscience de manger au-delà de sa faim et se rend compte que cette situation l'empêche de poursuivre son amaigrissement.

« Chaque fois que j'ai une contrariété, cela me donne envie de manger. Je sais que ce n'est pas de la faim, mais c'est plus fort que moi. Je ne peux pas l'éviter. J'ai toujours grossi dans les périodes difficiles de ma vie. Alors que je maigris quand tout va bien. Je maigris même pendant les vacances et je regagne du poids dès que je reprends mon travail. Il faudrait presque que je change de vie, mais ce n'est bien sûr pas possible. Quand je me dispute avec mon mari, quand j'ai trop de travail, quand mes enfants me répondent mal, quand ma mère me téléphone, tout est une occasion de manger. Je me précipite dans la cuisine et j'attrape ce qui me passe sous la main. Cela me soulage un moment, mais très vite je le regrette. Je me trouve nulle et je m'en veux de ne pas avoir plus de contrôle sur moi-même. Je sais bien que je mange pour compenser quelque chose. Mais, en attendant, je grossis et plus je grossis plus cela me fait manger. C'est comme si je voulais me punir. J'en viens à me demander si j'ai vraiment envie de maigrir. »

Aline décrit très bien les difficultés que certains rencontrent quand des émotions viennent les troubler. Ils se mettent à manger sans faim et grossir ou regrossir après des semaines d'efforts d'amaigrissement. Comble de malheur, se voir ainsi manger et anéantir tous leurs efforts, loin de les arrêter ne fait que les pousser à manger davantage. Les laissant ainsi dans une immense perplexité. Finissant par douter d'eux-mêmes et de leur désir de maigrir.

Nous allons donc essayer de comprendre les relations entre les émotions et le comportement alimentaire. Voici, pour nous y aider, un tableau qui figure schématiquement comment un individu se comporte avec ses aliments quand il doit faire face à une émotion. Le but, pour lui, étant chaque fois de se débarrasser d'une émotion qu'il supporte péniblement. Envisageons tout d'abord comment naissent les émotions. Nous situerons d'ailleurs cette discussion à un niveau émotionnel et non à un niveau événementiel ou matériel. Nous verrons que cette différence de point de vue présente un grand intérêt.

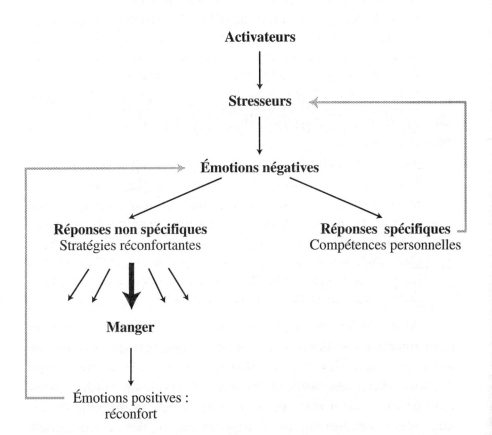

Comment naissent les émotions ?

Il existe plusieurs grandes théories sur les émotions. Christophe André et François Lelord, dans *La Force des émotions*, en distinguent quatre. Je ne les détaillerai pas mais nous retiendrons ici celle qui, en interrompant cette mise en relation automatique des émotions avec les prises alimentaires, permet d'obtenir, par ses applications thérapeutiques, les plus grands changements de comportements. Il s'agit donc de la théorie comportementale.

Pour les psychologues comportementalistes, les émotions négatives ne sont pas directement le résultat des situations que nous vivons mais plutôt de notre manière d'apprécier ces situations, de les penser. « Ce ne sont pas les événements qui troublent les hommes mais l'idée qu'ils s'en font », disait Épictète. Le même événement sera vécu différemment par chacun selon ce que l'on pourrait désigner comme sa personnalité. Ainsi, quand vous recevez un courrier de votre banque vous informant que votre compte est à découvert, certains réagiront calmement pensant que plaie d'argent n'est pas mortelle et que demain est un autre jour. Dans ce contexte, le risque de manger pour « compenser » une émotion apparaît relativement faible. Tandis que d'autres n'en dormiront pas de la nuit, s'imaginant déjà tous leurs comptes bloqués et qu'ils seront, dès le lendemain, signalés à la Banque de France, leurs chéquiers et leurs cartes de crédit confisqués. À cet instant, le risque de manger devient beaucoup plus élevé. On voit là qu'un événement identique peut entraîner des émotions différentes allant de la simple préoccupation à une très forte anxiété, selon le discours que la personne se tiendra face à ce même événement. Ce dernier activera un dialogue intérieur qui reflétera les schémas de pensée de l'individu. Dans un premier cas, le discours sera modéré et raisonnable. Tandis que dans le second, il sera très dramatique et exagéré. Dans la suite du texte, nous désignerons l'événement (le courrier de la banque) sous le terme d'activateur et le discours intérieur (c'est une catastrophe, je serai bientôt au RMI, ma femme m'abandonnera et mes enfants placés par la DASS) sous le terme de stresseur. Ainsi, les émotions qui pourront ensuite nous faire manger sont produites par des raisonnements, eux-mêmes activés par les événements que nous vivons.

Activateurs → Stresseurs → Émotions → Manger

Activateurs ou Événements	Stresseurs ou Discours intérieurs	Émotions	Manger
Je reçois un courrier de la banque m'annonçant un découvert.	**Discours 1 :** Plaie d'argent n'est pas mortelle. Demain est un autre jour.	Préoccupations, soucis.	Risque faible.
	Discours 2 : C'est une catastrophe. Ils vont bloquer mes comptes. Confisquer mon chéquier, mes cartes de crédits. Ma femme va me quitter...	Panique.	Risque majeur.

Les événements activateurs

Les situations qui activent le discours stresseur peuvent prendre de nombreuses formes, pas toujours simples à distinguer. Il pourra parfois s'agir d'événements externes, observables par la personne elle-même, ou d'événements internes prenant l'allure de pensées, d'émotions ou de troubles somatiques.

Événements activateurs externes		Événements activateurs internes	
Faits et choses observés	Publicité pour des aliments amincissants.	**Pensées**	Se dire que l'on a trop ou mal mangé (même si c'est faux)
Situations vécues	Ne pas trouver sa taille dans un magasin.	**Émotions propres**	Avoir honte de se préoccuper de choses aussi futiles que son apparence physique.
Comportements des autres	Réflexion d'une personne sur mon poids.	**Troubles somatiques**	Sentir son ventre gonfler.

Ainsi, le fait de ne pas trouver un vêtement à sa taille dans un magasin, d'atteindre un poids critique ou de manger un aliment dont on pense qu'il peut faire grossir pourra entraîner la personne dans un long discours intérieur très négatif sur son poids, la valeur qu'elle s'accorde, son avenir ou ses relations avec les autres.

Si autrefois les hirondelles annonçaient, paraît-il, le retour du printemps, aujourd'hui les régimes dans les magazines le font bien plus sûrement. Le printemps, comme chacun peut le constater, est un activateur redoutable du stress qui s'empare périodiquement de tous les infortunés candidats à la minceur.

Mais pourquoi le printemps est-il donc si redouté ? Car il est lui-même porteur d'une terrible annonce. Voici venu le moment de déployer tous les préparatifs qui permettront d'affronter le pire moment de l'année : l'été. Il faudra sortir les tenues courtes et légères. Dévoiler un corps que l'on dissimule ou que l'on essaye d'oublier tout le reste de l'année. Il faudra exposer les parties de son corps qui nous font honte. Enfiler des maillots de bain, s'exhiber presque nu sur les plages ou les piscines. Affronter l'épreuve de vérité, celle de la comparaison avec les autres corps et du terrible jugement des *Autres*. Et là, inévitablement, *ils* se rendront compte. Je ne pourrai plus tricher. *Ils* vont vraiment savoir qui je suis. Un être imparfait, incapable de se maîtriser. *Ils* le réaliseront et se détourneront. *Ils* me mépriseront pour cela et m'abandonneront. *Ils* verront à quel point toutes les autres sont plus belles et bien plus désirables que moi.

Ce ne sont, bien sûr, ni le printemps ni l'été qui constituent des stresseurs. Mais plutôt le discours intérieur qu'ils ne manqueront pas d'entraîner. Ainsi quand une personne affirme qu'elle devient anxieuse à l'approche de l'été, il est plus vraisemblable qu'elle est troublée par des pensées inconscientes concernant l'idée qu'elle se fait des conséquences de l'été et non par l'été lui-même.

Les stresseurs ou le discours intérieur

À quoi ressemblent donc ces stresseurs ? Il s'agit en réalité de raisonnements ou de pensées que l'individu se tient sur lui-même, les autres ou ses conditions de vie et qui prennent une allure dysfonctionnelle ou irrationnelle entraînant ainsi une distorsion de sa perception de la réalité. Ces pensées sont souvent automatiques et inconscientes, passant donc généralement inaperçues.

Nous recevons en permanence de notre environnement des informations qui donneront lieu à des pensées. Pour cela, nous devons d'abord traiter ces informations. Les mettre en ordre, leur donner une hiérarchie de valeurs, les sélectionner, en éliminer, les interpréter, anticiper l'inconnu à partir du connu. Pour réaliser cette réorganisation des informations nous devons donc décoder la réalité que nous percevons. Dans ce travail de la pensée, il arrive souvent que des erreurs viennent se glisser. En petit nombre chez le sujet « normal », elles deviennent particulièrement fréquentes chez les sujets présentant des difficultés psychologiques. Les psychologues ont parfaitement identifié les processus qui conduisaient à cette déformation de la réalité.

Processus de distorsion de la réalité		
Abstraction sélective	Le sujet ne sélectionne que les événements négatifs et élimine les événements positifs.	J'ai suivi mon régime toute la semaine, mais j'ai fait un écart ce week-end. Je l'ai donc complètement raté.
Inférence arbitraire	Le sujet émet des conclusions sans preuve.	Il rigole et se moque de moi parce que j'ai de grosses fesses.
Personnalisation	Le sujet s'attribue la responsabilité de tous les événements néfastes.	Si les gens s'ennuient ici c'est parce que je ne suis pas intéressante.
Maximalisation du négatif et minimisation du positif	Selon que l'événement est positif ou négatif, le sujet juge avec deux poids et deux mesures.	J'ai perdu un kilo, mais ça ne veut rien dire. J'ai pris un kilo, c'est le début de la fin.
Surgénéralisation	Le sujet juge tout l'ensemble en fonction de l'opinion qu'il se fait d'une partie.	Je suis absolument hideuse parce que j'ai de grosses cuisses.
Dichotomie	La loi du tout ou rien, du noir et blanc.	Ou bien je m'interdis de manger du chocolat ou bien je m'autorise à en manger une tablette entière.

Cependant, dès que l'on recherche ce qui se dissimule derrière ces raisonnements, on découvre que se tiennent des schémas de pensées représentant l'ensemble des croyances ou des convictions intimes que la personne entretient sur elle-même et sur le monde. Elles représentent, d'une certaine façon, ses lois de fonctionnement internes. Ces dernières peuvent parfois se transformer en de véritables croyances irrationnelles qui se caractérisent presque toujours par la forme tyrannique et rigide qu'elles peuvent prendre. Ce qui devrait n'être que préférences de vie se transforment en exigences inviolables auxquelles il n'est plus possible de déroger sous peine de s'exposer à de très violentes émotions négatives. Ces exigences décrites par de nombreux psychologues, et en particulier dès 1950 par la psychanalyste Karen Horney, prennent l'allure d'injonctions absolues ou d'impératifs moraux énoncés sous forme de « il faut » ou « je dois ». Le psychologue Albert Ellis considère qu'il existe trois niveaux d'exigences : envers soi-même, envers les autres et envers ses conditions de vie.

Exigences	Formulation générale	Exemples	Émotions
Envers soi-même	Je *dois* à tout prix réussir dans toutes les tâches que j'entreprends. Je *dois* être aimé entièrement ou approuvé par les gens qui comptent à mes yeux.	Je ne *dois* jamais faire d'écarts à mon régime. Je *dois* être mince pour être aimé et apprécié.	Anxiété Dépression Sentiment d'incompétence Haine de soi
Envers les autres	Les autres *doivent* m'aider à obtenir ce que je veux et m'empêcher de subir ce que je ne veux pas. Il *faut* que les autres m'aiment et m'approuvent quand je le désire.	Mon mari a acheté une tablette de chocolat. Il le fait exprès pour m'empêcher de maigrir. Il *devrait* être plus coopératif. Si les gens m'apprécient quand je suis mince, ils *doivent* tout autant m'apprécier quand je suis grosse.	Colère Rage
Envers les conditions de vie.	Il *faut* que la vie me soit toujours agréable et douce, sinon je ne peux la supporter.	Je suis très contrarié car les gros sont mal considérés dans cette société. Elle *devrait* être plus tolérante.	Faible intolérance à la frustration. Découragement.

D'autres psychologues ont cherché à formuler plus précisément ces schémas et à identifier ceux qui revenaient le plus souvent dans les thérapies. En voici quelques exemples :

Amour	Je ne peux être pleinement heureux si je ne suis pas aimé de tous.
Performance	Je *dois* réussir parfaitement tout ce que j'entreprends.
Autonomie	Je *dois* pouvoir me débrouiller tout seul, demander de l'aide est un signe de faiblesse.
Approbation	Je ne *dois* jamais contrarier les autres sous peine de perdre leur affection.
Vigilance	Je *dois* être attentif à tout ce qui se passe autour de moi, l'imprévu peut toujours surgir.

Ces schémas sont généralement très légitimes et partent d'une intention parfaitement louable. Ils ne deviennent problématiques que s'ils se transforment en exigences ou en objectifs absolus. Il n'est pas absurde de souhaiter être aimé par de nombreuses personnes. L'existence ne pourra sans doute s'en trouver que plus heureuse et gratifiante. Mais quel sens y a-t-il à organiser toute sa vie pour y parvenir ? À faire de l'amour ou de l'approbation des autres la raison de chacun de ses actes ? Ne jamais oser contrarier personne, ne jamais rien pouvoir faire ou pouvoir dire de peur d'être mal jugé et abandonné ? Finir par devenir dépendant de l'affection de personnes pour lesquelles l'on n'est pas certain d'éprouver de l'estime ? N'est-il pas absurde de vouloir se faire aimer ou approuver de tous, y compris de ceux que l'on méprise ou que l'on réprouve ?

Chaque fois que nous nous fixons un objectif précis, mais sans nous imposer d'exigences absolues à cet égard, nous éprouvons, en cas d'échec, des émotions constructives comme le chagrin, le regret, la déception et le déplaisir. Nous ne serons pas dominés par les émotions incontrôlables que sont la dépression, la fureur ou l'angoisse. Car l'énoncé d'une préférence ou d'une aspiration semble toujours s'associer à l'expression d'un *mais* ou d'un *si* qui traduit notre capacité à affronter nos revers. Bien au contraire, l'exigence absolue ne comporte aucun *mais* ni aucune préférence. Elle dit formellement que nous avons *l'obligation* de réussir quel qu'en soit le prix et ne fait que traduire notre peur d'affronter nos échecs, nos défaites, nos erreurs. Bien des personnes sont ainsi convaincues que la pression qu'elles s'imposent dans la réalisation de leur projet constitue le secret de leur réussite. Elles se persuadent que l'anxiété qu'elles s'infligent les fait progresser plus loin. Elles commettent là une grave erreur qui leur fera atteindre bien plus tôt la limite de leur force. Il n'est pas utile d'être anxieux pour réaliser de grands projets, il suffit pour cela d'être simplement très motivé et de conserver son sang-froid. Nous verrons comment l'anxiété que génèrent les personnes qui veulent maigrir, n'aboutira au contraire qu'à les faire grossir. Simplement parce qu'elles ont transformé une préférence, sans doute légitime, en exigence absolue traduisant la peur immense qu'elles éprouvent à l'idée de ne pas y arriver.

Imaginons un joueur de tennis disputant la finale d'un tournoi du grand Chelem. Si ce joueur, croyant mieux se motiver, se présente sur le terrain en se disant : « Je dispute le match de ma vie, je *dois* absolument le gagner. Si je le perds, je suis un homme fini », ce joueur, avant même de pénétrer sur le terrain, a déjà perdu sa partie. Car, en plus de son adversaire, il devra surtout lutter contre sa peur de perdre un match dont il vient de faire un enjeu vital. Il est très probable qu'au cours du jeu, sous l'effet de l'anxiété intense qu'il a fait naître, il commette de graves erreurs qui pourront lui faire perdre les points difficiles. Ses émotions joueront contre lui. En revanche, s'il se présente sur le terrain dans un autre état d'esprit, en se disant : « Je me suis entraîné du mieux que j'ai pu et j'ai bien l'intention de me battre de toutes mes forces. Mais si je perds je suis capable d'affronter ma défaite. Je pourrai faire face à un échec », il est probable, dans ce cas, que la pression psychologique sera moindre. Il n'est bien sûr pas certain que ce joueur gagne sa partie. Mais s'il perd ce sera seulement que, ce jour-là, son adversaire aura été meilleur que lui et non qu'il lui aura fait cadeau des points. Ce joueur, bien qu'il soit moins anxieux, n'en est pas pour autant extrêmement motivé. Il n'a nullement l'intention de perdre son match et la perspective d'une défaite ne le réjouit en aucune façon. Il se sent simplement la force d'affronter ce qu'il redoute : ne pas sortir victorieux d'une épreuve qu'il aura préparée avec acharnement. Il n'a pas transformé cette victoire en une exigence absolue, mais un objectif souhaitable pour lequel il se sera battu vaillamment et auquel il se sent capable de renoncer si les conditions l'imposent. Cette fois, ses émotions joueront pour lui.

Les émotions

Tous ces stresseurs vont produire des émotions négatives dont la personne cherchera naturellement à se libérer. Il s'agit même là de la fonction la plus importante des émotions négatives. Elles constituent des signaux d'alerte qui doivent entraîner une mobilisation de l'individu afin qu'il réagisse précisément aux événements qui le troublent. Ces émotions sont essentielles à notre existence. Elles nous motivent à changer et à transformer notre environnement. Grâce à elles, notre vie change et le monde évolue. Pensez à ce que l'indignation, la révolte ou la colère ont apporté dans l'histoire de l'humanité. La peur nous rend prudents et nous incite à nous entourer de précautions. La tristesse nous pousse également à agir afin d'éviter des pertes douloureuses, qu'elles soient matérielles ou humaines. Ces émotions sont constructives quand elles nous font adopter des comportements qui amélioreront notre existence. Leur absence peut donc se révéler terriblement néfaste. Et il ne serait guère souhaitable de vouloir s'anesthésier pour ne plus rien ressentir.

➤ Pas assez d'émotions

Il existe d'ailleurs des personnes souffrant de lésions cérébrales les privant totalement d'émotions. Antonio Damasio rapporte dans son livre *L'Erreur de Descartes* l'histoire survenue en 1848 et aujourd'hui devenue célèbre du jeune Phinéas Gage. Ce dernier, après avoir eu le crâne traversé de part en part par une barre de fer longue d'un mètre dix et large de trois centimètres a miraculeusement survécu à ses blessures. Après cet étonnant accident, il a pu conserver intactes toutes ses facultés physiques et intellectuelles. Mais les dommages causés à la zone frontale de son cerveau le privèrent de ses émotions. Le résultat fut qu'il devint parfaitement incapable d'assurer son indépendance économique et malgré toutes ses anciennes qualités fut chassé de tous les emplois auxquels il postula. Sa lésion lui fit perdre le respect des conventions sociales et des règles morales antérieurement apprises. Il devint incapable d'anticiper l'avenir et de prendre les décisions exigées par son environnement social. Au contraire, toutes les décisions qu'il prenait montraient l'absence de son sens des responsabilités envers lui-même et les autres et s'avérèrent infailliblement désastreuses pour son avenir et ses intérêts immédiats. L'absence d'émotions entraîne chez les individus une telle perturbation de leurs mécanismes de prise de décision qu'ils en deviennent rapidement des êtres sociaux totalement inadaptés.

➤ Trop d'émotions

À l'inverse, l'excès d'émotions trop fortes peut aussi facilement nuire au fonctionnement de la personne. Les grandes émotions comme la colère, la peur ou la tristesse, prennent des intensités très variables. Elles évoluent pour la peur, de la sérénité à la panique. Pour la colère, du calme à la fureur. Et pour la tristesse de la béatitude à la dépression. Des émotions si violentes, outre qu'elles sont vécues péniblement, présentent de nombreux désavantages. Le premier, pour ceux qui souhaitent maigrir, est qu'elles présentent un risque très élevé de faire manger. Le second est qu'elles entraînent bien souvent de désastreuses conséquences. Les degrés les plus extrêmes de ces émotions ne sont-ils pas, en effet, très proches de pertes de contrôle au cours desquelles l'individu ne parvient plus à conserver la maîtrise de lui-même et finit par se comporter de manière désordonnée et incohérente ? Les actions qu'il mène quand il se trouve dans ces états sont généralement sans aucune efficacité. Il finit plutôt par provoquer le contraire de ce qu'il souhaitait obtenir. Sous l'empire de la panique, plutôt que d'éviter le danger il se précipitera à sa rencontre. Sous l'empire de la colère, plutôt qu'arranger la situation il ne fera que l'envenimer. Sous l'empire de la dépression plutôt que d'aller vers les autres il ne fera que se replier sur lui-même et ses idées noires. Des émotions d'une telle force sont bien souvent le fruit d'un discours irrationnel empreint d'exagération et de dramatisation. De « catastrophisation ». Si à la place, le sujet parvenait à se tenir un discours plus rationnel et plus distancié, les émotions qu'il éprouve deviendraient moins pénibles et par conséquent plus gérables.

	Minimum	Modéré	Maximum
Peur	Sérénité	Préoccupation	Panique
Colère	Calme	Mécontentement	Fureur
Tristesse	Béatitude	Morosité	Dépression

Laurent, qui habite en banlieue, doit se rendre un matin à Paris à un rendez-vous d'embauche très important pour lui. Il prévoit de partir très tôt afin d'être certain de ne pas arriver en retard. Il prévoit également de prendre son petit déjeuner dans sa voiture et s'arrête dans une épicerie pour acheter un paquet de gâteaux secs et une bouteille de jus de pomme. Laurent n'a pas très faim et se nourrit de trois gâteaux et de quelques gorgées de jus de fruits. Par malchance, un accident de la circulation provoque un gigantesque bouchon. Le temps passe et Laurent sent la panique monter à l'idée de ne pas être à l'heure. « Je ne dois absolument pas être en retard. Il faut absolument que je donne une bonne impression à mon futur employeur. Je ne serai pas embauché si je le déçois dès le premier jour... » Il décide donc de quitter l'autoroute et de rejoindre Paris en passant par les villes de la périphérie. Dans son affolement, il lit mal le plan qu'il utilise pour trouver son chemin et finit par se perdre dans les rues de Paris. Effectivement, Laurent arrive à son rendez-vous avec quelques minutes de retard. Et tellement anxieux qu'il craint de rater son entretien. Dans le même temps, sur le trajet, il a entièrement dévoré le paquet de gâteaux secs et englouti toute la bouteille de jus de pomme. Le fait de s'être rendu démesurément anxieux ne l'a pas aidé à adopter des comportements plus efficaces.

Activateurs ou Événements	Stresseurs ou Discours intérieurs	Émotions	Conséquences
Je suis pris dans un embouteillage. Je risque d'être en retard.	Je ne *dois* jamais être en retard. Je ne *dois* jamais décevoir. Je ne serai pas embauché.	Affolement.	— Laurent se perd et arrive en retard. — Il mange un paquet de gâteaux secs et un litre de jus de fruits. — Il est très anxieux pour son entretien.

Se débarrasser de trop d'émotions

Réagir à une émotion négative s'avère donc parfaitement légitime. Et conduit à résoudre bien des problèmes. Pour cela, l'individu dispose de deux types de réponses.

Les réponses spécifiques

Les premières sont considérées comme spécifiques du stresseur, elles permettent d'agir sur ce dernier en modifiant l'idée que se fait la personne de l'événement qui la trouble. Elle y parvient généralement en réfléchissant plus tranquillement. En prenant du recul, en introduisant dans sa manière de penser plus de distance, en rationalisant et en dédramatisant la situation. Elle parviendra ainsi à tempérer ses émotions et commencera peut-être à envisager les premières mesures qui lui permettront de résoudre son problème.

Même si ma première réaction face au courrier de la banque est très disproportionnée, je peux dans un second temps me ressaisir et me raisonner. Je passerai d'une forte anxiété à une saine préoccupation qui me fera réfléchir à toutes les éventualités envisageables. Je pourrais dès le lendemain téléphoner à mon banquier et chercher avec lui une manière de résoudre le problème. Même si les solutions qu'il me propose ne me font guère plaisir, elles n'auront pas les mêmes conséquences que celles que j'avais imaginées sous le coup de la panique. Par ailleurs, le sentiment de panique que j'ai ressenti était si intolérable qu'il me fallait à tout prix m'en délivrer alors que je pouvais tolérer de simples préoccupations.

De même, Laurent aurait pu s'y prendre autrement s'il avait raisonné différemment. « La personne avec qui j'ai rendez-vous sera peut-être mécontente mais elle ne pensera pas nécessairement du mal de moi si je lui explique ce qui m'est arrivé. J'ai pris toutes les précautions possibles et j'ai réellement fait de mon mieux pour ne pas être en retard. Il est certainement préférable d'être à l'heure à ses rendez-vous mais, n'étant pas maître de tous les événements, je ne peux en faire une exigence absolue. » Il aurait sans doute été préoccupé de ce qu'allait penser son futur employeur mais non pas à ce point affolé. Il aurait mieux réussi à déchiffrer son plan de Paris et ne se serait sans doute pas perdu en cours de route. Dans son affolement, Laurent n'a pas pensé qu'il aurait simplement pu prévenir, depuis son téléphone portable, qu'il risquait peut-être d'avoir quelques minutes de retard. Il n'aurait pas été en proie à des émotions fortes qu'il a eu besoin de neutraliser en mangeant pour se réconforter.

Activateurs ou Événements	Stresseurs ou Discours intérieurs	Émotions	Conséquences
Je suis pris dans un embouteillage. Je risque d'être en retard.	Il est sans doute préférable d'arriver à l'heure. Toutefois, j'ai fait de mon mieux et ne peux prévoir l'imprévisible. Peut-être la personne sera-t-elle mécontente, mais elle ne pensera pas nécessairement du mal de moi.	Inquiétude.	Laurent ne se perd pas et arrive à l'heure. Il ne mange que quelques gâteaux. Il annonce qu'il pourra avoir quelques minutes de retard et passe pour un homme courtois. Il aborde son entretien avec moins d'anxiété.

Ainsi, s'agissant du contrôle de nos émotions, les réponses spécifiques sont celles qui agiront directement sur la cause de l'émotion, le stresseur, et parviendront donc à modifier nos émotions. Celles-ci resteront modérées et conserveront leur rôle d'alarme sans nous priver des moyens d'agir avec efficacité et ainsi d'atteindre les objectifs que nous nous sommes fixés.

	Émotions tempérées	**Émotions fortes**
Discours	Rationnel	Irrationnel
Efficacité	Possibilité d'agir sur les événements.	Difficultés ou incapacité à modifier les événements dans un sens favorable.
Objectifs	Possibilité d'atteindre ses objectifs.	Incapacité à atteindre ses objectifs.

Les réponses non spécifiques

Les secondes réponses sont considérées comme non spécifiques. Car elles n'agissent pas sur le stresseur et ne le modifient en rien. Elles agissent directement sur l'émotion elle-même. Et sont seulement destinées à produire des émotions positives dont le rôle sera de venir neutraliser les émotions négatives. Bien qu'elles laissent le problème en l'état, elles pourront néanmoins apporter un certain soulagement en procurant un réconfort attendu. À cet effet, chaque individu possède un répertoire de stratégies réconfortantes dans lesquelles il peut puiser : boire, manger, fumer, faire l'amour, ouvrir sa collection de timbres, dépenser de l'argent, aller chez le coiffeur, partir en week-end, rencontrer des amis, faire des mots croisés, aller au cinéma, etc.

C'est donc dans ce cadre que la nourriture trouve sa place et peut être considérée comme « une réponse alimentaire à un problème non alimentaire » tout aussi naturelle que faire les boutiques ou des mots croisés. À cet instant, en se nourrissant, l'individu s'attend à éprouver une sensation agréable qu'il nomme plaisir, apaisement, soulagement, détente, décompression... Ce comportement traduit l'une des fonctions les plus naturelles et les plus heureuses de la nourriture : la production d'un réconfort. Quand la semaine a été désastreuse, que rien ne s'est passé comme il le fallait, Monsieur dit à Madame : « Ce soir, Chérie, nous nous offrons un bon petit restaurant. » Et pendant trois heures, Madame et Monsieur se réconfortent et oublient tous leurs tracas. Ils mangent une nourriture réconfortante, qu'ils ont soigneusement choisie, qu'ils apprécient, dans laquelle ils trouvent du plaisir et qui, aussitôt après et peut-être même beaucoup plus tard, laissera dans leur mémoire encore une trace... de plaisir. Lundi, les problèmes n'auront pas disparu, mais le week-end aura été plus détendu et les problèmes seront abordés plus sereinement. Voilà donc un repas réconfortant qui a produit l'effet que l'on attendait de lui : des émotions positives qui ont momentanément neutralisé les émotions négatives. Cette réaction est parfaitement normale. Nous mangeons tous pour nous réconforter, même si nous n'en prenons pas conscience. Nous attendons, sans nous en rendre compte, de tous nos repas, même les plus quotidiens, qu'ils produisent ce réconfort. Mais d'autant plus quand nous cherchons à nous débarrasser d'une humeur négative. Aucun individu ne parviendrait à se nourrir de pilules ou de sachets apportant des nutriments réduits à leur simple expression biochimique. Nous dépéririons tous dans ces conditions, alors même que nos besoins biologiques auraient été couverts.

Cependant, manger ne constitue une stratégie réconfortante que dans la mesure où cela produit des émotions positives. Ce qui n'est plus le cas quand la personne se trouve en état de restriction cognitive.

> Tout le monde mange pour se réconforter.
> Manger ne constitue une stratégie réconfortante
> que dans la mesure où cela produit des émotions
> positives.

Les chercheurs ont pu démontrer que la prise alimentaire était une réponse adaptative normale aux états de stress. Ainsi, on constate que la prise de nourriture permet de faire baisser la concentration sanguine des marqueurs biologiques du stress : adrénaline, cortisol... À une condition toutefois. Il est nécessaire que le mangeur se nourrisse d'un aliment qu'il affectionne : une glace au chocolat pour Marine, un chèvre bien sec pour Bertrand ou une jolie madeleine pour Marcel... Proust. On sait que le mangeur, en choisissant des nourritures qu'il apprécie, active ce que l'on appelle aujourd'hui ses systèmes récompensants (endorphines, dopamine) qui produisent un effet apaisant. Ce phénomène existe aussi chez les sportifs qui sécrètent également les mêmes substances à l'effort. Il explique ainsi comment le sport viendra s'inscrire dans le répertoire des stratégies réconfortantes de certains individus. Manger des glaces, du fromage ou des madeleines représente pour le mangeur un moyen physiologique de réguler son stress, s'expliquant par les relations biologiques étroites entre le stress et le comportement alimentaire.

> La maladie du mangeur restreint n'est pas de
> chercher à se réconforter en mangeant.
> Elle est de ne pas y parvenir.

Je gère mal mes émotions

Voici donc comment les choses se passent dans le meilleur des mondes. Il faut bien reconnaître qu'elles se présentent parfois de façon sensiblement différente. À chacune des étapes que nous avons décrites peuvent, en effet, surgir des difficultés qui empêcheront le mangeur de trouver les solutions ou le réconfort qu'il espère de sa nourriture.

Je n'identifie pas mes pensées stressantes

La personne peut, en effet, s'avérer incapable d'identifier le stresseur ou de formuler le problème qui la préoccupe. S'il est assez aisé de retrouver la situation qui a activé le stresseur, il n'est pas si simple de percevoir les schémas de pensée qui nous font réagir face à cet événement.

Jacqueline a confié quelques travaux de décoration de son appartement à un petit artisan. Après une difficile journée de travail, elle rentre à la maison en s'imaginant déjà les transformations de son nouvel intérieur. À peine pénètre-t-elle dans le salon qu'elle repère aussitôt la tringle à rideaux fixée trop haut qui empêche les rideaux de descendre jusqu'au sol. Elle est prise d'une soudaine fureur, peste contre le responsable et pour finir se précipite dans le réfrigérateur pour apaiser sa colère. Jacqueline pense que c'est l'incompétence de l'ouvrier qui est la cause de cette envie de manger et s'étonne de la violence de son émotion pour une simple tringle à rideaux mal posée. En réalité, notre mangeuse est divorcée et vit seule avec ses enfants dont elle partage la garde. En constatant le travail mal fait, elle s'imagine déjà sortir ses outils pour rattraper les dégâts et se dit que ce n'est vraiment pas le travail d'une femme.

Si elle et son mari ne s'étaient pas séparés, elle ne serait pas aujour-d'hui obligée de surveiller les travaux. Elle se sent accablée. Selon elle, son ex-mari ne s'occupe pas suffisamment de leurs enfants. Bien qu'il assume ses obligations, elle a le sentiment qu'il la laisse trop souvent se débrouiller toute seule. Elle ne dispose plus d'aucun moment à elle, elle rêve d'un peu de tranquillité, d'une présence masculine qui l'épaulerait pour affronter une vie pleine de contraintes. La tringle à rideaux n'a pas grand rapport avec tout cela, elle a tout simplement joué un rôle déclenchant et activé un train de pensées stressantes. (Exigence envers les conditions de vie : « La vie ne devrait pas être aussi difficile. »)

Patricia est maquettiste dans une agence de publicité qui l'apprécie grandement pour sa méticulosité et son perfectionnisme. Et dont elle ne se prive d'ailleurs pas d'abuser. Un client lui demande de remettre une épreuve imprévue pour le lendemain. Patricia hésite mais accepte finalement de rendre ce service que raisonnablement elle aurait dû refuser. Le délai est bien trop court. Puis, au lieu de penser qu'il n'est pas possible d'atteindre la même qualité de rendu pour une exécution qui exigerait trois fois plus de temps, elle préfère « mettre les bouchées doubles » et trouver le moyen de rendre un travail parfait, quitte à sortir de cette affaire épuisée et stressée. Tout en mangeant pour chercher à se réconforter. Dans ses schémas de pensée, Patricia se doit de toujours être à la hauteur et de ne jamais décevoir afin de mériter l'estime et l'approbation de son entourage. Elle ne peut donc ni refuser la demande de son client, ni lui annon-cer, compte tenu des circonstances particulières, qu'il devra se contenter d'un travail moins achevé qu'à l'habitude. Il sera plus facile pour Patricia de s'en prendre à ses conditions de travail, à sa mauvaise organisation. Pourtant, même si elle change de travail, elle se trouvera toujours face à ces mêmes difficultés qui ne tiennent pas à son contexte professionnel mais à sa manière de penser. (Exi-gence envers soi-même et les autres : « Je dois toujours réussir tout ce que j'entreprends », « Je ne dois jamais contrarier les autres sous peine de perdre leur considération »).

Je perçois mal mes émotions

La personne peut également s'avérer incapable de reconnaître les émotions qui la troublent et encore moins de les exprimer. Ce que les psychologues désignent sous le terme d'alexithymie. Plutôt que d'éprouver la colère, la peine, la tristesse, la déception... elle ne ressentirait qu'un mal-être diffus lui rendant encore plus difficile l'identification de ses stresseurs.

Claudine prétend bien souvent ne pas avoir le moral. On la dit taciturne et réservée. Elle ne comprend pas ce qui parfois la met mal à l'aise. Ce qui agace son mari qui lui demande souvent de s'expliquer. Elle ne trouve pas de bonnes raisons et ne peut que lui dire qu'elle se sent fatiguée, agacée, mal dans sa peau et qu'elle trouve un soulagement dans la nourriture.

Le fait de ressentir de la contrariété doit normalement conduire l'individu à s'interroger sur les événements et les pensées qui ont généré cette émotion. Il pourra ainsi tenter d'agir pour que ces situations ne se reproduisent plus afin de ne plus être aux prises avec des émotions qui lui déplaisent. De la même manière, s'il se sent triste c'est que des événements souvent associés à des pertes douloureuses ont provoqué un train de pensées tristes. Il réagira à l'avenir de façon à minimiser le risque de nouvelles pertes.

Beaucoup de psychologues voient dans cette incapacité à exprimer ses émotions l'origine de bien des difficultés psychologiques et même physiques qu'ils désignent sous le terme de maladies psychosomatiques.

Je ne sais pas comment m'y prendre

On peut envisager des situations au cours desquelles la personne identifie bien le stresseur et les émotions qui la troublent mais ne sait comment résoudre ses difficultés. Elle peut, en effet, ne pas disposer des compétences personnelles qui lui permettraient de faire face à son problème.

Jacqueline vient d'essuyer une remarque particulièrement injuste de la part de son patron. Ce qui la met légitimement en colère. Cependant, Jacqueline n'ose pas réclamer une explication, alors qu'il s'agit d'un homme généralement pondéré et courtois. Elle craint de ne pas savoir se contrôler et de prononcer des mots qui dépasseraient sa pensée. Elle « ravale » donc sa colère et rentre chez elle dans un grand état de nervosité qu'elle apaise en mangeant.

Dans ce cas, Jacqueline souffre d'un manque de savoir-faire. En l'occurrence d'un déficit d'affirmation de soi qui lui aurait permis sans agressivité de faire valoir son droit.

Je n'ai pas d'autres sources de satisfaction que la nourriture

Devant l'absence de solutions spécifiques, une personne peut recourir trop systématiquement à des réponses palliatives. Et prendre conscience que, au sein d'un répertoire trop étroit de stratégies réconfortantes, elle ne retient parmi elles qu'une réponse stéréotypée qui serait la prise alimentaire. Il peut donc s'avérer utile de posséder un répertoire plus étendu de stratégies réconfortantes.

Ainsi, vous-même, quand vous n'avez pas le moral, comment vous y prenez-vous pour vous réconforter ?

Mes aliments ne me réconfortent plus

Enfin, dans le contexte qui nous occupe, la prise alimentaire peut ne pas produire le réconfort escompté et aboutir parfois à une consommation exubérante de nourriture. Sous l'effet de la restriction cognitive, le mangeur ne parvient plus à penser du bien des aliments qu'il consomme. Ces derniers sont devenus « mauvais à penser ». En mangeant son chocolat, plutôt que de penser : « Ah, enfin un peu de douceur dans ce monde de brutes », le mangeur se dit : « Le monde est vraiment trop cruel et je ne peux même plus compter sur le chocolat que j'aime tant et qui est en train de me rendre difforme. » Après quelques courts instants de plaisir, la consommation d'aliments entraîne le mangeur dans un long monologue intérieur au cours duquel il s'accable de quantité de reproches épouvantables puis se noie dans les remords. Ce nouveau discours donnera lieu à d'autres émotions négatives comme la culpabilité, la honte, la tristesse ou la colère. Ainsi, plutôt que de produire les émotions positives espérées, les aliments produiront de nouvelles émotions négatives qui ne pourront donc en rien venir neutraliser celles qui avaient motivé la prise alimentaire. Et ainsi, comme nous l'avons vu, la personne ne parvient plus à s'arrêter de manger. Voici quelques pensées pouvant produire des émotions négatives :

Activateurs ou Événements	Stresseurs ou Discours intérieurs	Émotions	Conséquences
Je mange des aliments « grossissants ».	Tout ça, c'est de ma faute. Je n'avais qu'à pas en acheter. Je m'étais pourtant juré de ne pas recommencer.	*Culpabilité*	Je continue à manger.

Activateurs ou Événements	Stresseurs ou Discours intérieurs	Émotions	Conséquences
Je mange des aliments « grossissants ».	J'étais tellement heureuse quand j'étais mince. Je ne pourrai jamais retrouver ce bonheur.	*Tristesse*	Je continue à manger.
	Je ne m'en sortirai jamais. Je suis en train de foutre ma vie en l'air.	*Désespoir*	
	Je me sens vraiment nulle. Je ne vaux rien. Je n'ai aucune volonté.	*Honte*	
	C'est vraiment trop injuste. Tout le monde y arrive sauf moi.	*Colère*	
	Je ne connaîtrai pas le bonheur d'être mince et jolie.	*Déception*	

Nous avons déjà beaucoup travaillé pour modifier votre relation avec la nourriture, de manière que vous parveniez maintenant à penser du bien de vos aliments.

Et la vie n'est plus qu'un problème de poids

Au bout du compte, nous assistons à un véritable phénomène de substitution au cours duquel la séquence activateur → stresseur → émotions → manger est remplacée par une nouvelle séquence qui aboutira également à une prise alimentaire. Voyons comment cela se passe avec un exemple.

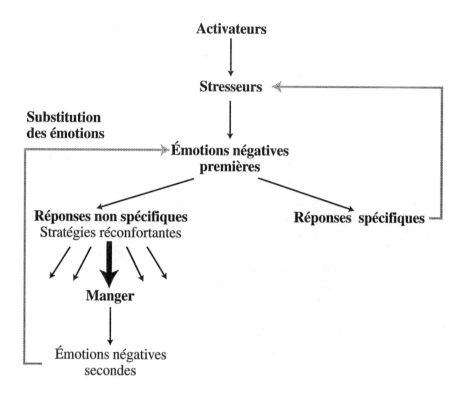

Michèle est très en colère contre son mari qui lui faisait observer qu'elle avait beaucoup grossi depuis leur mariage. « Mon mari n'a pas à me faire de telles remarques, se dit-elle. Il n'a aucun respect pour moi. Je le sais bien que j'ai grossi. Je n'ai pas besoin qu'on me le répète. Et lui d'ailleurs, il ne s'est pas regardé. Il n'a plus un seul cheveu. Est-ce que je le lui fais remarquer ? » Michèle entre progressivement dans une immense colère qu'elle va apaiser en mangeant.

À ce moment, la réponse au trouble émotionnel, au lieu d'apporter le soulagement attendu se transforme elle-même en un nouvel activateur : Michèle se voit manger sans faim des aliments dont elle pense du mal car elle suppose qu'ils la feront grossir.

Et c'est ici que se produit la substitution, faisant passer la réflexion du mari de Michèle au second plan. Le fait de manger sans faim vient alors prendre la première place et active un discours très négatif relatif à la prise de poids et à ses conséquences. Celui-ci, à son tour, générera de nouvelles émotions que Michèle cherchera encore à neutraliser en mangeant.

Activateurs ou Événements	Stresseurs ou Discours intérieurs	Émotions	Conséquences
Réflexion du mari de Michèle.	(Exigence envers les autres.) Il ne devrait pas me faire des réflexions déplaisantes, c'est une atteinte à ma dignité. Il ne me respecte pas.	Fureur.	Michèle mange sans faim pour neutraliser sa colère.
↓	↓	↓	↓
Nouvel activateur Michèle se voit manger sans faim des aliments « grossissants ».	**Nouveau stresseur** C'est une catastrophe. Je vais encore grossir. Ma vie deviendra insupportable.	**Nouvelles émotions** Culpabilité Honte Tristesse.	**Conséquences** Michèle continue à manger. Non plus pour neutraliser sa colère mais les nouvelles émotions qui sont apparues : la culpabilité, la honte ou la tristesse. Elle ne parvient plus à s'arrêter de manger.

Toutes les situations de la vie quotidienne pourront donc jouer un rôle d'activateur. Ce seront des événements parfois anodins (fuite de la machine à laver, retard à un rendez-vous...) ou parfois plus importants (difficultés relationnelles avec un proche, adversités telles que maladies, problèmes profession-nels...). Chacune de ces situations activera des stresseurs tradui-sant des schémas de pensées tyranniques prenant souvent la forme d'impératifs moraux ou d'exigences absolues. Ils sont caractéristiques de la personnalité de chacun et peuvent entraî-ner toutes sortes d'émotions négatives (colère, tristesse, anxiété, jalousie...). Or ces émotions, quand elles seront trop fortes, provoqueront très souvent des prises alimentaires.

Par l'action du mécanisme de substitution, ces dernières se transformeront elles-mêmes en activateurs d'un monologue pondéral (je n'aurais pas dû manger, je n'y arriverai jamais...). Et c'est ainsi que, quelle que soit la difficulté, le mangeur sera immanquablement ramené, toujours et encore, à son problème de poids. Au point qu'il finira, à juste titre, par considérer que toute sa vie tourne autour de son poids, de ses efforts d'amai-grissement et des aliments.

Quand ces situations de fortes turbulences émotionnelles sont trop fréquentes, elles justifient la recherche d'une aide auprès d'un professionnel, psychiatre ou psychologue. Une trop grande émotivité rend l'existence souvent plus difficile et, dans ce cas, un travail personnel dans le cadre d'une psychothérapie peut s'avérer un précieux soutien.

Quoi qu'il en soit, au-delà de l'histoire personnelle de chacun, il existe un stresseur commun à tous les mangeurs en difficulté avec leur poids que je vous propose d'examiner main-tenant : la peur de grossir.

CHAPITRE X

La peur de grossir

Il existe, en effet, un stresseur particulier et constamment présent chez tous ceux qui combattent leur poids. Il s'agit, vous vous en doutez bien, du poids lui-même. Il constitue pour les mangeurs inquiets de leur poids le stresseur le plus redoutable. En réalité, si nous appliquons les raisonnements que nous avons exposés le véritable stresseur n'est pas le poids, mais plutôt *l'idée que se fait la personne des conséquences de son poids.* Et le discours qu'elle se tiendra à ce sujet. Schématiquement celui-ci pourrait se résumer par la formule suivante : « Ma vie sera insupportable si je grossis ou si je ne maigris pas. » Par commodité, j'appellerai ce discours le stresseur « poids » afin de bien le différencier du poids lui-même. Et je désignerai par le terme *gros*, tous ceux, quel que soit leur poids, qui se trouvent gros ou ont peur de le devenir.

Un stresseur pas comme les autres

Le stresseur « poids » présente certaines caractéristiques qui le rendent tout particulièrement efficace dans ses œuvres de déstabilisation.

Le stresseur « poids » est très activable

En premier lieu, il est éminemment activable par quantité de situations ordinaires. Un grand nombre d'événements anodins peuvent entraîner la personne dans un discours sur les conséquences de son poids :

Les activateurs
Passer devant des miroirs.
Monter sur la balance.
Se sentir serré dans ses vêtements.
Surprendre une réflexion.
Interpréter un regard.
Voir une personne mince.
Voir une personne grosse.
Mettre des vêtements qui dévoilent le corps.
Lire un article dans la presse.
Assister à une émission sur la minceur ou l'obésité.
Le printemps, l'été.
Se rendre à une soirée.
Trop manger.
Penser que l'on a « mal » mangé.
Sentir son ventre gonfler.
Ne pas rentrer dans un vêtement que l'on pouvait mettre auparavant.
Ne pas trouver un vêtement à sa taille dans un magasin.
Prendre un kilo.
Atteindre un poids critique.
Etc.

Chacune de ces situations de la vie quotidienne peut activer le stresseur « poids » et déstabiliser durablement la personne. Or ces situations sont remarquablement banales et se présentent plusieurs fois chaque jour. Si bien que la personne se trouve littéralement bombardée, tout au long de la journée, par des vagues de pensées et d'émotions négatives qui pourront chaque fois l'entraîner à manger.

Chantal raconte comment se passent ses journées

Je me lève et me prépare à affronter l'épreuve de la salle de bain. Premier obstacle : la balance. L'aiguille me donnera la tonalité de mon humeur pour la journée. J'évite les miroirs où je pourrais voir tout mon corps. Sous la douche, je touche mon corps avec répugnance. Je déteste passer mes mains sur mon ventre. Ensuite, il faut s'habiller et choisir un vêtement. Quel est celui qui masquera le mieux les parties de mon corps que je cherche à dissimuler tout en mettant les autres en valeur ? C'est chaque fois un vrai casse-tête. Si par malheur, je me trouve serrée dans un vêtement, je sens aussitôt mes larmes monter aux yeux. Puis, si tout s'est bien passé, je m'apprête à prendre mon petit déjeuner. Là, petite appréhension. Pour bien commencer la journée, je dois choisir des aliments qui ne font pas grossir. Ensuite, je me rends à mon travail. Je dois prendre le métro et traverser les galeries marchandes. Les vitrines sont une nouvelle épreuve. Je pense à tous les vêtements que je pourrais mettre quand j'aurais maigri. Dans la rue, je déteste voir des gros. Je me dis que je vais devenir comme eux. Arrivée au bureau, je dois traverser l'open space. Les garçons me déshabillent littéralement. J'ai l'impression de passer une inspection de la tête aux pieds. Je suis toujours paniquée à l'idée d'essuyer la moindre réflexion. À l'heure du déjeuner, les filles ne parlent que de régime. Elles regardent ce que je mange, elles me jugent. « Tu devrais manger ceci, tu ne devrais pas manger cela. » J'avale mon repas en quinze minutes et j'ai le ventre gonflé. Plus je pense à ce ventre plus je mange. Je suis mal pour le reste de l'après-midi. Quand je rentre à la maison, je suis dans un état de tension épouvantable. Je me raisonne en prévoyant un dîner léger pour rattraper les dégâts. Mais en même temps, je suis tellement énervée que j'ai besoin de manger pour me détendre. Quand je passe à table, je suis pleine de bonnes résolutions. Devant les plats, je deviens incapable de résister. Plus j'essaye de me freiner plus je mange. Je sors de table avec le ventre qui va exploser. Je vais me coucher avec des sanglots dans la gorge. J'essaye de croire que demain se passera mieux.

Le stresseur « poids » s'auto-entretient

En second lieu, comme nous l'avons vu, le stresseur « poids » finit par se substituer à tous les autres et occuper une place centrale dans les pensées de la personne.

Activateurs ou Événements	Stresseurs ou Discours intérieurs	Émotions	Conséquences
Il m'a marché sur les pieds.	Il l'a fait exprès. Je suis sûr qu'il me déteste.	Colère. Peine.	Je mange pour calmer ma colère.
Je mange sans faim.	Ma vie sera insupportable si je grossis ou si je ne maigris pas.	Désespoir.	Je mange pour me consoler de mon désespoir.
Je mange sans faim.	Ma vie sera insupportable si je grossis ou si je ne maigris pas.	Désespoir.	Je mange pour me consoler de mon désespoir.
Je mange sans faim...			

L'effet de cette substitution conduit le stresseur à s'auto-entretenir : « La vie est insupportable. Je suis désespéré. Je mange pour me consoler. Mais si je mange, la vie est encore plus insupportable. Je suis désespéré. Je mange pour me consoler. Ma vie est encore plus insupportable... » Il peut ainsi évoluer sans s'arrêter pendant des jours, des semaines ou des mois, entraînant une inexorable reprise de poids.

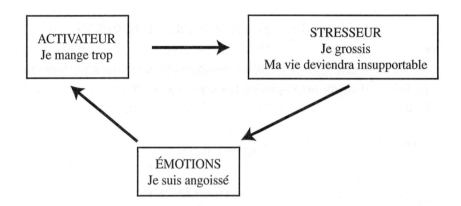

Comment sortir du cercle vicieux ?

Nous nous trouvons ici face à un engrenage qui conduit la personne à grossir et ainsi à sans cesse l'éloigner de ses objectifs pondéraux. Comment donc sortir de ce cercle vicieux ? Il n'est d'autres moyens que d'agir sur les différentes étapes de ce cercle infernal : les activateurs, le stresseur, les émotions ou encore la recherche d'autres stratégies réconfortantes. Voyons quelles solutions nous pourrions envisager.

Supprimer les activateurs

Certains ont imaginé supprimer les activateurs. C'est ainsi qu'ils renoncent, par exemple, à monter sur leur balance, à se rendre à la plage et dans tout autre lieu de société ou à manger les aliments qui nourrissent leurs peurs. On voit que cette solution ne conduit finalement qu'à multiplier les stratégies d'évitement et enferme rapidement dans une impasse. On peut parier que tôt ou tard la personne finira par se trouver confrontée à ses démons sans y être mieux préparée.

D'autres se sont imaginé qu'il leur suffirait de maigrir pour se débarrasser du problème. « Si je maigris, mon poids ne m'angoissera plus. » Cette solution, si elle est séduisante, n'en est pourtant pas une. Bien sûr, la personne se débarrasse de ses kilos. Cependant elle conserve toujours le problème du poids en tant que stresseur. Certes, elle maigrit et atteint le poids qui lui convient. Toutefois elle reste terrifiée par l'idée de regrossir. Cette peur représente pour toujours sa fragilité, son talon d'Achille. Elle la conduira immanquablement, un jour ou l'autre, à perdre de nouveau le contrôle de son comportement alimentaire et donc à regrossir.

Anaïs a bien maigri et depuis un an son poids est parfaitement stable. Elle mange sans arrière-pensée tous les aliments qu'elle affectionne. Elle se croit maintenant à l'abri de tout accident. Parce qu'elle a maigri, elle se croit guérie. Pourtant, un matin, après une semaine de vacances gastronomiques, elle constate sur la balance une reprise de 2 kilos. Elle prend peur et plutôt que d'attendre tranquillement que sa régulation remette les choses en ordre, elle décide de « refaire attention » à ce qu'elle mange. Alors qu'elle a maigri et maintenu son poids sans jamais se priver de rien, elle revient sans s'en rendre compte à ses anciens réflexes. Elle supprime les aliments « grossissants » et se prépare à entamer une cure d'aliments « amaigrissants ». Elle revient inconsciemment en situation de restriction cognitive. Après quelques jours, elle commet un écart et replonge aussitôt dans le cercle infernal des compulsions et de la restriction.

Le poids n'est donc pas un stresseur mais un activateur du stresseur. Beaucoup de patients l'expriment en parlant de seuil fatidique au-delà duquel ils éprouvent un véritable sentiment de panique.

Aurélie essaye tant bien que mal de ne pas grossir et de maintenir son poids autour de 65 kg. Il lui arrive parfois de flirter avec la barre des 69 kg. Elle se met automatiquement au régime plus strict. Pour Aurélie, 70 kg est un seuil infranchissable. Il représente une porte vers une nouvelle dizaine de kilos. Elle se jure de ne jamais l'atteindre. À sa simple évocation, toutes ses terreurs se réveillent. Elle envisage d'un coup toutes les conséquences dramatiques qui s'ensuivraient. Alors que 69 ou 70 kg ne constitue objectivement qu'une différence invisible, « 70 kg » active des peurs qui ne se déclenchent pas à 69 kg.

Même si la pression est très forte, veillez bien à ne plus succomber à la tentation des régimes.

Multiplier les stratégies réconfortantes

Beaucoup d'auteurs ont préconisé cette solution. Elle consiste à rechercher des dérivatifs à la nourriture en proposant de recourir à de nouvelles stratégies réconfortantes : le sport, la lecture, les sorties, les douches froides ou les bains chauds...

Pour deux raisons, cette solution atteint rapidement ses limites. La première est qu'elle s'avère sans aucun effet sur la cause des émotions. Elle ne modifie pas les stresseurs. Quelle que soit celle qu'elle utilise, si chaque fois que la personne se trouve face à une difficulté, elle recourt à l'une de ses stratégies, le résultat sera simplement que ses difficultés s'accumuleront. La seconde est que, après un certain temps, ses stratégies réconfortantes finiront par s'user et ne plus produire le réconfort escompté. Si j'apprécie de courir pour évacuer mes problèmes, il n'est pourtant pas possible de les régler de cette manière chaque fois qu'ils se présentent. Le tour du parc me suffira dans un premier temps mais rapidement il me faudra allonger mon parcours sans plus aucune efficacité. Je finirai mes séances de sport sans doute épuisé mais aucunement réconforté. De même, si je dépense de l'argent chaque fois que je suis anxieux, triste ou en colère, il est possible que la vue de mon découvert cesse rapidement de me réconforter. Ou encore, si je trouve réconfortant de manger un gâteau, je constaterai qu'il me faut chaque fois plus de gâteaux pour obtenir le même résultat et il est, là aussi, fort possible que la vue de la balance vienne grandement altérer ce réconfort passager.

Dominique supporte mal la vie qu'elle mène. Elle travaille à Paris et habite à la campagne où elle adore monter ses chevaux. Elle supporte de plus en plus mal de travailler et préférerait se consacrer à ses chevaux. Elle trouve son mari merveilleux mais reconnaît qu'elle passe son temps à le tyranniser. Elle est terriblement exigeante à son égard et coléreuse. Elle tolère difficilement la contradiction, qu'elle lui soit apportée par les gens ou par les événements. En gros, elle voudrait toujours pouvoir faire ce qu'elle veut et n'admet pas qu'il en soit autrement. Pour améliorer son existence, elle a choisi de martyriser son entourage afin qu'il se comporte conformément à ses désirs. Ce qui revient, sans qu'elle en ait conscience, à vouloir faire disparaître tous les activateurs de son stress. Cependant, devant la vanité de l'entreprise, elle a dû renoncer avec un immense sentiment d'impuissance et de désespoir. Chaque déception, chaque frustration sont pour elle l'occasion de manger dans l'espoir de se réconforter. Même ses promenades à cheval ne parviennent plus à l'apaiser. Comme elle ne veut pas non plus grossir, sa vie s'est transformée en un champ de bataille contre les aliments. Il est évident que Dominique ne trouvera jamais aucune vraie solution réconfortante auprès de ses chevaux ni de ses gâteaux. Il lui faut apprendre à changer son point de vue sur la vie, prendre conscience que les frustrations existent et qu'elle doit savoir y faire face.

Manger s'avère aussi être une bonne stratégie réconfortante. À condition, comme nous l'avons vu, que la personne ne se trouve pas en restriction cognitive. Nous avons beaucoup travaillé à pacifier la relation à la nourriture afin que vous puissiez enfin admettre que les aliments, surtout ceux qui ont vos préférences, sont de précieux alliés dans votre perte de poids et non des ennemis diaboliques qui ne peuvent que vous entraîner à grossir. Il s'agit donc d'une excellente stratégie réconfortante, mais seulement si elle ne constitue pas la réponse unique à tous vos problèmes.

Agir directement sur les émotions

Là aussi plusieurs techniques existent et ont été proposées. La plupart agissent directement sur les manifestations physiques des émotions. Et font appel aux méthodes de relaxation les plus connues. Celles de Schultz ou de Jacobson ou encore au yoga ou au tai-chi. Le principe consiste à induire un état physique incompatible avec l'état de tension provoqué par l'anxiété. Ces méthodes provoquent un relâchement musculaire, une diminution de la fréquence cardiaque ou de la tension artérielle et permettent d'obtenir un meilleur contrôle émotionnel. Cependant, elles s'avèrent inefficaces à agir sur d'autres émotions comme la colère, la tristesse, la déception... et surtout ne tarissent pas la source de l'anxiété. Enfin, elles s'avèrent impuissantes face à une anxiété trop intense et sur les autres émotions. Il n'existe aucune technique qui permette de se laver de cet abominable sentiment de honte qu'éprouvent les « gros ».

D'autres méthodes consistent à évacuer l'émotion en apprenant à l'extérioriser. Parfois de manière spectaculaire en passant ses nerfs sur un oreiller, en manifestant sa tristesse par des cris et des larmes. Cependant, les études ont montré que le fait d'exprimer violemment sa colère rendait ensuite les sujets plus irritables et les incitait à réagir ensuite plus facilement par la colère en cas de frustration. De même, pleurer seul dans son coin aurait plutôt pour effet d'augmenter le sentiment de détresse.

Il est encore possible de recourir aux médicaments tels que les anxiolytiques ou les antidépresseurs mais là aussi on conçoit aisément qu'il ne peut s'agir d'une solution de longue durée.

Agir sur le stresseur « poids »

Toutes ces solutions peuvent apporter un réconfort passager et ne doivent nullement être négligées. Il n'est jamais inutile de posséder quelques techniques de relaxation, d'éviter quelques situations trop difficiles, de pouvoir disposer de plusieurs sources de réconfort ou même, parfois, de se faire aider par des médicaments. Néanmoins, aucune de ces solutions ne parviendra à supprimer la vraie cause de ces émotions négatives. Seule la disparition du stresseur « poids » pourra véritablement vous délivrer de ce fardeau.

Comment agir sur le stresseur « poids » ?

La seule manière de sortir définitivement de ce cercle vicieux consiste à trouver les réponses spécifiques qui modifieront votre manière d'envisager la question du poids. Or ces réponses sont celles qui permettront à l'individu de s'assumer. Non en tant qu'individu gros, ni même en tant qu'individu mince. Mais en tant qu'individu tout simplement. Gros, mince, vert ou bleu. Il n'est pas question de prétendre que l'on peut s'assumer à 60 kg mais qu'il serait impossible d'y parvenir à 65. Une telle réponse ne ferait que traduire votre difficulté à réellement vous assumer. La capacité à s'assumer n'est pas dépendante de vos kilos. Elle est inconditionnelle et ne souffre aucune dérogation.

Que signifie s'assumer ?

Ce n'est pas une mince affaire que de prétendre s'assumer. Et d'ailleurs, de quoi s'agit-il au juste ?

S'assumer, c'est tenter de se regarder avec toute l'objectivité dont on est capable et réussir à porter un jugement sur ses compétences ou ses incompétences physiques, intellectuelles, psychologiques, sociales... Sans sévérité excessive et sans complaisance non plus. C'est prendre acte de nos forces et de nos faiblesses, de ce que la nature nous a donné et de ce que l'existence nous a apporté. Et de décider, avec les cartes qu'elles nous ont distribuées, que nous allons conduire notre vie et jouer notre jeu. Et même tenter de gagner notre partie. Rien ne dit que les cartes que nous avons en main nous conviendrons. Cependant ce sont les nôtres, nous n'en avons pas d'autres. Et c'est avec elles que nous devrons essayer de faire le plus de plis possible. Tous les joueurs savent d'ailleurs qu'il est toujours possible de remporter de gros plis même avec de petites cartes.

Je m'empresse donc d'ajouter que s'assumer ne signifie pas se plaire. Peut-être auriez-vous souhaité recevoir de meilleures cartes ? Mais ce serait trop facile, si pour décider d'être heureux il fallait réunir toutes les qualités : être à la fois intelligent comme un prix Nobel, beau comme un top model, bon comme Mère Teresa et riche comme Bill Gates. Où serait alors le mérite ? Non, la difficulté c'est justement de parvenir à assumer ses défauts, ses erreurs et ses défaites. Voilà, bien sûr, où se situe la vraie force. Qui, d'ailleurs, ne saurait pas assumer ses réussites et ses victoires ? À ce jeu-là, nous serions tous champions du monde. Et encore...

S'assumer, ce n'est pas non plus rester immobile face à la vie. Ce n'est pas se résigner face à l'adversité. Au contraire, les individus qui s'assument le mieux sont sans doute aussi ceux qui auront le courage de vouloir entreprendre et de changer ce qui peut l'être. Et qui posséderont la force d'accepter ce qui ne pourra pas l'être.

On peut ainsi parfaitement concevoir qu'une personne s'assume et pourtant possède un poids qui ne lui convienne pas. Quelle sera alors son attitude ? Tout naturellement, elle essayera de maigrir. Pour cela, vous savez maintenant comment elle devra procéder. Il lui suffira simplement de manger selon sa faim. Dès lors, deux situations sont possibles. Soit la personne se trouve au-dessus de son set-point et l'amaigrissement est envisageable. Dans ce cas, cette personne qui s'assumait aura de surcroît un poids qui lui convient. Ou tout au moins s'en sera rapprochée. Soit, elle se trouve déjà à son set-point et, dans ce cas, elle devra accepter un poids qui continuera à ne pas lui plaire. Toutefois, le fait de s'assumer lui permettra de faire face à cette situation, certes avec des regrets ou de la tristesse mais sans panique ni désespoir.

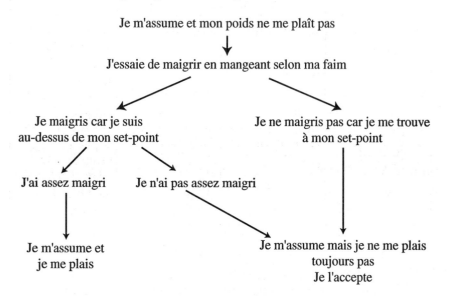

Or précisément, cette mesure de simple bon sens, vous en serez incapable si malheureusement vous ne vous assumez pas. Car le fait de ne pas vous assumer produira de telles émotions que justement vous deviendrez incapable de manger selon votre faim. Votre peur de grossir, un jour ou l'autre, vous fera manger bien au-delà.

Activateurs ou Événements	Stresseurs ou Discours intérieurs	Émotions	Conséquences
Je me trouve trop gros.	Je m'assume.	Soucieux.	Je mange selon ma faim. Je maigris si je suis au-dessus de mon set-point.
Je me trouve trop gros.	Je ne m'assume pas.	Angoisse. Honte.	Je suis incapable de manger selon ma faim. Je grossis.

Que signifie s'accepter ?

La difficulté c'est bien sûr d'accepter ce qui ne peut pas changer. Quand vous aurez acquis la conviction que vous mangez selon votre faim, vous atteindrez, après un certain temps, votre poids d'équilibre. Le poids génétique pour lequel vous avez été programmé. Ce poids n'est peut-être plus celui que vous aviez il a y quelques années. Ce n'est peut-être pas non plus celui que vous souhaitiez atteindre. C'est, néanmoins, votre futur poids. Vouloir maigrir davantage vous imposerait de manger moins que votre faim. Ce n'est pas réaliste et cela vous entraînerait à rouvrir les hostilités avec la nourriture, avec tous les risques que vous connaissez maintenant.

Il arrive que certains de mes patients refusent cette vérité. Et n'acceptent pas ce poids. Ils objectent qu'ils peuvent encore maigrir parce qu'ils conservent toujours, selon leurs critères, ceux de la mode ou même ceux de la médecine, des kilos excédentaires. Ils saisissent à pleines mains le gras de leur ventre ou de leurs cuisses et protestent qu'ils sont encore trop gros. Ils se comportent comme si nous étions tous censés avoir des corps de mannequins, comme si la nature nous avait tous conçus dans le même moule. Ce n'est pas vrai. Il existe des personnes naturellement rondes, naturellement fortes, naturellement obèses. Même si nous pouvons le déplorer nous ne pouvons rien y changer. Cette réalité est dure à admettre. Toutefois, nous ne la choisissons pas. Tout ce que nous pouvons changer nous le changerons. Ce que nous ne pouvons pas changer nous devons l'accepter. Il ne sert à rien de vouloir l'impossible. Il faudra apprendre à vivre avec cette différence.

Pourquoi chercher à s'assumer ?

Pourquoi, en effet, se lancer dans une entreprise si difficile ? Tout simplement pour vous permettre d'atteindre vos objectifs, s'ils sont réalistes. Rappelez-vous. Toutes les émotions trop fortes peuvent vous faire manger : la panique, la honte, la culpabilité, la colère, le désespoir. Rassurez-vous, il ne s'agit pas de faire disparaître toutes vos émotions, ni même de vous rendre indifférent à vos problèmes de poids. Bien au contraire, je vous recommande de vous préoccuper de votre corps, de vous soucier de votre santé, de veiller à votre sécurité ou à votre avenir. L'absence d'émotions à ce sujet serait la pire catastrophe qui puisse vous arriver. Il est heureux que vous soyez attentif à votre sécurité. Grâce à cela, vous resterez vigilant avant de traverser une rue. Grâce à cette petite inquiétude qui vous prend au bord du trottoir votre tête effectuera un léger quart de tour afin de vérifier que la voie est libre et vous pourrez traverser en toute sécurité. Sans elle, votre espérance de vie ne dépasserait pas trois heures dans une ville comme Paris. À l'inverse, si vous êtes paniqué à l'idée de vous faire écraser vous resterez cloué sur le trottoir ou vous traverserez la route en courant comme un fou et vous ferez renverser par une voiture. L'absence ou l'excès d'émotions finira par vous apporter une foule de désagréments ou d'ennuis graves. Et dans tous les cas, vous éloigneront des objectifs simples que vous vous étiez fixés : traverser une rue en toute sécurité. Alors que des émotions proportionnées vous permettront d'atteindre vos objectifs.

Souvenez-vous de notre joueur de tennis. Sa panique à l'idée de perdre son match a toutes les chances de le desservir et donc l'éloigner de sa victoire. Ses émotions jouent contre son camp. Alors qu'une anxiété modérée éveillera tous ses sens et lui permettra de jouer à son meilleur niveau. Sa motivation est extrême, son désir de gagner aussi. Il est simplement capable de faire face à ses peurs et d'affronter sans aucun plaisir, soyez-en assuré, l'idée qu'il redoute le plus : perdre son match.

Mais quel rapport avec le poids, me direz-vous ? Il nous suffit de transposer pour mieux comprendre. Votre peur immense à l'idée de grossir ou de ne pas maigrir est une émotion d'une telle force qu'elle vous fera manger au-delà de votre faim et vous éloignera du poids que vous souhaitez atteindre. Alors qu'une inquiétude justifiée vous maintiendra dans un état émotionnel qui vous permettra de manger selon votre faim. C'est seulement si vos émotions demeurent proportionnées qu'elles resteront gérables et vous permettront d'atteindre les objectifs que vous vous êtes fixés. Pour cela, il vous faut vous assumer en tant qu'individu, quel que soit votre poids, et par conséquent devenir capable d'affronter l'idée que vous redoutez le plus : ne pas maigrir ou peut-être même grossir !

S'assumer

Ce n'est pas :
  Se plaire.

C'est :
  Changer ce qui peut l'être.
  Accepter ce qui ne peut l'être.
  Être capable d'affronter l'idée que l'on redoute le plus.

Le surpoids et l'obésité, je vous le rappelle, n'ont que deux raisons d'être. Ou bien il s'agit d'une différence génétique qui impose un set-point élevé. Ou bien il s'agit d'un trouble de la régulation des apports caloriques (TRAC) qui conduit la personne à manger au-delà de ses besoins et à dépasser son set-point. Les deux ne s'excluant pas. Dans le premier cas, il n'est rien d'autre à faire que l'assumer. Dans le second cas, si la situation vous déplaît, rien ne vous empêche de ne pas l'accepter et de vouloir vous en guérir.

De quoi avez-vous peur ?

Savoir que vous avez peur de grossir ne vous aidera pas à vaincre cette peur. Pour cela, il faut que vous découvriez ce qui se cache derrière elle. De quoi, précisément, concrètement, avez-vous peur ? Avec quels mots pouvez-vous la décrire ? L'inquiétude est compréhensible, pas la panique. Quelles sont vos irrationalités ? Pour les déceler, je vous propose de vous livrer à un petit exercice. Accordez-vous une bonne heure de réflexion et essayez de répondre à ces deux questions.
1. Si je maigris, je serai, je ferai...
Il s'agit ici de décrire quelles sont toutes vos attentes à l'égard de la perte de poids. Écrivez tout ce qui vous passe par la tête, vos idées les plus folles et les plus irrationnelles : « Je serai la plus belle du royaume et tous les hommes seront à mes pieds. »
2. Si je grossis, je serai, je ferai...
Ici, il s'agit, au contraire, de décrire vos peurs les plus terrifiantes : « Ma femme me laissera tomber. J'ai eu la chance d'en trouver une qui voulait bien de moi. Ce n'est pas près d'arriver deux fois. Je finirai ma vie, seul et malheureux, dans un hospice de vieux, abandonné de tous... »

Si je maigris, je serai, je ferai...	Si je grossis, je serai, je ferai...
ATTENTES	PEURS
↟	↟
STRESSEUR	

Quand vous aurez achevé cet exercice, vous aurez votre stresseur sous les yeux. Chaque fois que vous montez sur votre balance, que vous ne trouvez pas un vêtement à votre taille, que vous surprenez un regard évaluateur, le stresseur se met en route. D'un coup, ce sont toutes vos attentes qui s'envolent et toutes vos peurs qui se réalisent.

Voici le témoignage de Charlotte :

Le stresseur « poids »

Si je maigris, je serai, je ferai...	Si je grossis, je serai, je ferai...
• Je serai plus à l'aise dans mes vêtements, moins serrée. • Je serai moins complexée face au regard des autres (piscine, plage). • Je supporterai mieux de me voir en photos, face à la glace. • Je m'accepterai plus. • J'aurai le sentiment d'être dans la norme. • Je serai mieux dans mon corps, moins gênée par mon ventre. • Je remettrai des vêtements qui ne m'allaient plus. • Je pourrai retourner dans les boutiques et essayer des vêtements qui seront à une taille acceptable. • Mon père sera fier de moi. • Je mettrai des vêtements à mon goût, plus légers en été et plus courts. • Je serai plus à l'aise dans les relations intimes avec mon mari. • Je pourrai refaire du sport, type tennis, bouger, danser.	• Je culpabiliserai d'avoir repris des kilos. • Je vivrai cela comme un échec, face au regard de mes proches. • Je serai jugée par les autres de ne pas avoir assez de volonté. • J'aurai l'impression d'être jugée par mes proches qui m'ont vue faire du yoyo. • J'aurai du mal à me regarder de nouveau dans la glace mais surtout sur les photos où je me trouve très grosse. • Je bougerai moins aisément (les montées d'escaliers, danser dans les discothèques). • J'aurai moins envie de sortir en boîte par exemple et danser. • Je serais moins à l'aise dans mon corps. • Je n'oserai pas me mettre un maillot. • J'aurai honte de moi.

En examinant attentivement votre tableau, pouvez-vous différencier les affirmations qui sont réellement en rapport avec votre poids de celles qui sont en rapport avec *l'idée* que vous vous faites de votre poids ?

Certaines situations sont directement les conséquences d'une surcharge pondérale. Elles concernent les aspects strictement physiques du poids (je serai moins gênée par mon ventre, je serai moins essoufflée...) ou les difficultés à se vêtir (s'habiller à la mode, trouver plus facilement sa taille dans les boutiques...). Il est peu contestable que la disparition d'un surpoids améliorera l'aisance physique ou que la disparition d'une obésité importante sera bénéfique pour la santé. En revanche, la perte de deux ou trois kilos, à moins que l'on soit un sportif de haut niveau, n'aura aucun effet significatif sur la condition physique et sur les performances physiques globales d'un individu. Certaines personnes affirment pourtant ne pas pouvoir supporter un ou deux kilos venus se loger sur leur ventre ou leurs cuisses. Elles prétendent se sentir considérablement « mieux dans leur peau » avec un poids à peine inférieur. Certes. Toutefois, il ne s'agit pas là d'une amélioration de leur condition physique mais bien plus d'un regain de confort psychologique et de confiance en soi.

Il n'est pas davantage contestable que s'habiller à la mode se transforme rapidement en parcours du combattant pour ceux ou celles qui s'écartent du 38 ou du 40 standard. Aucun commerçant ne peut ignorer que la taille moyenne des femmes française se situe aux alentours du 42/44. Mais il semble que les fabricants et les créateurs de vêtements n'aient jamais eu connaissance de ces informations et s'obstinent à penser qu'il n'y a plus de vie au-dessus du 38 ou que la croissance des femmes s'arrête après douze ans.

Pour le reste, la presque totalité des affirmations ne concerne plus votre poids mais plutôt l'idée que vous vous faites de votre poids. Ainsi un grand nombre de situations que vous ne pouvez affronter ne sont pas la conséquence de votre poids mais de l'image que vous avez de vous-même. Votre poids ne vous empêchera pas de porter un maillot de bain. « Techniquement », vous pouvez entrer dans un maillot. Si vous n'osez le faire, n'est-ce pas simplement que vous jugez indécent de vous exposer ainsi au regard des autres ? À ce propos, laissez-moi vous rapporter un petit souvenir. L'une de mes patientes me disait un jour qu'elle n'allait plus à la piscine depuis des années par crainte de se mettre en maillot et de devoir affronter le regard des autres. Je la regardais, ébahi. Ma patiente était aveugle depuis sa naissance. Elle ne pouvait manifestement pas avoir été gênée par des regards évaluateurs. De quoi parlait-elle donc ? En vérité, ce fameux regard, qui bien sûr existe, est bien plus souvent une projection de son propre regard dans le soi-disant regard des autres. Il n'est pas raisonnable de penser, tout au moins dans ce domaine, qu'il soit possible de dissocier le jugement des autres du jugement que l'on porte sur soi-même.

Que découvre-t-on à l'analyse du stresseur « poids » ? Des relations très douloureuses avec son corps et avec les autres. Ces relations pourraient schématiquement s'exprimer de la manière suivante :

Relation avec le corps :
« La valeur personnelle d'un individu est inversement proportionnelle à son poids. »

Relation avec les autres :
« Je ne peux être aimé ou apprécié que si je suis mince. »

Voilà donc les blessures du gros. Il ne s'estime pas et ne pense pas que les autres pourront l'aimer tel qu'il se voit. D'une part, il ne vaut rien à ses propres yeux. D'autre part, il redoute que les autres l'apprennent et le rejettent pour cela. Sa peur ultime, c'est l'exclusion.

« La valeur personnelle d'un individu est inversement proportionnelle à son poids »

N'est-il pas étonnant de corréler la valeur d'une personne au nombre de ses kilos ? N'est-il pas déjà étonnant que l'on puisse prétendre établir la valeur globale d'un individu ? À supposer même que cela soit possible, quels critères pourrait-on retenir ? Sa force physique, son intelligence, le nombre de ses amis, son compte en banque, sa situation sociale, la surface de sa maison... ? Quels que soient les critères que l'on retienne l'épaisseur de son tissu adipeux peut-elle en faire partie ?

C'est pourtant bien le cas dans notre société. Voici les opinions que les sociologues et les psychologues ont recueillies dans différents groupes de populations.

Mal jugés par tout le monde...

Les préjugés concernant les gros apparaissent dès le plus jeune âge. De très jeunes enfants à qui l'on propose de jouer avec des poupées de corpulences variables évitent systématiquement les plus grosses. Ou encore, quand on demande à des garçons de six à dix ans d'attribuer des adjectifs concernant des silhouettes d'enfants de leur âge, minces ou obèses, alors que les premières sont toujours jugées positivement, les secondes sont qualifiées d'adjectifs dévalorisants : tricheur, paresseux, sale, méchant, laid, bête, etc. Dans une autre étude, on leur demande de classer par ordre de préférence des images représentant des enfants de leur âge souffrant de divers handicaps et un obèse. C'est généralement ce dernier qui est classé avec le moins d'indulgence.

Ces préjugés se perpétuent à l'adolescence. Ainsi, quand on présente à des adolescents les *curriculum vitae* de candidats à un emploi, en fournissant une photographie ou une description écrite des candidats en question, les obèses obtiennent de moins bons scores que les minces. Et ceci uniquement en raison de leur poids, car les qualités des candidats étaient équivalentes sur tous les autres points.

Quant à l'adulte, son image de l'obèse est la suivante. Il s'agit d'une femme de 1,60 m et de 80 kg, âgée de 30 à 50 ans, malade, fidèle, patiente, gaie, douce, grosse mangeuse, angoissée. Elle est peu attirante, pas moderne, passive, vulgaire, se laisse aller et ne travaille pas. Si elle travaillait, elle serait commerçante, femme de ménage ou caissière. Elle doit porter des vêtements sobres, vit en HLM et a des goûts populaires pour ses distractions et ses lectures [1].

Pire que tout, les médecins eux-mêmes ont une mauvaise opinion de leurs patients obèses. Dans une étude sur 318 médecins de famille américains, 47 % ne pensaient pas qu'entreprendre le traitement d'un obèse était un acte thérapeutique gratifiant. 39 % d'entre eux qualifiaient même leurs patients obèses de paresseux. Les mêmes attitudes négatives sont encore retrouvées chez les étudiants en médecine. Ces travaux révèlent comment le corps médical assure une fonction de « grand stigmatiseur » et contribue à la dépréciation de la personne obèse en lui apposant l'étiquette de comportement déviant [2].

Il est donc bien certain que les gros sont victimes de préjugés ségrégationnistes. Tout le monde en pense et en dit du

1. Descamps M-.A., *L'Invention du corps*, Paris, PUF, 1986.
2. Poulain J.-P., « Les dimensions sociales de l'obésité », *Let. Sc.*, IFN, n° 78 (1), déc. 2000.

mal. Ils n'ont droit à aucune compassion. Car eux ne sont pas des malades, ce sont des fautifs responsables de leur état.

Je vous suggère de vous livrer à un petit exercice. Préparez un tableau à deux colonnes et inscrivez d'un côté toutes les horreurs que vous avez entendu proférer sur les gros ou celles que vous-même pensez. De l'autre côté, inscrivez toutes les gentillesses que vous pensez des minces. Dites sans hésiter tout ce que vous avez sur le cœur.

Les gros	Les minces
Paresseux.	Ils se laissent aller.
Sans volonté.	Dynamiques.
Mous.	Entreprenants.
Sales.	Ils réussissent socialement.
Ne se maîtrisent pas.	Volontaires.
Ce sont des ratés.	Ils maîtrisent leur vie.

Vous venez d'associer des caractéristiques morales à des caractéristiques morphologiques. Ceci porte un nom. Les minces sont des gens volontaires parce qu'ils sont minces. Les gros sont des paresseux sans volonté parce qu'ils sont gros. Cela s'appelle tout simplement du racisme pour ne pas dire de la bêtise.

Voici ce que notre société pense des gros. Mais, chose beaucoup plus grave, c'est aussi ce que les gros pensent d'eux-mêmes. C'est souvent ainsi qu'ils se voient.

Adhérez-vous à ces stéréotypes ? Est-ce vraiment ce que vous pensez de vous ou de vos amis ? Ne connaissez-vous donc aucun gros dynamique et volontaire ? Ne connaissez-vous donc aucun mince lymphatique et paresseux ? Tous les minces de votre entourage sont-ils des modèles de réussite sociale ? Tous les gros sont-ils des ratés ?

Maigrir : est-ce une question de volonté ?

Il semble que le principal défaut du gros soit donc son absence de volonté. Peut-être le pensez-vous aussi ? C'est ce que pensent la plupart de mes patients. Or je crois vous avoir montré tout au long de ce livre que nous n'avons aucunement eu besoin de produire le moindre effort de volonté. Nous avons seulement réfléchi et essayé de comprendre la relation qui vous unissait à la nourriture. Nous l'avons simplifiée et surtout pacifiée. Les problèmes de poids n'ont jamais été affaire de volonté. Ceux qui l'ont cru l'ont souvent chèrement payé. Il s'agirait plutôt de simple psychologie alimentaire. Et, comme toujours en psychologie, il suffit de trouver les bonnes clés pour ouvrir les bonnes serrures. Essayez donc d'ouvrir une serrure ronde avec une clé carrée. Vous risquez tout bonnement de briser votre clé. Et à quoi vous servira alors toute votre volonté ? À vous acharner sur une clé qui ne peut rien ouvrir. Et vous finirez aussi par briser votre serrure. Or les régimes sont des clés carrées qui ne pourront jamais ouvrir les serrures rondes que vous êtes. Plus vous vous entêterez plus vous vous ferez du mal. Si les gros n'avaient pas eu tant de volonté, ils ne seraient sûrement pas dans la situation où ils se trouvent maintenant. Ils n'auraient pas fait tant de régimes stupides, manger des soupes aux choux, avaler des médicaments dangereux, jeûner des jours entiers, dépenser leur argent dans des sachets de protéines...

Tous mes patients m'ont appris jusqu'où pouvaient aller ceux qui souffrent. Ils peuvent parcourir des centaines de kilomètres pour se rendre chaque semaine chez leur médecin, ne rien manger d'autre que du bouillon pendant des jours, manger de la nourriture en poudre pendant des semaines, ne pas toucher un gâteau pendant des mois ou des années pendant qu'ils regardent les autres s'en régaler... Pensez-vous qu'il ne faille pas de volonté pour supporter tout cela ?

Voyez-vous, en matière d'amaigrissement, la volonté est proche d'un entêtement forcené qui n'entraîne que déboires et déceptions. Imaginez que vous souhaitiez vous rendre de Paris à Marseille avec une fausse carte routière. Sans volonté mais avec un peu de réflexion, vous prendrez conscience de votre erreur et vous arrêterez à temps pour corriger votre route. Mais avec la volonté acharnée d'appliquer de mauvaises indications, vous ne comprendrez votre erreur qu'une fois parvenu au bord de l'Atlantique. Et encore, certains feront dix fois la même route et dix fois la même erreur. Appliquer toujours la même mauvaise solution entraînera toujours le même mauvais résultat. Voilà à quoi sert la volonté sans compréhension. Les plus volontaires finiront leur chemin à la nage. Bon courage.

En réalité, bien souvent la volonté n'est là qu'une illusion. L'usage de la volonté dans le contrôle du comportement alimentaire ne fait en réalité que traduire l'échec du système de régulation des apports caloriques. Quand l'individu commence à faire intervenir sa volonté pour lutter contre son désir de manger des aliments défendus, c'est le plus souvent déjà le signe d'une anomalie dans son fonctionnement psychophysiologique. Bien sûr, quand les signaux de faim ou de rassasiement disparaissent, l'individu se trouve obligé de construire des limites qui l'empêcheront de manger des quantités de nourriture inappropriées à ses besoins. Les régimes apportent ces limites, mais, dans le même temps, ils contribuent à entretenir cette situation et empêchent la personne de découvrir ses propres limites internes. Les anorexiques se présentent souvent comme les championnes de la volonté. Elles s'estiment capables de s'opposer aux tentations les plus irrésistibles. Elles ne font là que traduire leur incapacité à consommer avec modération des aliments qu'elles ne pourraient s'empêcher de dévorer. Elles sont en réalité incapable de manger leurs aliments tabous. Même si elles le voulaient, elles ne le pourraient pas. Ce n'est pas la volonté de ne pas manger qui les arrête. Elles sont simplement prisonnières de leur peur de grossir.

La plupart des patients que j'ai rencontrés étaient en situation d'échec depuis plusieurs années, mais aucun n'avait un problème de volonté. Comme à chaque fois qu'une maladie suscite le désespoir, les individus font preuve de toute la volonté du monde pour en venir à bout. Malheureusement, dans ce cas, plus la personne recourt à sa volonté pour s'empêcher de manger des aliments « interdits », plus sa situation risque de s'aggraver. Car ce n'est pas l'absence de volonté qui est en cause. Mais le fait de la gaspiller pour rien, pour s'empêcher de manger des aliments supposés « grossissants ».

Ainsi le gros, soupçonné de ne pas avoir de volonté, disposerait bien d'une solution pour démontrer le contraire : faire un régime et manger des aliments « autorisés » qui permettraient d'incorporer cette fameuse volonté. Manger des haricots verts quand tout le monde mange des frites et des gâteaux, voilà qui forcera l'admiration et augmentera sa propre estime de soi. Malheureusement, plus il recourt à sa volonté pour résister à la tentation de manger des aliments « grossissants » plus il les rend désirables et s'expose à transgresser ses interdits. Ce qui lui confirme qu'il avait bien raison de penser qu'il n'avait pas de volonté. Mais comme il ne se résout pas à accepter cette idée, il existe une autre solution qui permettra, cette fois c'est sûr, de démontrer vraiment le contraire : faire un régime encore plus sévère. Et tout pourra recommencer...

Soyez-en convaincu, la maladie des gros n'est certainement pas de manquer de volonté. Leur maladie, c'est le trouble de la régulation de leurs apports caloriques. Ils ne sont plus capables de manger selon leur faim. À quoi servirait de leur demander de se contraindre à manger moins puisque c'est justement ce qu'ils ne savent et ne peuvent pas faire ? Peut-être pensez-vous aussi que les personnes déprimées manquent de volonté ? C'est, en effet, ce que l'on a cru d'eux pendant des siècles. La société les jugeait faibles, incapables de se ressaisir et se reprendre en main. Or précisément cet accablement, cette tristesse qu'ils manifestent *est* leur maladie. Demander à un tel malade de « se secouer » a peu de chance d'être suivi du moindre signe d'amélioration. À tel point que si par bonheur, l'un d'eux s'en trouvait guéri, on pourrait même se prendre à douter du diagnostic de dépression.

De même, les lépreux qui présentent la maladie infectieuse la moins contagieuse du monde ont été considérés comme des êtres dépravés et hérétiques qu'il fallait isoler et abandonner à leur sort dans les conditions les plus abominables. Les exemples ne manquent pas dans l'histoire de la médecine qui montrent combien la société a pu commettre d'erreurs dans les jugements qu'elle portait sur ses malades. Confondant sans cesse morale et médecine.

354 • MAIGRIR SANS RÉGIME

Pourquoi les minces sont-ils beaux et pleins de volonté ?

D'où nous vient donc cette étrange idée que les minces possèdent de la volonté alors que les gros n'en n'auraient pas ?

La minceur fait partie des nouveaux critères de beauté

Le corps rêvé par nos contemporaines se caractérise aujourd'hui par sa minceur et son rejet « épidermique » de la moindre trace de graisse. Elles le souhaitent tout en muscle et en fermeté, dépourvu de ses attributs féminins. La culotte de cheval et la cellulite, que les médecins considèrent, au même titre que la poitrine, comme un caractère sexuel secondaire, sont la cible de tous les traqueurs de graisse. Ce corps idéal depuis le début du siècle n'a cessé de mincir et par là même de s'éloigner de sa réalité.

Une beauté idéale de plus en plus inaccessible

Deux psychologues, Garner et Garfinkel ont étudié l'évolution des mensurations des playmates, entre 1969 et 1978. Ces jeunes femmes qui font la page centrale du magazine *Playboy* avant d'aller s'afficher sur les murs de leurs admirateurs. Ces auteurs les considèrent comme de bonnes représentantes de la beauté idéale, tout au moins du point de vue des hommes. Leur silhouette s'est progressivement transformée avec une taille et un tour de hanche en constante diminution, tandis que leur poids allait, lui aussi, en diminuant. Alors que dans les trente dernières années, la jeune fille américaine de 17 à 24 ans voyait son poids augmenter de 2,5 à 3 kg. Selon cette étude, seuls 5 % de la population féminine actuelle correspondraient aux normes pondérales de *Playboy*. Et ces dernières sont particulièrement indulgentes si l'on considère les mensurations des mannequins qui font aujourd'hui la couverture des journaux de mode. Miss America, qui, chaque année, est élue championne de la beauté, a été étudiée par Roberta Pollack Seid. Entre les années 1950 et 1980, son indice de corpulence est passé de 19,5 à 17,6. Soit une perte de 5 à 7 kg selon sa taille. De plus, à partir de 1970, la gagnante est toujours plus mince que les autres concurrentes. Cette progression s'est encore poursuivie puisque la corpulence des mannequins se situe aujourd'hui aux environs de 15,5 tandis que celle de la Française moyenne autour de 22. Inexorablement, sans que rien ne vienne l'empêcher, l'écart entre le corps idéal et le corps réel ne cesse d'augmenter, rendant la beauté de plus en plus inaccessible.

Mais la beauté n'est pas qu'une affaire de kilos et il serait abusif de vouloir la réduire à une question de corpulence. Ce qui caractérise la période que nous vivons, c'est l'aspect de ce corps qui doit dorénavant se doter d'une impeccable musculature. Et, fait sans précédent dans l'histoire de la beauté féminine, il ne doit plus seulement être mince et gracile mais sec et sans moelleux. C'est pourquoi non content de le priver de manger pour atteindre le poids rêvé, il faut encore le sculpter et lui donner une allure tonique. Pour y parvenir, le sport est l'allié de choix et, de fait, les années 1980 ont vu naître la formidable explosion du sport de masse. Les femmes se précipitent dans les salles de gymnastique pour suer sur des appareils qui chacun indiquera combien de calories auront été dépensées. Jogging, body-building, aérobic : le sport devient l'instrument de maîtrise du corps.

Jusqu'au milieu de ce siècle, ce sont le vêtement et ses accessoires qui garantissaient l'apparence. Aujourd'hui, le corps, au lieu du vêtement, devient le premier objet visible dans la relation avec l'autre. Pour maîtriser son apparence, il faudra de plus en plus contrôler son corps. Car ce corps que nous montrons, nous lui attribuons une signification. Par lui, nous adressons un message. Quelle est donc la signification de ce corps mince et maîtrisé ? Que dit-il aux autres ?

Les critères de beauté ne sont que le reflet des valeurs d'une société

Pourquoi les critères de beauté sont-ils donc si changeants d'une époque à l'autre ou d'une société à l'autre ? Pourquoi apprécie-t-on les gros au XVIIIe siècle et les minces au XXe ? Pourquoi les blondes plutôt que les brunes ? Pourquoi les longs cous ou les petits pieds ? Est-ce seulement le fait du hasard ?

Les rondeurs d'ailleurs

Dans une région du Tchad vivent, côte à côte, deux tribus, les Massa et les Moussey, pratiquant des modes de chasse très différents. Les premiers combattent à pied, à l'aide de gourdins, d'épieux et de cuirasses. La force, le poids et l'embonpoint sont des qualités physiques indispensables à cette forme de combat. Chaque année sont organisées dans cette tribu des compétitions entre les villages, qui présenteront chacun leurs champions préalablement engraissés après avoir suivi une cure de lait *(guru)*. Ils seront gavés d'une bouillie de sorgho qui les fera grossir de 20 kilos en deux mois. Leur procurant, par là même, un poids qui les rendra presque impossibles à déséquilibrer dans les compétitions de lutte. Le participant témoigne ainsi de sa richesse et de celle de tous ceux qui ont organisé son engraissement. Il suscite l'admiration de tous et, en ce sens, il devient « beau » *(naa)*. Un participant au *guru* désire devenir un « *sa ma naana* », quelqu'un qui est simultanément beau, bon et aimable. La maigreur *(noka)*, quant à elle, est ridicule, et est considérée comme un signe de pauvreté. Et si l'adepte du *guru* est, d'une certaine façon, beau, c'est en effet parce qu'il symbolise la richesse et les talents de combattant nécessaires à la survie de sa tribu (De Garine, 1997). Quant à leurs voisins, les Moussey, ils combattent à cheval et lancent des couteaux. L'agilité, la légèreté et la détente sont pour eux des qualités autrement plus vitales. Mais phénomène intéressant, pour les Moussey, qui vivent donc côte à côte avec les Massa, l'embonpoint est un signe de laideur alors que la minceur devient un critère essentiel de beauté. Dans un milieu où le guerrier est vénéré, où la force physique est une condition capitale de la survie et donc la valeur la plus recherchée, il est frappant de constater que les critères de beauté correspondent à la possession des qualités requises pour la technique de combat utilisée par les guerriers. Le bel homme sera donc celui qui possédera les qualités les plus essentielles pour la société dans laquelle il vit.

En Europe, entre le Moyen Âge et le début du XXᵉ siècle, les rondeurs ont rendu les femmes plus belles et plus désirables. L'homme non plus ne pouvait se permettre d'être trop maigre. Cependant, au travers de leur corps, l'un et l'autre exprimaient chacun des valeurs différentes.

Dans toutes les sociétés, la femme est objet de désir, toutefois ce n'est que dans les sociétés technologiquement avancées que ce désir est dissocié de son aptitude à la maternité. Dans la plupart des sociétés traditionnelles, l'embonpoint est considéré chez la femme comme le signe de sa capacité à porter des enfants. Elle est, dans une certaine mesure, belle parce que féconde[1]. Cette fécondité est le gage d'une nombreuse descendance, indispensable à la préservation et à la transmission du patrimoine familial. Et, surtout, dans un temps où il n'existait pas de système de prévoyance de la retraite, les enfants étaient la seule assurance d'une fin de vie à l'abri du besoin. On comprend alors que la stérilité soit considérée comme un événement dramatique dans la vie d'un couple. Il n'est pas difficile de concevoir qu'une femme dont l'embonpoint symbolise sa fécondité sera regardée avec plus de convoitise et même d'amour, qu'une femme dont la maigreur signifie absence de descendance, dispersion du patrimoine familial et fin de vie difficile.

La corpulence de l'homme, quant à elle, dans une société où l'état de pénurie est présent dans tous les esprits, se doit d'inspirer une certaine richesse. La graisse qu'il arbore avec fierté, le protège des incertitudes de l'avenir. Elle est, encore plus que son bas de laine, son assurance contre les difficultés de l'existence. Elle traduit concrètement l'opulence et le confort de sa vie matérielle. Elle est aussi signe de respectabilité. En effet, un homme corpulent est un homme que son travail peut nourrir au-delà de ses besoins. Il dispose même d'un excédent qu'il se permet d'arborer avec fierté. Sa graisse devient le signe visible de sa richesse, elle est à la fois partie et image de son capital.

L'embonpoint, en même temps que la prospérité, inspire la force physique et la santé. Il rassure sur les capacités de l'homme à défendre sa famille, à travailler sans rechigner à l'ouvrage et ainsi subvenir aux besoins des siens quand le sort sera moins favorable. Là encore, on conçoit qu'une jeune femme convoite davantage un homme qui représente à ses yeux

---

1. Les cures d'engraissement auxquelles sont soumises, avant leur mariage, les jeunes filles dans beaucoup de sociétés musulmanes sont destinées à les rendre « belles », désirables et aptes à concevoir le plus rapidement possible.

force et prospérité qu'un autre qui lui fasse craindre un avenir difficile et précaire.

On voit que la beauté n'a rien de neutre, elle exprime dans tous les cas les valeurs essentielles de la société : force physique, fécondité, richesse... Et comme le fait remarquer M.-A. Descamps : « Le corps que nous vivons n'est donc jamais pleinement le nôtre. Nous sommes pénétrés par la société qui nous traverse de part en part. Ce corps n'est pas mon corps, c'est une image sociale. » Par sa forme, son apparence, le corps parle et s'adresse aux autres. Il dit : « Je chasserai pour toi, tu n'auras pas faim », « je t'assurerai une descendance et une vieillesse heureuse », ou encore : « Ne crains rien, j'ai suffisamment de richesses pour nous deux. » C'est alors que l'homme ou la femme qui adresse ce message devient soudain beau et par conséquent désirable pour les autres.

La signification sociale de la minceur

Pour de nombreux sociologues et psychologues, la minceur est devenue synonyme de maîtrise du corps et donc de soi-même. Ce dont témoigne aujourd'hui le corps, ce n'est plus comme autrefois d'un pouvoir social mais d'un pouvoir sur soi-même. Il exprime désormais le contrôle de ses émotions, de ses pulsions et de ses faiblesses. Il prouve ainsi la supériorité de l'esprit sur le corps. La domination du corps par la volonté.

Avec l'apologie de l'individualisme, la société cultive chez chacun le goût des activités centrées sur soi au détriment de celles qui nécessitent la préservation du lien social. Elle privilégie les activités riches de sensations mais pauvres d'échanges. Le corps, dans cette optique, devient un instrument de puissance qui renforce le sentiment d'exister. Le succès des activités physiques individuelles et des sports extrêmes est le témoin de cette évolution. Ainsi pour Patrick, adepte du body-building, le modèle corporel idéal devient mince et musclé : « Quand je me regarde dans la glace, ce n'est pas moi que je vois, c'est mon œuvre d'art. » Il manifeste ainsi toute la puissance de sa volonté. Après un régime et quelques heures passées dans les salles de sport, cette jeune femme ne dit pas non plus autre chose : « Mes amis me trouvent épanouie et en pleine forme, sans remarquer que j'ai maigri. Mais moi, je sais que je me sens bien dans ma peau parce que je me contrôle et que j'ai repris confiance en moi. » Le corps devient ainsi le moyen de dire aux autres que l'on possède une des valeurs cardinales de la société : la volonté. Un corps mince taillé, travaillé, sculpté par le sport et les régimes devient la meilleure preuve de cette maîtrise. Autrefois, un regard suffisait à situer l'aisance matérielle de l'homme qui se « portait bien ». Aujourd'hui, l'apparence suffit de même à dire : « Regardez mon corps. N'est-il pas la preuve que je suis quelqu'un qui se domine, qui assure dans toutes les situations ? »

Pour la sociologue américaine M. Mackenzie, cette idéologie du « self-control » exprime une des valeurs morales les plus profondes de la culture américaine. Elle est la clé indispensable de toute réussite sociale et professionnelle. La traduction corporelle de cette idéologie en est le corps mince qui devient la preuve visible de la maîtrise de soi. Ses travaux sur les obèses retrouvent de façon quasi constante des associations subjectives entre d'une part minceur et self-control et d'autre part obésité et perte de contrôle. Le gros est soupçonné de laisser-aller et de manque de volonté. Il s'en trouve honteux et cherche à s'en cacher.

Le poids des apparences

Comment s'étonner dès lors que chacun s'efforce de parvenir à cet idéal corporel à la fois promesse d'amour et de réussite sociale ? Malheureusement, si ce dernier change au gré des évolutions de la société, le corps reste celui que l'on a et ne correspond pas toujours à l'humeur du temps. Pour le mettre à la mode aucune société n'a su résister à la tentation de vouloir le transformer. On connaît, dans le monde, toutes sortes de transformations corporelles qui, de notre point de vue occidental, paraissent sauvages et barbares. Citons simplement les femmes à plateau du Tchad, la déformation du pied en Chine, l'allongement du cou des femmes Padaung en Birmanie. Mais citons aussi les scarifications des sociétés africaines ou le percement du nez ou des oreilles qui ne va pas sans nous rappeler la mode du percing en vogue parmi certains groupes de jeunes anglo-saxons. De même, la compression de la taille ou de la poitrine nous rappelle le fameux corset qui fit son apparition en Europe au XVe siècle. Les femmes japonaises ou vietnamiennes se sont mises très tôt à porter des bandes qui leur comprimaient les seins tandis que les femmes Dayak de Bornéo portaient, comme en Europe, des corsets de rotins qui, également, occasionnaient un puissant inconfort et parfois certaines blessures graves.

Toutes ces techniques du corps se justifient, dans les sociétés qui les pratiquent, par le fait qu'elles contribuent à embellir l'individu. Elles sont toujours réalisées dans le but de faciliter l'identification du sujet par son groupe social en modifiant son corps de façon visible et reconnaissable par les autres membres de sa société. Qui aujourd'hui soutiendrait que de telles pratiques, toujours effectuées sur des femmes, contribuent à accroître leur bien-être et à leur épanouissement ? Mais qui aujourd'hui oserait les comparer avec nos opérations de chirurgie esthétique : rhinoplastie, liposuccion, remodelage des seins ? Vu de loin, il ne s'agit finalement que de casser des nez et d'aspirer ou trancher des chairs, anesthésie en plus. « Dans tous les cas, il s'agit d'être beau et belle ; c'est une mise en conformité avec un idéal culturel, un standard type social. Le groupe détermine un modèle du corps dont chaque membre cherche à se rapprocher. »

Est-il critiquable de vouloir être beau pour en être plus aimé ? Il serait vain de s'engager dans une telle discussion. Le corps a toujours été un instrument de séduction et de pouvoir. C'est un fait naturel qui dépasse les hommes et leurs sociétés. Il se retrouve tout autant dans le règne animal où l'on voit le mâle déployer ses parures ou entreprendre des danses d'amour pour séduire sa femelle. Ces rituels participent à la survie des espèces en assurant la transmission du patrimoine génétique d'une génération à l'autre. Sans un minimum d'attirance pour sa compagne ou son compagnon, pourquoi l'être vivant se donnerait-il le mal de s'assurer une descendance ?

Il est donc normal que le corps soit instrumentalisé. Ne nous en plaignons pas. Mais jamais dans l'histoire de l'humanité nous n'avons assisté à de tels excès. Pour parvenir à ses fins, le mangeur a ainsi instrumentalisé sa nourriture. Pour transformer son corps, au lieu de scalpels, de corsets, ou autres moyens de contention, il se sert maintenant de ses aliments. Le temps n'est plus où les aliments se devaient simplement d'être bons et nourrissants. Ils se doivent aujourd'hui d'être utiles à nous maintenir minces. Qu'ils soient bons ne présentent qu'un intérêt accessoire.

Nous ne sommes pas des pâtes à modeler

Chaque société, chaque siècle émet de nouveaux critères de beauté. Mais, nous, pauvres humains, ne pouvons suivre la mode quand elle s'applique directement sur notre corps.

Aujourd'hui les femmes les plus belles ont une corpulence qui se situe entre 15 et 17. Au XVIIIe siècle, elle se situait entre 25 et 27. Demain sera un autre siècle qui édictera ses nouveaux diktats. Rien ne peut venir empêcher la société de déplacer à son gré le curseur de la corpulence idéale. Même pas la médecine qui a affirmé que la corpulence idéale se situait entre 20 et 25. Mais pensez-vous que votre corps n'est qu'une pâte à modeler que vous pourrez pétrir au gré des modes ? Croyez-vous, si la nature vous a fait fort, que vous pourrez décider de devenir frêle et gracile ? Actuellement seules 4 % des femmes de cette planète peuvent se réjouir d'avoir ce corps idéal. Faut-il que toutes les autres se mettent à pleurer et se couvrir la tête de cendres ? Que vous le déploriez, que cela vous attriste, on peut le comprendre. Que vous vous pensiez moins chanceuse. Certes. Mais en quoi cela vous permet-il de croire que les gros sont des êtres inférieurs et sans volonté ?

Si nous étions dominés par les cultures africaines, toutes les maigres pleureraient pour devenir grosses. Elles se soumettraient, comme on le fait là-bas avant le mariage, à des cures d'engraissement afin de séduire et contenter leur futur époux. Malheureusement, après quelques mois, le pauvre homme ne pourrait que s'apercevoir de la supercherie et assister impuissant à l'amaigrissement progressif de sa moitié.

La société décrète sans cesse de nouveaux critères de beauté qui traduisent les valeurs qui lui semblent essentielles à sa survie. Les gros bras pour la chasse, l'embonpoint pour la fécondité, la pâleur ou le bronzage pour l'affirmation de sa classe sociale, la minceur pour la force de caractère et le contrôle de ses émotions. Ce n'est pas pour autant qu'elle ne peut pas proférer des âneries. Les grosses n'ont jamais été plus fécondes que les autres et l'épaisseur du tissu adipeux n'a jamais été un signe de volonté. Pas plus que la longueur des orteils n'a jamais été un signe de distinction. Ou que les femmes à la chevelure rousse n'étaient des agents du diable. Soyez-en totalement convaincu, les minces n'ont pas plus de volonté que les autres, ils ont seulement eu l'immense coup de bol de naître au bon moment. Et si vous voulez ressembler aux minces, faites comme eux : ne vous servez pas de votre volonté.

De la honte à la colère

Finalement, par rapport à des critères esthétiques ou même médicaux, ou bien le surpoids n'est qu'une différence morphologique qu'il faut savoir accepter ou bien il est le résultat d'un trouble de la régulation des apports caloriques qu'il est souvent possible de corriger. Cependant, nous vivons dans une stupide société qui se plaît à penser que l'épaisseur du tissu adipeux est le fidèle reflet de la volonté ou de la force de caractère. Voilà donc ce que pensent les gens autour de vous. Ne vous faites aucune illusion, ils ne changeront pas.

Mais sachant cela, il vous reste deux possibilités. Croire qu'ils ont raison et vous lamenter sur votre sort : « Oui, je suis un être faible sans aucune volonté. Et les gens ont bien raison de me mépriser pour ce que je suis. » Ou prendre conscience de l'ineptie de ces jugements et vous révolter contre la ségrégation dont vous êtes victime : « Je sais ce que vous pensez des gros. Mais je sais aussi que vous êtes des ignorants et que vous ne comprenez rien à ce problème. Pensez ce que vous voulez, mais je n'accepterai pas que vous m'insultiez. »

Commencez donc par remettre les choses à leur place. VOUS êtes la victime. ILS sont les coupables. VOUS êtes victime de calomnies. ILS sont coupables d'injustice et de médisance.

Tant que vous resterez convaincu qu'ils ont raison, vous vous comporterez en coupable et vous vivrez dans la honte de ce que vous êtes. Et vous continuerez à vous sentir inférieur. Cette émotion n'a pas sa place dans les difficultés que vous traversez. D'une part parce que vous ne devez plus croire qu'être gros est une maladie de la volonté. Et quand bien même vous en manqueriez, elle ne vous servirait à rien pour maigrir. D'autre part parce que la honte vous enfermera dans le silence et vous empêchera de vous soigner en allant chercher de l'aide.

Face à cette ségrégation dont vous êtes victime, vous devriez éprouver de la colère, de l'indignation ou de la révolte. Comme face à toutes les autres formes d'injustice ou de racisme. N'êtes-vous pas indigné quand vous entendez tenir des propos racistes à l'encontre des Juifs, des Noirs, des Arabes ? N'êtes-vous pas révolté quand vous assistez à des scènes d'intolérance ? Tous les lieux publics sont aujourd'hui censés s'équiper pour faciliter la circulation des handicapés, voyez-vous une raison pour que l'on interdise l'accès des avions aux personnes trop fortes ?

Il n'y a qu'une raison pour que vous ne réagissiez pas à toutes ces manifestations d'exclusion, c'est que vous pensiez vous-même qu'elles sont justifiées. Voilà le drame et voilà pourquoi les choses ne sont pas si simples. Les gros ne sont pas choqués par ce racisme parce qu'ils sont les premiers à y adhérer. Voilà pourquoi ils sont des coupables muselés par la honte et deviennent incapables de se révolter et se mettre en colère. Face à un handicapé, chacun éprouverait de la compassion. Face à un malade du poids, tout le monde pense : « Comment peut-il ainsi se laisser aller ? »

D'aucuns diront qu'ils ne pensent pas autant de mal des gros. C'est faux. Ce qu'ils n'osent pas penser des autres ils le pensent d'eux-mêmes. Il est politiquement incorrect de penser du mal des autres. Mais rien n'interdit de penser du mal de soi. Un minimum de décence nous empêche d'exprimer trop ouvertement notre haine des gros. Nous nous censurons car la plupart d'entre nous aurait trop honte d'afficher des propos d'une telle laideur. Mais malgré tout nous ne pouvons pas masquer ce que nous pensons réellement. Regardez les publicités, elles reflètent notre pensée. Elles sont édifiantes sur le sujet. Vous rappelez-vous cette petite femme toute menue assise sur le même banc qu'une obèse ? La première mange avec délectation un yaourt à 0 % pendant que la seconde se goinfre d'un sandwich plein de mayonnaise. Quand la maigrelette se lève, la vilaine obèse, de tout son poids, fait basculer le banc et s'effondre par terre. N'importe quelle minorité, ainsi ridiculisée, aurait déposé une plainte pour images et propos injurieux. Sauf les gros, qui rient jaune et baissent les yeux tout honteux qu'ils sont.

Si vous voulez vraiment retrouver votre dignité et restaurer l'estime que vous vous portez, cessez de vous comporter en coupable, regardez les gens dans les yeux et ne les laissez plus vous insulter. Cessez de vous mépriser et soyez compatissant à l'égard de ceux qui souffrent de cette maladie, comme vous l'êtes à l'égard de tous ceux qui souffrent d'autres maladies. Transformez votre honte en colère. Puis un jour, votre colère évoluera vers une révolte utile. La honte n'est pas un sentiment constructif. Elle vous paralysera dans le mutisme sans jamais vous permettre de faire évoluer votre situation. Tandis que la révolte vous conduira peut-être à organiser votre protestation et à modifier ce que pensent les autres.

« Je ne peux être aimé ou apprécié que si je suis mince »

On peut avoir une bonne image de soi et néanmoins souffrir de pas être aimé. Retrouver de l'estime de soi ne suffira pas toujours à vous réconcilier avec les autres. Il est vrai que les obèses ne sont pas aimés et souffrent d'une véritable ségrégation. Ce n'est pas une vue de l'esprit. Il ne sert à rien de se le cacher puisque c'est la réalité. Je n'essayerai pas de vous faire croire le contraire.

Où commence l'exclusion ?

L'idée tenace que l'on ne peut être aimé autrement qu'en étant mince s'installe généralement très tôt dans la vie, dès la petite enfance. Que les enfants entre eux ne se fassent pas de cadeaux et profitent de la moindre différence ou disgrâce pour se blesser ne suffit pas toujours à l'expliquer. Bien sûr, les vexations et les humiliations existent dans la cour de récréation. Toutefois, elles meurtrissent moins et moins durablement que celles qui se reçoivent au sein de sa propre famille. Quand elles existent, celles-ci laissent pour toujours leur empreinte brûlante. Il est peu concevable que nos jeunes enfants parviennent à échapper à l'idéologie de la minceur qui influence, consciemment ou non, même le cercle familial. Combien de parents n'ont pas chapitré leur enfant quand il mangeait avant le dîner ! Ils ne disent pas : « Tu n'auras plus faim pour le dîner. » Mais plus souvent : « Arrête de manger des bonbons tu vas grossir. » Il ne s'agit donc plus d'éduquer les enfants et de les éveiller aux valeurs conviviales des repas. Il s'agit déjà d'agiter devant leurs yeux le spectre de l'horrible corps qui les attend. Ce n'est plus le loup ou le père Fouettard qui fait régner la terreur, mais la vision d'un corps déformé.

Ce sont les parents terrorisés et dégoûtés par l'obésité qui transmettent à l'enfant ses premières grandes peurs. Pour peu que celui-ci sorte un peu de la norme pondérale et il faudra s'empresser de le faire rentrer au plus vite entre les courbes d'une moyenne rassurante. Une morphologie un peu différente, sans même parler de surpoids, entraînera aussitôt une réaction diététique. Combien de personnes, contemplant les photographies de leur enfance ou de leur adolescence, s'interrogent sur les raisons qui ont poussé leurs parents à vouloir les faire maigrir ! Certes, elles avaient peut-être quelques rondeurs, mais rien de bien disgracieux. Et surtout rien de comparable avec leur situation d'aujourd'hui.

C'est d'abord autour de la table qu'apparaissent les premières manifestations de l'exclusion. Nous avons vu le rôle de la nourriture dans les processus d'intégration au groupe social et à la famille. En partageant la même nourriture, le jeune enfant franchit les premières marches de son identification. Un sentiment d'exclusion ne manquera pas de surgir dès lors qu'il lui sera interdit de manger comme le reste de sa famille : « Ce n'est pas bon pour toi, ne te ressers pas, fais attention à ce que tu manges. »

> Delphine se rend à l'anniversaire de l'une de ses amies. Toutes ses camarades sont réunies pour manger le gâteau. Mais sa mère a donné des consignes : « Elle ne doit pas manger de sucreries. Delphine suit un régime. » Delphine se rappellera toute sa vie la pomme qu'elle a mangée, seule, dans la cuisine.

D'autant que ces mesures ne servent à rien puisque souvent les enfants mangent en cachette, leur première rencontre avec la honte. Et font de la nourriture l'objet d'un conflit familial. Où parfois l'obésité devient un moyen de pression de l'enfant sur ses parents.

Et puis ce sont les remarques sur le corps lui-même. Quelle que soit la manière dont on s'y prend le risque est grand de transmettre à l'enfant l'idée qu'il n'est pas aimé tel qu'il est. Que l'on adopte une attitude bienveillante et sincère : « Je le dis pour ton bien. Je me préoccupe de ton avenir », que l'on exprime la douleur de ne pas avoir un enfant conforme à ses attentes : « Tu me déçois beaucoup. Tu ne fais vraiment aucun effort pour t'en sortir », l'enfant comprend qu'on le préférerait différent de ce qu'il est. Il ne convient pas à ses parents. L'inquiétude des premiers se transforme en peur de déplaire. La déception des seconds ne peut être comprise autrement que comme un rejet, plus ou moins clairement exprimé. Dans ces secondes familles qui détestent les gros, il n'y a guère de règles. Il arrive autant que la mère ou le père manifestent leur phobie des gros. L'un comme l'autre sont souvent eux-mêmes très préoccupés de leur propre corps. Ils accordent une importance démesurée à l'apparence, qu'ils manifestent par la pratique de régimes, la surveillance attentive de la balance et de l'alimentation, la pratique de sports amaigrissants... Le soin obsessionnel qu'ils accordent à leur personne ne fait que renforcer chez l'enfant l'idée qu'il ne pourra jamais leur plaire. Les sentences qu'ils prononcent devant leur enfant ne tombent non plus dans l'oreille d'un sourd. « Mon Dieu, comment peut-on se laisser aller comme cela ? C'est répugnant », disent-ils quand ils voient des gros. Parfois, ils s'adressent directement à leur enfant et n'hésitent pas à l'humilier : « Si tu continues tu n'épouseras qu'un camionneur. » Ils les traînent chez des médecins : « Il ne peut pas rester comme ça. » Je me souviens d'un père m'amenant sa petite fille un peu ronde. Quand je m'informai du poids de ses frères, le père répondit : « Non, eux, ils sont bien. Ils sont normaux. » Et la petite fille regardait ses pieds.

Il n'est pas rare que la prise de conscience de sa différence apparaisse lors d'un contact médical. Joséphine a vécu dans l'insouciance heureuse de l'enfance jusqu'au jour où à la fin d'une banale consultation médicale, le pédiatre a ajouté sur un ton anodin : « Et il faudra faire attention à ton poids ! » Ce jour-là, elle s'est sentie sale et a commencé à se voir comme une grosse.

Si vous avez vécu ces situations, elles vous ont sans doute marqué pour le restant de vos jours. Toutefois, vous ne réécrirez pas le passé. Vos parents ne vous ont pas donné cet amour inconditionnel que vous attendiez de leur part. Ils ont pour toujours inscrit en vous cette peur du rejet qui vous hante aujourd'hui. Rejeté par vos parents parce que vous étiez gros, vous pensez qu'il en sera toujours ainsi. C'est faux. Mais il vous faudra parcourir un chemin difficile : faire le deuil de l'espoir de correspondre un jour aux exigences de vos parents.

Vos parents avaient peut-être à votre égard des attentes que vous avez déçues. C'est leur droit le plus strict d'avoir toutes sortes d'exigences. Après tout, on ne peut empêcher personne de concevoir les rêves qu'il veut, même les plus absurdes. Ils vous souhaitaient filiforme et longiligne, alors que vous étiez ronde. Peut-être avaient-ils encore d'autres exigences ? Ils vous voulaient aussi brillant dans vos études, dans vos loisirs. À leurs yeux vous n'étiez jamais assez parfait. La réussite de leur progéniture les aurait flattés. Ils auraient pu vous exhiber et satisfaire leur narcissisme. Pourquoi pas ? Les enfants parfaits n'existent pas. Mais les parents parfaits non plus. N'ayez donc pas à leur égard des attentes aussi irréalistes que les leurs. N'adoptez pas la croyance irrationnelle qui voudrait que vos parents soient aussi irréprochables qu'ils vous auraient voulu. Admettez tout au plus qu'ils avaient bien le droit d'avoir toutes les exigences qu'ils voulaient, mais qu'aujourd'hui elles ne regardent qu'eux. Après tout, ils pouvaient bien rêver d'avoir un enfant qui soit à la fois top model et prix

Nobel de littérature. Vous étiez enfant et vous aviez raison de vouloir tout faire pour les rendre heureux. Toutefois, aujourd'hui vous êtes un adulte. Leurs désirs ne sont plus les vôtres. Jusqu'où irez-vous pour satisfaire les exigences de vos parents ? Vous ne serez jamais parfait aux yeux de vos parents ? Soit. On peut vivre avec cette idée. C'est triste, c'est regrettable. Mais, s'il est dit que chacun peut concevoir les rêves les plus fous, il n'est écrit nulle part que vous devrez, toute votre vie, vous plier en quatre pour satisfaire leurs folies. Surtout si ces rêves ne vous sont pas accessibles.

Alors si aujourd'hui encore vos parents vous disent qu'ils ne supportent pas les gros, ce n'est pas vous qui avez un problème. C'est eux. Ils peuvent se faire soigner si cela leur est trop insupportable.

La ségrégation sociale est une réalité

Heureusement, tous les enfants n'ont pas grandi dans des familles aussi obsédées par le poids et les apparences. Et l'expérience du rejet peut aussi se vivre dans un entourage moins proche.

• *Dès l'enfance*

On constate des échecs successifs qui conduisent l'enfant dans un cercle vicieux dès l'âge scolaire avec un handicap physique qui l'exclut de l'activité de groupe. Il est rejeté à l'école comme à la maison et on a déjà sur lui le regard porté sur « l'obèse », à savoir un enfant sans volonté, mou, solitaire, parfois coléreux. Son surpoids, qui peut n'être qu'une simple variation de la norme, devient alors l'objet des moqueries et la cause de son sentiment de rejet.

Clémentine se rappelle encore comment elle a commencé son premier régime. « J'étais en CM2. Nous passions tous ensemble la visite médicale et la pesée se faisait devant tout le monde. Je pesais 33 kg et je mesurais 1,45 m. Je n'étais vraiment pas grosse. Un élève de la classe a entendu le médecin annoncer mon poids et a répété en écho "33 tonnes". Toute l'année, il m'a appelée "33 tonnes". Ça a été comme un déclic. Je suis rentrée à la maison en larmes et j'ai demandé à ma mère de me mettre au régime.»

• *À l'université*

Aux États-Unis, des études ont montré, dès les années 1960, que les obèses étaient victimes d'une discrimination. De fait, ils avaient moins de chances que les minces d'être admis dans une université.

• *Les débuts professionnels*

Une expérience réalisée aux États-Unis a consisté à soumettre des sujets à une série d'enregistrements vidéo de personnes sollicitant un emploi. Seules celles qui avaient une apparence de poids normale ont été jugées susceptibles d'être engagées. Or, c'étaient les mêmes comédiens qui jouaient les rôles des personnes de diverses corpulences. Leur aspect était simplement modifié au moyen d'effets spéciaux. Il n'est pas difficile de trouver des exemples de discrimination à l'emploi. La presse se fait chaque année l'écho de personnes refusées à un emploi ou même licenciées pour cause d'inaptitude au travail. Même quand il s'agit de professions ne requérant aucune sollicitation physique. À mérite égal, on leur préfère plus souvent un candidat mince lorsqu'ils postulent pour le même poste.

Au Danemark, S. Sonne-Holme a montré que les obèses accèdent à une position sociale inférieure à celle d'hommes non obèses de la même population. Pour des occupations professionnelles cotées de 0 à 7, seulement 30 % des obèses dépassent la classe 2, comparé à 51 % pour les non-obèses. Et ceci indépendamment du niveau social des parents, du degré d'instruction et du résultat des tests d'intelligence des sujets. L'obésité est donc à l'origine d'un handicap social important.

• *L'évolution professionnelle*

Une fois engagés, ils risquent davantage d'être plus mal notés que les minces et leur promotion au sein de leur entreprise est généralement moins rapide que celle des non-obèses.

• *L'ascension sociale*

En comparaison avec les femmes de poids normal, les obèses auront plus souvent une situation socio-économique moins bonne que celle de leurs parents. Et le passage dans une classe sociale aisée, par le biais d'un mariage, concernera davantage les femmes minces que les obèses [1]. Pour paraphraser le dicton : dans la vie, mieux vaut être riche et mince que pauvre et obèse.

Le racisme antigros n'est donc pas une vue de l'esprit. Les personnes obèses sont véritablement victimes d'une forme de discrimination sociale dont chacun peut prendre conscience. Il serait par conséquent inutile de se cacher que nous vivons dans une société qui a pris l'obésité en aversion et que cette attitude est largement partagée par tous ses membres, y compris par les obèses qui portent sur eux le même jugement dépréciateur. Rien d'étonnant donc à ce que chacun soit terrifié par la prise de poids et la perspective d'être à son tour victime de l'opprobre collectif. Dans l'inconscient individuel, le spectre de l'exclusion sociale rode et hante les mangeurs au moindre kilo excédentaire.

---

1. Garn S.M., Sullivan T.V., Hawthorne V.M., « Educational level, fatness and fatness differences between husbands and wives », *American Journal of Clinical Nutrition*, 1989, 50, 740-745.

Êtes-vous réellement concerné par cette réalité ?

➤ *Vous êtes obèse et vous subissez cette ségrégation*

Les études précédentes concernent les personnes présentant une obésité importante ou massive. Sans conteste, il s'agit d'une inqualifiable forme de ségrégation sociale. On peut donc affirmer que ces personnes devront assumer ce que l'on peut considérer comme un véritable handicap social.

Toutefois le jugement de la société diffère du jugement des individus. S'il est vrai que la société juge mal les obèses, il n'en est pas exactement de même pour les individus. Même si vos amis ont une image déplorable des gros, ils ne portent pas sur vous le même jugement. Inconsciemment, ils pensent sûrement que les gros sont mous, paresseux et sans volonté. Ce n'est pas l'opinion qu'ils ont de vous. Ils vous jugent davantage en fonction de ce que vous leur montrez. Et voient ce que vous leur laissez voir.

> Caroline est obèse et travaille comme analyste financière dans une entreprise. Elle a toujours été convaincue que ses collègues ne la voyaient que comme une grosse. Jusqu'au jour où, dans un atelier de développement personnel organisé par son employeur, elle s'est véritablement confrontée à l'opinion de ses collègues. Il leur était demandé d'exprimer comment ils la percevaient. Les qualificatifs choisis furent : dynamique, positive, compétente, réfléchie, proche de ses collaborateurs et possédant une forte personnalité. Elle jouissait d'une très bonne popularité au sein de son entreprise. Ce fut pour elle une révélation qui allait à l'encontre de ses convictions profondes. Elle décida donc de poursuivre l'expérience auprès de ses amis. Ces derniers ajoutèrent qu'ils la jugeaient volontaire, presque têtue, mais susceptible et manquant de confiance en elle.

En fait, les gens pensent du mal des gros en général, mais pas des gros en particulier. Ils peuvent considérer que les obèses n'ont pas de volonté, mais ils ne peuvent appliquer ces *a priori* à ceux qu'ils côtoient. À moins que ce ne soit réellement le cas. Après tout, pourquoi certains gros n'auraient-ils pas le droit d'être aussi mous que certains minces ? Comme dans toutes les formes de racismes, ils ont leurs bons gros. Dans leur esprit, cohabitent des croyances et des réalités contraires, sans jamais que ces réalités ne viennent ébranler leurs croyances.

Toutefois, si vous manquez de confiance en vous sous le prétexte que vous êtes gros, pourquoi voulez-vous que les autres vous accordent plus de confiance que vous ne vous en accordez à vous-même ? Ils risquent de se détourner de vous et vous regarder comme vous vous regardez. Une fois passées les barrières des premières sélections, vous serez d'abord jugé sur vos compétences professionnelles, exactement comme tout le monde. Si on vous affirme que tel chirurgien obèse est le plus compétent dans son domaine, préférerez-vous vous faire opérer par un bellâtre mince moins compétent ? Au cas où vous seriez tenté de répondre par l'affirmative, ne vous plaignez pas ensuite que l'opération ne se soit pas bien passée. Vous aurez largement mérité votre sort.

Sur le plan personnel et sentimental, la situation n'est pas idéale pour vous. Vous ne correspondez pas aux standards de beauté actuels. Il est vrai que les hommes s'extasient devant des mannequins de 20 ans tout en longueur et rien en rondeur. Il est vrai que les femmes trouvent merveilleusement sexy de jeunes mâles tout en muscles aux biceps rebondis et aux abdominaux en tablette de chocolat. Et alors, pourquoi pas ? Mais est-ce pour autant qu'ils souhaiteraient les avoir pour compagnes ou compagnons de vie ? D'accord, c'est beau en image et même dans un cocktail. Mais une fois à la maison, on en fait quoi ?

Cessez donc de croire que la séduction s'arrête à la surface de l'épiderme. Là encore, la confiance en soi sera déterminante.

Et pour le reste vous serez jugé sur l'ensemble de vos qualités : la gentillesse, le sens des responsabilités, la ténacité, l'humour, l'empathie, vos centres d'intérêt, la discrétion, l'exubérance, votre force de caractère, votre fragilité... Même vos faiblesses, si vous en tirez parti, pourront vous attirer des grâces. Depuis le temps que je rencontre des patients de tous les poids, la majorité formait des couples ni plus ni moins heureux que les autres.

Alors d'accord, la vie des obèses n'est pas des plus faciles. Mais pouvez-vous y changer quelque chose ? Qu'allez-vous faire ? Allez-vous passer le reste de votre vie à pleurer sur votre sort ? Où avez-vous été chercher l'idée que le monde était juste et confortable ? Bien sûr, c'est dur et injuste. Mais le fait de vous lamenter vous aidera-t-il à mieux supporter cette situation ? Vous devez déjà subir les difficultés de votre poids, pensez-vous que vous devez aussi vous accabler et gâcher le reste de votre existence ?

Être obèse n'est pas une sinécure, mais si vous ne pouvez pas le changer mieux vaut l'accepter et décider de vivre sa vie, sans attendre un changement qui n'arrivera jamais.

➤ *Vous présentez un simple surpoids*

Vous n'êtes déjà plus concerné par ces études. Elles ne concernent que les obèses, c'est-à-dire 10 % de la population. Vous n'en faites pas partie. Et vous n'êtes pas une victime de la ségrégation sociale. Votre poids vous gêne et vous éprouvez des difficultés à vous habiller. Cependant, vous n'avez jamais subi la moindre discrimination professionnelle. On ne vous a jamais refusé un emploi ou un avancement du fait de votre poids. Sauf peut-être si vous souhaitiez devenir mannequin. Mais que voulez-vous, vous n'avez pas le physique de l'emploi. Vous êtes-vous déjà plaint que seuls les hommes de petite taille pouvaient devenir jockeys ? Les individus trop grands ne pourront jamais exercer ce métier car ils n'ont pas non plus le physique de l'emploi. C'est comme ça. Cela ne choque personne. Vous considérez peut-être que votre poids entrave votre vie sociale et sentimentale ? Mais est-ce la réalité ? D'ailleurs, dans votre entourage, parmi vos amis et relations, avez-vous exclu ceux qui présentaient une trop forte corpulence ? Ce n'est pas sérieux. À part quelques grands phobiques du poids, chacun possède dans son entourage des amis présentant un surpoids. Dans ce cas, pourquoi vos amis seraient-ils différents de vous ? Est-il raisonnable de penser que la perte de quelques kilos vous permettrait de gagner de nouveaux amis ? Si vous avez peu d'amis, il est bien plus probable que la raison n'en revienne pas à votre poids. Là encore, on pourrait penser qu'un comportement asociable provenant d'un manque de confiance en soi aura plus d'impact sur vos difficultés relationnelles que vos kilos en trop.

Sur un plan sentimental, la réalité est bien plus nuancée que vous ne le croyez. Les hommes, en particulier, portent sur le corps des femmes un jugement assez différent de celui des femmes elles-mêmes. Quand on interroge les couples, seulement 55 % des femmes considèrent avoir une silhouette « comme il faut ». Alors que 70 % des hommes pensent que leur compagne a une silhouette satisfaisante. Concernant le corps des femmes, on voit, dans toutes les études, que l'idéal de minceur des femmes est toujours plus sévère que celui des hommes. Pour plaire aux hommes, les femmes s'imaginent devoir être plus minces que ne le souhaiteraient les hommes. On voit également qu'au début de l'âge adulte, il n'existe pas de corrélation entre la corpulence des femmes et le niveau d'éducation des hommes. Les hommes les plus éduqués ne choisissent pas les femmes les plus minces. Quant aux hommes, si les femmes jugent leur corps aussi sévèrement qu'elles jugent le leur, il n'est pas un obstacle à leur vie de couple. En somme, on peut parfaitement admettre que sa compagne ou son compagnon n'a pas la corpulence idéale, qu'il a quelques kilos en trop, qu'il est même un peu trop enrobé et faire passer ce critère derrière des considérations, semble-t-il, plus essentielles.

Il est donc absurde de penser qu'il faille ressembler à un Apollon ou à une Vénus pour trouver le compagnon ou la compagne de sa vie.

➤ *Vous avez un poids normal mais des rondeurs qui vous déplaisent*

Il est inutile de préciser que vous n'avez jamais été personnellement confronté à la moindre manifestation de racisme antigros. Les mesures de ségrégation sociale ne vous ont jamais concerné. Votre principal souci est la peur que vous avez de ne pas être apprécié par les autres, d'être mal jugé car votre corps ne vous semble pas irréprochable.

Un corps normal n'est pas sans rondeurs ni bourrelets. Peut-être vous plaignez-vous d'avoir trop de ventre, de fesses, de cellulite... ? Ce n'est pas parce que votre corps n'est pas exactement conforme à vos désirs ou aux images à la mode qu'il en est pour autant anormal. Ou même simplement qu'il pourrait être autrement. Vous êtes convaincu que perdre 2 ou 3 kilos vous rendrait plus heureux et vous permettrait d'améliorer vos relations avec les autres.

Pour reprendre le titre du livre de Danièle Bourque vous vous trouvez juste à quelques kilos du bonheur. Donnez-vous la peine d'examiner votre situation. Si vous perdiez ces quelques kilos, votre vie s'en trouverait-elle concrètement modifiée ? Auriez-vous un meilleur travail, votre mari ou votre femme vous en aimerait-il davantage, vos parents vous porteraient-ils plus d'affection, vos enfants seraient-ils plus proches de vous, vos amis seraient-ils plus nombreux... ? Objectivement, en quoi votre vie serait-elle différente ? En réalité, vous avez simplement décidé que vous pourriez être heureux à 60 kg mais qu'il vous était impossible de l'être à 65. Vous vous êtes convaincu que cette simple différence pourra transformer toute votre vie. Alors que rien ne changera vraiment. Vous vivrez les mêmes joies et devrez toujours affronter les mêmes problèmes. En somme, votre bonheur ne tient qu'à une simple décision de votre part. Vous avez décrété que trois, quatre ou cinq kilos vous séparaient du bonheur. Permettez-moi de vous donner un conseil : prenez la décision de ne pas attendre pour être heureux. Et décidez de vous affirmer tel que vous êtes.

L'image que vous avez de votre poids vous empêche d'affronter sereinement certaines situations. Celles-ci vous rendent les gestes de la vie quotidienne très difficiles. Cependant, à y bien regarder, ces situations ne présentent aucun danger réel. Bien au contraire, plus vous les évitez, plus elles vous font peur. Je vous suggère donc d'établir la liste de toutes les situations qui vous mettent en difficulté et de les classer en fonction de l'anxiété qu'elles provoquent.

— J'évite de retirer mes vêtements, même longs (pulls, manteaux, T-shirt).

— En hiver, je garde mon manteau sur les genoux, les hanches, afin de les dissimuler.

— De même, je ne sors jamais sans cacher mes fesses avec un vêtement.

— Si on me force à aller en boîte de nuit, je reste assise même si je porte un vêtement long. Je préfère laisser croire que je n'aime pas danser.

— Au restaurant, pour éviter de me faire remarquer en me rendant aux toilettes, j'anticipe en y allant dès mon arrivée. Ou j'attends la fin du repas et le moment où tout le monde se rhabille.

— Lorsque je suis obligée d'aller à la piscine pour mes cours de natation, je sors avec une serviette qui me couvre de la poitrine jusqu'aux pieds. J'attends le dernier moment pour entrer dans l'eau et laisser tomber ma serviette.

— Je me baigne, à la plage et à la piscine, avec un short.
— J'évite les essayages en grands magasins pour ne pas essuyer le regard d'une vendeuse.
— J'évite tous les miroirs.
— J'évite de me promener nue devant mon ami. Et je préfère faire l'amour dans l'obscurité.

Prenez ensuite les situations dans l'ordre et commencez par vous affronter à celle qui vous semble la moins pénible. Géraldine a décidé de s'affronter aux scènes de restaurant. Elle pense pouvoir résoudre ce problème sans trop de difficultés. Elle décide donc de se livrer à un exercice qui consiste à se lever de table au milieu du repas et se rendre aux toilettes. Pour faciliter sa première tentative, elle portera un pull-over assez couvrant. Jusqu'ici, elle était persuadée que tout le monde la regarderait et porterait sur elle un jugement dévalorisant. L'exercice comportera deux parties. La première consistera à vérifier par elle-même qu'en se levant et marchant entre les tables du restaurant, elle ne deviendra pas le centre d'attention de tous les clients. La seconde consistera à se préparer mentalement à l'idée que certains clients pourraient effectivement la dévisager et lui trouver un défaut physique. Elle prend conscience qu'elle ne porte aucun intérêt à l'opinion d'un inconnu dans une foule. Et qu'après tout, il peut bien penser ce qu'il lui plaît sans que cela l'empêche de dormir.

L'exercice suivant consiste à marcher dans la rue en portant cette fois une tenue moins couvrante : un pantalon et un pull-over court. De la même manière, Géraldine s'est convaincue que les gens de la rue la dévisageraient et que certains pourraient même lui adresser des réflexions désobligeantes. Il s'agit là encore de confronter sa croyance à la réalité et d'affronter mentalement l'idée que, parmi toutes les personnes qu'elle croisera dans l'avenue choisie certaines pourront ne pas la trouver à leur goût. En fait, qu'il est possible de survivre avec l'idée qu'on peut ne pas plaire à tout le monde.

Progressivement, Géraldine s'exerce sur des situations de plus en plus difficiles et, à force de les répéter, acquiert l'assurance qui lui faisait défaut. Mais surtout l'idée qu'il n'est pas absolument nécessaire d'être mince pour être apprécié et même aimé par les autres. Dans le même temps, elle rejette l'idée que pour être heureuse il est obligatoire d'être appréciée de tous. Et même qu'il n'est pas indispensable de se plaire totalement pour décider d'être heureux. Bien sûr, ce serait plus agréable. Mais ce n'est pas indispensable.

Dans la pratique, il n'est pas si facile de reconquérir estime de soi et confiance en soi. Au-delà de la problématique pondérale, chaque personne se trouve également face à son histoire personnelle, à ses manques, ses vieilles douleurs, ses schémas de pensée. Face à la blessure du poids, tout cela ne manquera pas de ressurgir. Devenir mince est une aventure qui vous changera bien au-delà des kilos que vous aurez perdus.

Conclusion

Pour terminer cet ouvrage, je voudrais laisser la parole à deux auteurs que j'affectionne particulièrement pour leur impertinence oxygénante.

Le premier, Petr Skrabanek, aimait rappeler que « à tout problème complexe existait une réponse simple, directe et... fausse ». S'il en est, l'obésité est une maladie éminemment complexe. Prétendre que l'on pourra la prévenir ou en venir à bout en exhortant des millions de personnes à manger moins gras et à faire du sport est une solution terriblement séduisante par sa simplicité mais, malheureusement, totalement fausse. C'est bien dommage. Des millions de personnes s'évertuent à appliquer chaque jour cette recette sans qu'aucun résultat durable et satisfaisant ne vienne jamais les récompenser de leurs efforts. Certains y parviennent, de l'ordre de un sur vingt. Alors que les dix-neuf autres voient au contraire leur situation s'aggraver, physiquement ou psychologiquement. Quelle est donc cette logique médicale qui justifie de sacrifier dix-neuf personnes pour en sauver une seule ?

Le second, Paul Watzlawick, dans son livre, *Faites vous-même votre malheur*, aimait rappeler que, lorsqu'une solution ne produit pas le résultat escompté, « il suffit d'insister ». Le candidat au malheur n'aura qu'à s'en tenir à seulement deux règles. La première est de considérer face à un problème « qu'une seule solution est possible, raisonnable, autorisée et logique. Si elle n'a pas encore produit l'effet désiré, c'est qu'il faut redoubler d'efforts et de détermination dans son application. La seconde est qu'il ne faut en aucun cas remettre en question l'idée qu'il n'existe qu'une solution et une seule. C'est sa mise en pratique qui doit laisser à désirer et peut encore être améliorée ». Par conséquent, face au dogme de l'équilibre alimentaire et aux régimes qui en découlent, même si les résultats sont catastrophiques, il ne faut surtout pas baisser les bras mais au contraire s'interroger sur ses propres défaillances.

C'est ainsi que l'on peut étouffer toute réflexion et poursuivre sans discontinuer une politique destructrice qui conduit dans l'impasse, et sans regret, des millions de personnes en souffrance avec leur comportement alimentaire et leur poids.

Il n'est pas critiquable, loin de là, de s'appuyer sur les connaissances scientifiques de son temps pour proposer des théories explicatives. Toutefois, une théorie n'a de valeur que s'il est possible de la remettre en question à mesure que de nouvelles connaissances apparaissent. Dans le cas contraire, il ne s'agirait plus d'une théorie mais bien d'une position dogmatique obscurantiste. Le raisonnement scientifique impose, au contraire, qu'une théorie soit systématiquement remise en question par les nouvelles découvertes et ne reste vraie tant qu'aucune exception ne vient la contredire. Contrairement à ce que proclame le proverbe, en science, l'exception ne vient pas confirmer la règle, elle l'annule et impose de reconstruire une nouvelle théorie. De même, l'unanimité des opinions n'a pas valeur de preuve scientifique. Bien que beaucoup d'observations viennent renforcer l'idée que nombre de personnes qui grossissent ont une alimentation riche en graisses, il n'est pas possible de faire abstraction du fait que d'autres grossissent avec une alimentation pauvre en graisses. Ou que certaines maigrissent en réduisant les graisses alors que d'autres maigrissent en les augmentant.

Quelques réflexions
sur les problèmes de poids

Il paraît difficile de supposer que l'obésité soit la conséquence directe de quelques simples erreurs diététiques et qu'elle puisse se traiter par de simples conseils d'hygiène alimentaire. Une tentative d'explication de ce phénomène ne peut s'élaborer qu'à partir d'une réflexion globale et multidisciplinaire dont on peut proposer peut-être quelques éléments :

1. *Une génétique permissive et déterminante.* Les facteurs génétiques semblent bien jouer un rôle essentiel dans les problèmes de poids. Sans pour autant qu'ils soient une fatalité. L'évolution de l'humanité a probablement contribué à la sélection d'individus prédisposés à stocker des réserves d'énergie et peut-être aussi à la sélection d'individus possédant des métabolismes bas. Ce caractère a sans doute permis à beaucoup de nos ancêtres de survivre dans les moments de pénurie alimentaire. Il peut aujourd'hui apparaître comme une difficulté supplémentaire à ceux qui se battent contre leur surpoids. Par ailleurs, la génétique impose à chaque individu un poids d'équilibre autour duquel il est possible de varier mais, sauf prédispositions ou contextes particuliers, dont il est difficile de s'éloigner considérablement. Or rien ne peut laisser croire que les critères de beauté exigés aujourd'hui par les sociétés occidentales aient le moindre rapport avec ce poids génétiquement déterminé. Il peut même, dans certains cas, se révéler être très au-dessus d'un poids « normal » et affecter l'individu d'une véritable obésité génétique et pathologique. Dans la plupart des cas, il serait plus judicieux de parler d'une génétique déterminante associée à une

génétique permissive autorisant le développement d'une obésité, à condition que d'autres facteurs viennent se surajouter.

2. *Un environnement incitatif.* Pour la première fois dans
l'histoire de l'humanité, une grande partie du monde connaît
une période de surabondance alimentaire. En regard de l'évolution, on peut considérer que l'organisme humain n'est pas
préparé à cette nouvelle situation. Au cours des âges, les préoccupations du mangeur sont passées de la quantité de nourriture
à la nourriture de qualité, expliquant ainsi qu'il soit plus attaché
aujourd'hui à produire des aliments pour lesquels il éprouve
une plus grande appétence. Il s'agit là d'un réel progrès qui
accompagne le développement économique de toutes les
sociétés. Par ailleurs, cette nourriture surabondante ne se
contente pas d'être seulement à disposition. Elle est un produit
marchand dans une société de consommation dont le but est
d'inciter... les consommateurs à consommer.

3. *Une physiologie complexe.* Les mécanismes régulateurs de la faim et de la satiété intègrent de nombreuses dimensions : biologique, cognitive et psychologique. L'individu ne
se rassasie pas seulement en fonction de la quantité ou de la
composition biochimique de sa nourriture, mais aussi en fonction de ce qu'il pense de ses aliments et des émotions qu'ils
font naître en lui. De façon très naturelle, elle peut également
se révéler une grande source de réconfort dans les moments de
tension psychologique. Les messages de prévention nutritionnelle, qui semblent considérer l'individu uniquement comme
une machine thermodynamique, ont largement sous-estimé ces
aspects de l'alimentation et contribué à désorienter les processus de rassasiement. Or, comme le constate le sociologue
Claude Fischler : « On a, dans la plupart des tentatives de
réforme ou d'intervention nutritionnelle, toujours agi comme
s'il était implicitement acquis que l'homme, en matière alimen-

taire, est une sorte de cire vierge, malléable à volonté, et qu'un plan d'"engineering nutritionnel", une fois bien conçu, n'a plus qu'à être appliqué pour ainsi dire par décret. On a sous-estimé ou ignoré complètement les fonctions sociales et culturelles de l'alimentation. »

4. *Une science qui s'érige en nouvelle morale.* Il serait vain de rechercher des justifications scientifiques à la plupart des règles diététiques que nous avons examinées. Dans bien des cas, elles ne trouvent leur origine que dans une forme de moralisme alimentaire très éloigné de considérations scientifiques. Or un jugement moral n'a pas sa place dans une consultation médicale, qui doit respecter le droit de chaque individu à son autonomie et à son choix personnel. Selon la formule de Mencken, le danger que masque aujourd'hui la médecine préventive est « la corruption de la médecine par la morale ». Pour Skrabanek : « Dans la théologie médicale contemporaine, la santé a pris la place du paradis. On atteint la sainteté par "un style de vie sain", tandis que la recherche du plaisir amène une inévitable punition de la maladie et de la mort. » Disqualifiant ainsi les fonctions régulatrices du rassasiement fondées sur l'existence du plaisir gustatif. Il est très naïf de laisser penser que les principales maladies de civilisation pourraient être prévenues, si seulement les citoyens voulaient suivre le droit chemin. En se substituant ainsi à l'individu, la médecine préventive a inventé le concept de « vie idéale », statistiquement correcte, qui participe à un processus de normatisation, contribuant à détourner l'individu de ses propres signaux internes. La science est jugée plus apte à déterminer les besoins de l'individu que l'individu lui-même. C'est dans ce contexte que les croyances alimentaires, cautionnées par une pseudo-science, vont venir prendre la place des sensations alimentaires et que va s'installer, à une échelle jamais connue, un nouveau comportement alimentaire collectif : l'état de restriction cognitive.

5. *Une société qui exige la minceur.* Chaque époque a valorisé ses critères de beauté. Et leurs contemporains n'ont eu de cesse de s'y conformer. Dans nos sociétés modernes, la beauté traduit des valeurs de maîtrise et de volonté. Et quels que soient ces critères, la beauté a toujours coïncidé avec la réussite sociale. On ne peut donc être surpris par le désir de conformité qui s'empare chaque fois de générations entières qui n'entendent pas s'exclure du vaste mouvement de ceux qui font leur temps. La particularité de notre époque est qu'elle a érigé en idéal de beauté un corps que la plupart des femmes ne pourront jamais posséder. On conçoit facilement que cet écart entre le corps réel et le corps idéal encouragera des millions de personnes à instrumentaliser leur alimentation afin de maîtriser leur corps.

6. *Mondialisation de la science et des moyens de communication.* Si l'on ajoute à tout cela que les moyens de communication permettent une diffusion mondiale des idées, des valeurs, des tendances ou des comportements, on obtient une épidémie mondiale d'obésité.

Quelques réflexions
sur la restriction cognitive

Les concepts de régulation et de restriction cognitive sont probablement parmi les plus prometteurs dans la prise en charge des problèmes de poids et des troubles du comportement alimentaire. Ils se présentent comme une réelle alternative thérapeutique à l'approche diététique qui, tout au contraire, instaure une conduite pathologique, la restriction cognitive, comme une nouvelle norme alimentaire.

Face à cette dictature du « bien manger », on conçoit la difficulté à distinguer la frontière du normal et du pathologique. Le passage de la mauvaise conscience alimentaire dans une société obsédée par son poids à l'état de restriction s'effectuera le plus souvent d'une manière insidieuse et difficile à percevoir. D'autant que la surveillance du poids et de l'alimentation semble bien aujourd'hui s'imposer aussi comme la nouvelle norme sociale, qui à ce titre n'attire pas l'attention des personnels soignants. Avec d'autres auteurs [1], il est possible de considérer la restriction cognitive comme un « trouble ethnique », une forme de pathologie induite par la culture. Comme le XIXᵉ siècle a été celui du trouble hystérique, le XXᵉ serait donc celui des troubles narcissiques. Nous nous trouverions ainsi en présence d'une maladie de *la* société, au sens où la pensée de la société elle-même, sur les rapports de l'individu

---

1. Gordon R.A., « A sociocultural interpretation of the current epidemic of eating disorders », *in* Blinder B.J., Chaitin B.F., Goldstein R.S., « The eating disorders », *Medical and psychological bases of diagnosis and treatment*, P.M.A. Publishing, New York, 1988, 151-163.

avec sa nourriture, son corps et les autres, serait devenue pathogène.

Dans ce contexte, il est par conséquent peu probable que les médecins dissuadent leurs patients de persévérer dans ces pratiques. Rien, en effet, n'autorise à penser que les médecins, plus que d'autres, échappent à leur contexte social. La plupart considèrent le régime comme une bonne pratique thérapeutique et beaucoup se trouvent eux-mêmes en état de restriction cognitive. Le paradoxe serait donc le suivant : d'une part, les médecins en prescrivant des régimes et en distillant des messages de prévention nutritionnelle participeraient à un vaste mouvement d'institutionnalisation de la restriction cognitive. D'autre part, constatant les effets délétères de ces pratiques, ils se trouvent contraints d'adresser des messages contradictoires mettant en garde contre les excès des comportements de restriction. Ce qui revient à encourager les personnes à adopter des comportements de restriction tout en blâmant ceux qui réussissent le mieux.

Le concept de restriction cognitive existe depuis maintenant un quart de siècle. Depuis son apparition, l'intérêt des auteurs a essentiellement porté sur les pertes de contrôle, qu'elles aient la forme d'accès hyperphagiques ou de compulsions. Alors que l'état d'inhibition ou d'hypercontrôle, par nature moins démonstratif, a beaucoup moins suscité leur attention. Or il me semble que la restriction cognitive se caractérise bien davantage par cet aspect de sa clinique, dont les conséquences pondérales ont très largement été sous-estimées. Même sous la forme d'un tableau clinique incomplet, les mentalisations, le contrôle, l'effacement des sensations alimentaires, la peur de manquer n'ont jamais fait défaut chez aucun des patients que j'ai été amené à rencontrer. Elles peuvent, à l'insu même du mangeur, conditionné par l'idée qu'il se fait du « bien manger », entraîner des surconsommations caloriques et expliquer ses difficultés pondérales. Ces dernières peuvent se manifester sous différentes formes : prise de poids, difficulté à perdre du poids, incapacité à maintenir le poids après un amaigrissement. Cette diversité clinique explique donc qu'il ne soit pas possible de caractériser la restriction cognitive par un niveau de poids. À l'inverse, comme certains auteurs l'ont souligné, les épisodes de désinhibition ne sont pas toujours présents. De la même façon, il n'est pas non plus possible de la caractériser par un comportement alimentaire précis puisque, outre le surpoids et l'obésité, on peut aussi bien la rencontrer dans l'anorexie mentale et la boulimie, avec ou sans stratégies compensatoires, avec ou sans pertes de contrôle.

On comprend l'utilité des régimes amaigrissants. Bien qu'ayant l'impression permanente de se surveiller et de se restreindre, le mangeur, égaré par des sensations alimentaires perturbées, devra sans cesse lutter contre des forces invisibles l'incitant à manger au-delà de ses besoins sans qu'il soit en mesure de s'en rendre compte et qui le feront grossir. La présence « d'écarts alimentaires » ou d'épisodes compulsifs lui fournira parfois un bouc émissaire commode qu'il pourra rendre responsable de sa prise de poids. Les périodes de régimes amaigrissants, que l'on peut considérer comme des périodes de renforcement du contrôle, présenteront le double intérêt de supprimer momentanément les pertes de contrôle et de souvent transformer la restriction cognitive en une restriction calorique effective qui assurera une perte de poids transitoire.

Par bien des aspects et à la lumière de ces nouvelles connaissances sur la restriction cognitive, la pratique des régimes amaigrissants ressemble à s'y méprendre à un cours d'initiation pour boulimique débutant. On y retrouve les pratiques de gavage, les stratégies compensatoires, la présence des comportements obsessionnels et phobiques à l'égard de la nourriture et de l'apparence corporelle, la faible estime de soi, les sentiments d'échec, l'aggravation spontanée de tous les troubles, auxquels il ne faut pas oublier d'ajouter l'aggravation inexorable des problèmes de poids. Il me paraît donc assez juste de considérer qu'en matière de poids et de comportement alimentaire les régimes amaigrissants apportent des solutions bien pires que les problèmes qu'ils prétendent résoudre. On peut même assez légitimement avancer l'idée que cette fameuse épidémie d'obésité, actuellement constatée dans tous les pays développés, n'est finalement que la conséquence de la pernicieuse épidémie de régime qui sévit partout dans le monde !

Quelques réflexions
sur l'origine d'un trouble

À la suite de toutes ces réflexions, nous devons sans doute nous interroger sur la manière de considérer aujourd'hui les problèmes de poids. À ce jour, il paraît évident au corps médical que l'anorexie, la boulimie et l'hyperphagie soient du domaine des maladies mentales dûment attribuées à la sphère psychologique. Tandis que le surpoids ou l'obésité seraient eux l'apanage de la médecine et le simple résultat de quelques erreurs diététiques que l'on pourrait facilement corriger en prodiguant les informations adéquates.

Or ce point de vue apparaît aujourd'hui largement discutable. Il est définitivement établi que le poids d'un individu est déterminé par sa génétique par au moins deux aspects. D'une part, comme nous l'avons vu, en déterminant son set-point. D'autre part, en déterminant aussi sa capacité à dépasser son set-point. Cette prédisposition ne pouvant toutefois s'exprimer qu'en présence de certains facteurs qui entraîneront une impossibilité à maintenir l'adéquation entre les entrées et les sorties d'énergie, caractérisée par un trouble de la régulation des apports caloriques, un TRAC. Au cours duquel, consciemment ou non, le sujet mange sans faim.

Alors que la part génétique du poids échappe pour le moment aux ressources médicales modernes, la part liée aux TRAC est bien, quant à elle, accessible aux soins. Il semble même que ce soit la seule part du poids qu'il soit aujourd'hui possible de guérir. Or les facteurs responsables de ces TRAC ne sont autres que des événements psychologiques produisant des émotions venant brouiller les sensations alimentaires. La restriction cognitive produit des émotions : la peur du manque, la frustration, la culpabilité... mais elle n'est pas la seule. Il existe encore bien d'autres sources d'émotions qu'il faut, cette fois, rechercher dans l'histoire personnelle des individus. Je rappellerai celles que nous avons évoquées : le corps gros investi d'une valeur symbolique et défensive, la perturbation de l'apprentissage des sensations alimentaires par des expériences infantiles inadéquates, des blessures narcissiques infligées par des parents exigeants ou par les expériences de rejet infligées par la société, les carences affectives, les traumatismes psychologiques survenant à tout âge de la vie... Tout au long de ce livre, j'ai essayé de vous démontrer la supériorité des processus cognitifs et psychologiques sur les simples aspects physiologiques de la régulation.

Tous ces conflits psychologiques peuvent entraîner des émotions qui, à leur tour, pourront se décharger dans la nourriture. Elles pourront faciliter une prise de poids, toujours mal vécue, chez des individus, à juste titre, terrorisés par la stigmatisation du surpoids. Et entraîneront une dégradation de la relation à la nourriture, la restriction cognitive, qui à son tour aggravera les conflits psychologiques. Il n'y a ici que du psychologique. Il me semble donc pouvoir considérer cette part du poids comme le résultat de conflits mentaux, du domaine de la maladie mentale.

La prise en charge de ces problèmes psychologiques peut souvent réduire l'intensité de ces émotions. Expliquant, d'ailleurs, le succès de certaines psychothérapies. Toutefois leurs succès limités sont sans doute attribuables à l'absence de prise en compte de la relation spécifique de l'individu avec sa nourriture. Loin de restaurer la paix avec les aliments, l'intervention de certains psychothérapeutes, sans doute bénéfique pour la compréhension de l'histoire personnelle de l'individu, s'articule avec des conseils nutritionnels renforçant le contrôle alimentaire au détriment de la régulation. Et, de ce fait, contribue à l'aggravation de relation à la nourriture. C'est ainsi que beaucoup de leurs patients finissent par admettre qu'ils ont tout compris de ce qui les fait manger sans faim mais reconnaissent qu'ils ne parviennent toujours pas à s'en empêcher.

Il y a donc beaucoup d'espoir aujourd'hui dans le traitement des problèmes de poids et de trouble du comportement alimentaire. À condition, toutefois, d'admettre qu'il s'agit de maladies complexes dont la prise en charge est aussi complexe. Et que médecins et patients abandonnent l'illusion qu'ils peuvent dominer le poids de ces derniers comme bon leur semble. Les médecins pourront apporter beaucoup tant qu'ils resteront mesurés et raisonnables. Ils apporteront peu tant qu'ils songeront à exaucer les désirs fous de leurs patients, animés par la volonté de maigrir quel qu'en soit le prix. On peut guérir d'un trouble, mais on ne peut refuser sa génétique. Changer ce qui peut l'être, accepter ce qui ne peut l'être...

Guérir du poids est une entreprise ambitieuse. Elle ne consiste pas seulement à maigrir, mais aussi à se réconcilier avec les aliments et avec soi-même pour vivre enfin en harmonie avec son entourage. Elle nécessite de considérer l'individu dans tout son ensemble sans le réduire au nombre de ses kilos à perdre. Si les moyens d'y parvenir peuvent paraître plus abstraits que la pratique habituelle des régimes amaigrissants, les résultats sont aussi à la hauteur des efforts consentis. Ce que disent les patients qui ont suivi ces traitements, c'est surtout que les kilos perdus sont peu de chose à côté du poids dont ils ont soulagé leur esprit. Ce ne sont pas tant ces kilos en moins qui sont remarquables que la paix qu'ils ont enfin gagnée, la sérénité qu'ils ont obtenue et le sentiment de libération qu'enfin ils ont pu éprouver. Certains ont même déclaré que, pour rien au monde, ils n'envisageraient d'échanger cet état de bien-être contre les kilos qu'ils auraient encore souhaité perdre. J'espère que ce livre vous permettra, à vous aussi, d'accéder à ce petit bout de bonheur.

Annexes

Comment expliquer les craquages ?

Beaucoup d'auteurs ont vu dans les pertes de contrôle le phénomène responsable de la prise de poids, chacun exposant sa théorie pour expliquer la présence de ces surconsommations.

Histoire de la restriction cognitive [1]

1. Pour Nisbett[2] en 1972, la restriction alimentaire afin de se maintenir au-dessous de son poids physiologique, induirait de la part des personnes amaigries des prises alimentaires de « rattrapage » destinées à les ramener à leur poids d'équilibre.
2. D'autres ont observé que les crises hyperphagiques portaient plus souvent sur des aliments sucrés. Ils ont donc suggéré que les restrictions glucidiques entraînaient un état de carence spécifique que le sujet cherchait à combler lors de ses crises.
3. Pour d'autres auteurs, les accès hyperphagiques s'expliqueraient par des traits de personnalité qu'ils auraient constatés chez les personnes obèses. Cette conception a permis à S. Schachter de développer sa théorie de l'externalité[3]. Pour lui, l'obésité serait la conséquence d'une exposition à un environnement riche en aliments tentateurs et d'une hypersensibilité aux stimulations externes (la vue et l'odeur des aliments). Au point

---

1. D'après une communication de Apfeldorfer G., « La restriction cognitive : l'évolution des idées », Journées du GROS, octobre 2000.
2. Nisbett R.E., « Hunger, obesity and the ventro-medial hypothalamus », *Psychol. Rev.*, 1972, 79, 433-453.
3. Schachter S., « Some extraordinary facts about humans and rats », *Am. Psychol.*, 1971, 26, 129-144.

que parfois seule la pensée d'un aliment interdit pourrait entraîner une compulsion alimentaire et une perte de contrôle. Les personnes externalistes seraient peu sensibles aux signaux internes de faim et de satiété, et mangeraient en fonction de l'offre alimentaire. Les individus externalistes se caractériseraient en outre par leur hyperréactivité émotionnelle, leur distractibilité, leur médiocre appréciation subjective des durées, leur mauvaise évaluation des sensations douloureuses, mais aussi leur capacité à relever davantage d'informations dans l'environnement en un temps donné.

4. Enfin Herman et Polivy, à la suite de leur expérience, ont évoqué l'effet de violation de l'abstinence. Le sujet s'empêche de manger certains aliments et ne peut se contrôler s'il transgresse ses règles.

Pourtant, ces théories restent tout de même insatisfaisantes et ne rendent pas compte de la diversité des situations rencontrées.

1. En premier lieu, la présence des pertes de contrôle n'est pas systématiquement associée à l'existence d'un surpoids obligatoire. Au contraire, un grand nombre de sujets en état de restriction cognitive, bien qu'ils éprouvent un sentiment constant de privation, continuent à consommer dans la phase d'inhibition des quantités de nourriture équivalentes ou même supérieures à ce qu'exigerait la satisfaction de leurs besoins et peuvent, paradoxalement de leur point de vue, se trouver affectés d'un surpoids ou d'une obésité, en dehors de toutes pertes de contrôle. Nous disposons actuellement de méthodes qui permettent de mesurer les dépenses énergétiques d'une personne. Ces techniques ont permis de réaliser qu'un grand nombre de sujets restreints avaient une tendance involontaire et inconsciente à sous-estimer, parfois considérablement, leurs

apports alimentaires [1]. Certaines études ont rapporté des sous-estimations pouvant atteindre 50 % des apports alimentaires réels. Il ne s'agit en aucun cas de dissimulation intentionnelle mais effectivement d'un trouble de la perception des apports alimentaires. Ces personnes ont véritablement la sensation de manger deux fois moins qu'elles ne mangent réellement. Et ces sous-estimations ne font finalement que refléter l'état de frustration dans lequel elles se trouvent ou le déni d'une réalité difficile à admettre pour elles. Il est donc fortement probable que bien des personnes en état de restriction cognitive mangent davantage qu'elles ne s'en rendent compte. Il serait toutefois dangereux de considérer cette erreur d'appréciation comme une règle générale car, à l'inverse, dans d'autres situations, la restriction calorique peut s'avérer bien réelle et aboutir à un vrai déficit énergétique, jusqu'à entraîner un état d'anorexie mentale. Ainsi, si l'explication métabolique est parfois plausible, elle est loin d'être généralisable à toutes les personnes et encore moins à tous les épisodes de désinhibition.

2. Les compulsions sucrées, couramment observées, peuvent aussi bien survenir chez des personnes consommant des quantités suffisantes, ou même excessives, de féculents excluant la moindre carence glucidique. Ces compulsions traduiraient donc davantage la recherche d'un goût sucré qu'un réel besoin de glucides.

3. Il est exact, comme l'a souligné Schachter, que beaucoup de personnes rapportent cette fragilité face à la présentation des aliments. Néanmoins, là encore cette explication s'est révélée bien insuffisante à expliquer la diversité des situations cliniques rencontrées. Tout particulièrement, elle ne permet pas de comprendre pourquoi le même phénomène est couramment relevé chez des personnes de poids normal ou même inférieur

---

1. Romon M., « Évaluation de l'apport alimentaire chez les sujets en restriction cognitive », *Cah. Nutr. Diét.*, 1998, 33, 4.

à la normale et ne présentant ni surpoids ni obésité. De plus, les études menées dans la population générale n'ont jamais permis d'affirmer que les obèses disposaient de personnalités particulières : ceux-ci ne sont pas plus névrotiques, ou anxieux, ou dépressifs que les normo-pondéraux et ne présentent, en vérité, pas de profil de personnalité caractérisable [1].

1. Stunkard A.J., Wadden T.A., « Psychological aspects of severe obesity », *Am. J. Clin. Nutr.*, 1992, 55, 524S-532S.

Le fractionnement des repas

Beaucoup d'experts se sont donc interrogés sur l'importance de la répartition des repas dans la journée et le débat sur la déstructuration des repas n'est pas nouveau dans la littérature scientifique. Voyons ce qu'en disent les spécialistes de différentes disciplines.

Un peu d'histoire

Les premières préoccupations connues concernant le désordre des repas semblent remonter à la nuit des temps. Déjà au Moyen Âge, La Tour Landry adresse de sévères remontrances à ses contemporains qui se conduisent comme des animaux : « Manger une fois le jour est vie d'ange, et manger deux fois le jour est vie humaine, et trois fois ou quatre fois ou plusieurs fois est vie de bête et non pas de créature humaine[1]. » À cette époque, que voulez-vous, c'est prendre trois repas qui était blâmable. Ce thème du retour de l'homme à l'état animal est loin d'être abandonné puisqu'on le trouve encore de nos jours sous la plume d'un éminent psychologue, spécialiste du comportement alimentaire, qui écrit : « La disparition progressive des structures traditionnelles des repas et l'omniprésence d'aliments divers disponibles à toute heure dans notre environnement risquent de rendre l'homme semblable à la bête, en

---

1. Flandrin J.-L., « Les heures des repas », in *Le temps de manger. Alimentation, emploi du temps et rythmes sociaux*, M. Aymard (dir.), Paris, Maison des sciences de l'homme.

l'occurrence : obèse.» On se voit déjà pousser des poils en
mangeant des bonbons dans sa voiture. Brrr...

Il est étonnant de constater comme le thème du désordre
alimentaire est d'ailleurs récurent dans l'Histoire et comme il
est, quelles que soient les époques, toujours interprété comme
une conséquence néfaste de la modernité et du relâchement des
mœurs. En 1577, Lippomano s'en prend aux nouvelles habitudes qui mettent à portée de bouche toutes sortes de nourritures
tentatrices :

> « Dans les villes et même dans les villages, on trouve toutes sortes
> de mets tout prêts, ou de menus arrangés de manière qu'il ne leur
> manque que la cuisson [...]. Vous voulez acheter des animaux au
> marché ou bien de la viande, vous le pouvez à toute heure et en
> tout lieu. Voulez-vous votre provision toute prête, cuite ou crue, les
> rôtisseurs et les pâtissiers en moins d'une heure vous arrangent un
> dîner, un souper, pour dix ou pour vingt, des pâtés, des tourtes, des
> desserts. Les cuisiniers vous donnent des gelées, les sauces, les
> ragoûts. Cet art est si avancé à Paris, qu'il y a des cabaretiers qui
> vous donnent à manger chez eux à tous les prix, pour un teston si
> vous le désirez [...] »

Il n'est guère douteux que celui-là, déjà scandalisé par
l'apparition des premiers restaurants, aurait fait aujourd'hui
parti des détracteurs des fast-foods et des distributeurs de nourriture qui rendent désormais les aliments si facilement accessibles à chacun. On croit bien là entendre le discours moderne
sur le grignotage et la dispersion des repas. Ici, c'est le progrès
et la facilité qu'il apporte qui sont condamnés. Un thème que
l'on retrouve souvent dans les textes contemporains. Pour certains, le congélateur et le réfrigérateur ont même permis la naissance de « l'ingestion instantanée[1] » et présentent le grand

---

1. Harrus-Revidi G., *Psychanalyse de la gourmandise*, Paris, Payot, 1994.

défaut d'avoir supprimé l'attente, source d'une frustration nécessaire et donc d'un désir salutaire.

D'autres exemples nous montreraient la récurrence d'une seconde inquiétude : le grignotage et la déstructuration des repas seraient responsables de l'effacement des liens familiaux. À moins, c'est selon, qu'ils n'en soient la conséquence. C'est d'ailleurs pourquoi on retrouve si souvent cette préoccupation dans la bouche des associations de parents ou de défense des valeurs morales. Le reproche n'est pas nouveau, les moralistes du XVIIIe siècle condamnaient déjà les mauvais parents qui donnaient à manger aux enfants toute la journée. Ce n'était pourtant pas le spectre de l'obésité qui les inquiétait alors.

Quoi qu'il en soit, l'historien Jean-Louis Flandrin constate, dans une revue assez complète des comportements alimentaires avant le XIXe siècle, que s'il est souvent fait mention dans les textes anciens de quatre repas quotidiens, parfois deux, ou même un seul vrai repas, les trois repas constituent plutôt une exception historique. Pour l'historien, la justification du nombre et de l'horaire des repas se situe simplement dans la présence de contraintes économiques et tout particulièrement celles liées aux horaires de travail. Ainsi, si nous trouvons naturel aujourd'hui de prendre trois repas par jour, c'est tout bonnement qu'ils correspondent le mieux à l'organisation du travail dans nos sociétés modernes.

Et les sociologues...

Les sociologues, quant à eux, s'intéressent aux comportements actuels et se sont demandé combien de repas prenaient réellement les Français. Ils semblent bien constater, dans la plupart de leurs enquêtes, une assez bonne résistance des repas structurés. Les Français affirment y être toujours très attachés et, dans les faits, l'étude de leurs habitudes confirme bien qu'ils n'entendent pas y renoncer. Ceux qui s'inquiètent de ce grand relâchement des mœurs peuvent donc se sentir rassurés. Cependant, si les trois repas résistent, ils évoluent aussi. D'une part, ils se simplifient et se réduisent, en particulier au déjeuner[1]. Les entrées et les desserts sont, de plus en plus souvent, absents du plateau des mangeurs, même en restauration collective et ceci en dehors de toutes contraintes économiques puisque le phénomène est identique quand le prix du repas est fixé forfaitairement. On observe, en effet, que des consommateurs qui ont payé un repas complet ne prennent pourtant pas tout ce à quoi ils ont droit. Cette simplification des repas coïncide avec les résultats d'autres enquêtes de consommation qui montrent une réduction progressive des apports caloriques au fil du temps, 7 à 8 % en 5 ans dans l'étude de Fleurbaix-Laventie[2]. D'autre part, les repas classiques sont loin de constituer les seules prises alimentaires de la journée. Seuls 20 % des Français se contentent des 3 repas classiques quotidiens. Tandis que 40 % ajoutent une à deux prises supplémentaires et 40 % ajoutent quatre prises ou plus aux trois repas classiques. Ces prises alimentaires hors repas pourraient même avoir une importance considérable allant jusqu'à 20 % des apports caloriques de la journée en Europe et 30 % aux États-Unis.

Au bout du compte, l'observation la plus intéressante est, là encore, l'état de dissonance cognitive dans lequel se trouve le mangeur. 80 % des personnes pensent que le grignotage est mauvais pour la santé et 63 % qu'un vrai repas doit comporter trois plats. Or 80 % des personnes ont l'habitude de manger en dehors des trois repas et la plupart ne consomment plus trois

1. Poulain J.-P., Delorme J.-M., Gineste M., *Les Nouvelles Pratiques alimentaires des Français ; entre commensalisme et vagabondage*, ministère de l'Agriculture et de l'Alimentation, programme « Aliments demain », 1996.
2. Fleurbaix et Laventie sont deux petites villes du nord de la France dans lesquelles est menée une étude d'impact d'éducation nutritionnelle.

plats lors de ces repas. Si bien, qu'encore une fois, le mangeur ne peut que déplorer le décalage entre ce qu'il fait réellement et ce qu'il croit devoir faire.

Le sociologue Jean-Pierre Poulain constate que « certains nutritionnistes – ou les médias qui les relayent – sont tentés de condamner les nouvelles pratiques alimentaires et de les décoder comme la dégradation d'un "ordre alimentaire" initial. Le discours se déployant alors sur la nécessité de restaurer les bonnes habitudes et de rééduquer le mangeur moderne ».

Tout en observant que seuls 20 % des Français respectent les prescriptions des nutritionnistes, les sociologues se demandent donc pourquoi il faudrait que les 80 % restants s'astreignent à prendre la minorité en exemple. Du moins, tant qu'il n'est pas établi avec certitude qu'ils puissent en retirer un quelconque avantage. D'autant qu'en matière de poids, rien ne permet d'affirmer que les personnes qui mangent entre les trois principaux repas soient, de ce fait, plus corpulentes que celles qui ne le font pas.

Dans une toute récente enquête réalisée en 2000 par le CREDOC, les conséquences du fractionnement du repas ont été étudiées sur 2 000 adultes et 1 500 enfants. Elles confirment que seul un Français sur cinq se contente des trois repas par jour. Alors que les quatre autres mangent entre les trois repas principaux. 23 % consomment plus de 250 calories par jour entre les repas, 25 % de 100 à 250 calories et 30 % moins de 100 calories. Mais le fait le plus intéressant est que les auteurs n'ont identifié aucun lien entre la consommation hors repas et le poids des sujets. Pour les auteurs, ces prises alimentaires n'auraient donc pas d'incidence négative sur la santé. De plus l'observation des habitudes alimentaires dans les pays, tels ceux d'Asie, qui fractionnent leur alimentation en 7 ou 8 prises ne montrent pas que leurs populations aient un poids supérieur à celles qui ne mangent que trois fois.

À l'heure où s'écrivent ces lignes la norme des trois repas quotidiens est en passe d'être démodée et remplacée par celle des quatre repas. SUVIMAX, la grande étude épidémiologique française sur l'alimentation vient de nous révéler l'existence d'une relation entre le poids et la présence d'un goûter. Sans qu'aucun lien de causalité n'ait pu être établi, les industriels se sont rapidement emparés de l'information pour inciter les consommateurs à introduire ce nouveau repas dans leur programme quotidien.

Et les physiologistes...

Les physiologistes se sont aussi questionnés sur l'influence du nombre de repas sur le poids. Et c'est le Tchèque Pavel Fabry [1] qui, en 1964, affirma le premier que la diminution du nombre de repas pouvait favoriser l'apparition du surpoids et la dégradation de certains paramètres biologiques. Bien que ces travaux n'aient jamais été ni confirmés ni reproduits, il semble qu'ils aient largement influencé la pratique des nutritionnistes. Depuis, plusieurs autres études ont été réalisées et ont modifié cette idée universellement admise par tous.

Les physiologistes ont donc étudié l'effet du fractionnement des repas sur des individus qu'ils ont mis en observation. Ils ont testé de un jusqu'à dix-sept repas par jour. Les résultats sont, à ce jour, suffisamment convergents pour que l'on puisse en retirer des conclusions. Ils confirment effectivement que le fractionnement améliore les paramètres biologiques : le cholestérol total et LDL, l'insulinémie et la glycémie se portent mieux. Cependant, si l'amélioration est sensible quand on passe de un à cinq repas, elle l'est beaucoup moins quand on passe de trois à quatre ou cinq repas. En revanche, à calories égales,

---

1. Fabry P., Fodor J., Braun T., Svolankova K., « The frequency of meals : its relation to overweight, hypercholesterolemia, and decreased glucose tolerance », *Lancet*, 1964, 614-615.

que l'on répartisse son alimentation sur un, deux, cinq, dix et même dix-sept repas, il ne faut pas compter sur cette manipulation diététique pour perdre le moindre poids.

De plus, au cours de ces recherches, un autre aspect du fractionnement a été mis en évidence. Certains physiologistes se sont rendu compte que les mangeurs qui se laissaient le plus souvent aller à une consommation spontanée, variant le nombre de repas d'un jour à l'autre, étaient aussi de meilleurs régulateurs que ceux qui avaient des habitudes de consommation plus figées. Ces mangeurs spontanés étaient plus à même d'ajuster la taille de leur repas à des variations imprévues de la taille de leurs collations. Comme s'ils étaient mieux entraînés à opérer des compensations que ceux qui avaient une alimentation plus rigide. Ce qui, comme nous le verrons, constitue pour eux un avantage appréciable dans la régulation de leurs apports caloriques.

Mais dans la vie réelle, le fractionnement des repas ne s'effectue pas obligatoirement à calories constantes comme dans les laboratoires de recherche. C'est pourquoi les physiologistes suggèrent de distinguer deux situations dont les conséquences seront bien différentes sur un plan énergétique et pondéral[1]. Mais qui, pour un observateur, risquent fort de beaucoup se ressembler. La première consiste à manger en éprouvant une sensation de faim et est assimilable à une collation. La seconde consiste à manger sans faim et est assimilable à un grignotage. Les collations aboutiront simplement à un fractionnement de la ration habituelle du mangeur et donc n'influenceront pas son poids. Tandis que le grignotage qui est une consommation d'aliments sans faim (sans fin ?) entraînera une surconsommation de calories et donc une augmentation du

1. Marmonier C., Chapelot D., Louis-Sylvestre J., « Metabolic and behavioural consequences of a snack consumed in a satiety state », *American Journal of Clinical Nutrition*, 1999, 70, 854-866.

poids de la personne. À moins, bien entendu, qu'ils ne soient régulés lors des repas ultérieurs. Évidemment, du point de vue de l'observateur, il sera difficile de savoir si la même barre de chocolat doit être considérée comme une collation ou un grignotage ! Seul le mangeur pourra le dire.

En définitive, on peut considérer que la norme des trois ou, peut-être bientôt, des quatre repas par jour présente, pour certains, l'avantage de préserver un ordre alimentaire ou pour d'autres d'améliorer des paramètres biologiques mais il est faux de dire ou de laisser croire qu'elle présente le moindre intérêt dans la perte de poids. Il est tout à fait possible de maintenir son poids ou même de maigrir en s'écartant dans un sens ou l'autre des trois repas par jour, sous réserve d'avoir faim ou de réguler ses apports caloriques lors de prises alimentaires ultérieures. Alors que la norme imposée des trois repas semble quant à elle nous empêcher d'effectuer efficacement cette régulation.

Table

Ouvrage proposé par Jacques FRICKER
et publié sous la responsabilité éditoriale
de Catherine MEYER

Remerciements

À l'achèvement d'un ouvrage, on réalise qu'il est l'aboutissement des efforts et des bonnes volontés de nombreuses personnes.

Il me faut d'abord remercier le Dr Jacques Fricker, qui malgré nos points de vue fort différents, a accepté, avec élégance, de soutenir le projet et de le présenter aux éditions Odile Jacob. Merci également à Catherine Meyer qui par ses lectures attentives et ses critiques constructives m'a apporté une aide chaque fois précieuse.

Pour s'être engagé avec moi dans la grande aventure du Groupe de Réflexions sur l'Obésité et le Surpoids, je veux chaleureusement remercier les Drs Bernard Waysfeld et Gérard Apfeldorfer. Et tout particulièrement ce dernier qui, tout au long de nos interminables discussions, m'a permis d'avancer dans mes idées sans trop me perdre. Il trouvera dans cet ouvrage certains concepts que, bien souvent, il aura été le premier à promouvoir. Son soutien m'a été indispensable.

Il me faut également remercier tous les membres du Groupe de Réflexion sur l'Obésité et le Surpoids qui depuis plusieurs années se rencontrent pour échanger et agiter des idées nouvelles au sein de nos forums et de nos formations. Je veux témoigner de leur détermination à remettre en question leur pratique dans le seul intérêt de leurs patients.

Je dois enfin remercier mes patients qui ont supporté sans se plaindre les recherches et les évolutions successives qui m'ont permis d'atteindre ma pratique actuelle.

Composition : Nord Compo, Villeneuve d'Ascq

CET OUVRAGE A ÉTÉ ACHEVÉ D'IMPRIMER
SUR ROTO-PAGE
PAR L'IMPRIMERIE FLOCH À MAYENNE
EN MAI 2002

N° d'impression : 54377.
N° d'édition : 7381-1078-3.
Dépôt légal : février 2002.
Imprimé en France.